L'Europe des socialistes

DU MÊME AUTEUR

La lutte contre le stalinisme.
Correspondance V. Serge - L. Trotsky,
textes présentés et annotés, Paris, Maspéro, 1977.

Mouvements de femme, 1919-1940.
Guide des sources documentaires,
ouvrage collectif, *Vie sociale*, n° 11-12, 1984.

Piero Gobetti e la Francia, ouvrage collectif, Milano, Angeli, 1985.

Vichy. 1940-1944. Archives de guerre d'A. Tasca, ouvrage collectif,
Annali Feltrinelli, 1986.

Les sources de l'histoire ouvrière sociale et industrielle en France,
Paris, Editions ouvrières, 1987.

L'immigration italienne en France (1914-1945), ouvrage collectif,
Ecole française de Rome, 1987.

La Mutualité, une histoire maintenant accessible,
Paris, Mutualité française, 1988.

PCF, crises et dissidences, Bruxelles, Complexe, 1989.

En collaboration avec Y. Saint-Jours et D. Durand,
La Mutualité: histoire, droit, sociologie, Paris, LGDJ, 1990.

Collaboration à la 4e série
du *Dictionnaire biographique du mouvement ouvrier français*,
sous la direction de J. Maitron, Paris, Editions ouvrières.

© Editions Complexe 1991
ISBN 2-87027-405-X
D/1638/1991/36

Michel Dreyfus

L'Europe des socialistes

QUESTIONS AU XXe SIÈCLE

SOMMAIRE

INTRODUCTION

1989: l'année du bicentenaire de la Révolution française
aura connu un bien étrange paradoxe. En fêtant de façon
massive, voire même excessive, les débuts de la décennie
révolutionnaire des années 1789-1989, les Français ont
complètement délaissé, sans s'en rendre compte, un autre
anniversaire qu'en d'autres temps peut-être ils auraient
davantage célébré, celui de la naissance de la Seconde
Internationale. Aucune manifestation — colloque, débat, spectacle, film, concert, pièce de théâtre, défilé, etc.
— n'a manqué à la commémoration du bicentenaire;
durant ces douze mois il a occupé le devant de la scène
de façon ininterrompue. Les écrits de toute sorte
célébrant l'événement et parus en cette occasion suffi-
raient à remplir les rayons d'une bibliothèque. Leur
rapport scientifique est de qualité fort variable. Faut-il
se féliciter d'une si vaste production? L'importance de la
Révolution française, tant pour notre pays que pour le
monde entier n'est certes plus à démontrer et on peut se
réjouir du rappel de ses grands idéaux ainsi que de ses
réalisations. Néanmoins un peu plus de discrétion et de

réserve auraient été de mise: cette débauche commémorative n'a pas toujours évité le mauvais goût et a souvent pris des formes où la vulgarité le disputait aux préoccupations commerciales les plus immédiates. L'ensemble de ces productions dont il serait fort instructif de tirer un bilan a-t-il permis, en France comme à l'étranger, une meilleure connaissance de cette période décisive de notre histoire? On peut s'interroger à ce sujet. Mais il ne fait guère de doute que son examen serait des plus utiles pour aider à mieux cerner la réalité et les fantasmes de la société française de 1989!

On doit d'autant plus regretter dans ces conditions que cette surabondance commémorative ait totalement occulté et relégué aux oubliettes l'anniversaire d'un autre événement qui, à sa façon, a également puissamment contribué à la formation de la société contemporaine, en France et en Europe: la naissance de la Seconde Internationale, l'organisation internationale du socialisme. Créée il y a un siècle et tout à fait consciemment par ses protagonistes à l'occasion du centenaire, à Paris, de la Révolution française, la Seconde Internationale semble n'avoir laissé en 1989 aucun souvenir dans la mémoire collective. Le fait est passé à peu près complètement inaperçu et il est bien facile de relever les trop rares publications qui lui ont été consacrées: à l'exception de deux revues historiques scientifiques spécialisées [1], non destinées par leur nature à toucher un large public, ce fut le silence. Pas la moindre manifestation susceptible de rencontrer une plus large audience n'a daigné rappeler à nos contemporains une date clé de l'histoire du socialisme européen et international, ce mouvement, qui quel que soit le jugement que l'on puisse porter sur son bilan, a joué un rôle de premier plan dans l'histoire française et européenne depuis un siècle. Pas plus que les autres formations politiques, le Parti socialiste ne s'est soucié d'un tel anniversaire. Il y a quatre ans déjà, la célébration du cinquantenaire du Front populaire s'était faite dans la plus grande discrétion. Doit-on voir dans cette négligence vis-à-vis de son histoire une des conséquences de la nouvelle «culture de gouvernement» du Parti socialiste depuis son accession au pouvoir?

On peut s'en étonner. On doit le regretter. Cet oubli est surprenant et même choquant. Il est d'autant plus malencontreux que par une ironie dont l'histoire est coutumière, 1989, en dépit de sa proximité chronologique peut dès maintenant être retenue comme une année capitale pour le socialisme international. Au regard de l'Histoire, ces douze mois resteront décisifs dans le domaine des relations internationales depuis la Seconde Guerre mondiale: ils mettent définitivement fin à la Guerre froide et au système des Blocs sur lequel reposait le monde depuis 1945 et ses lendemains. Pour être remplacé par quoi? Il est encore trop tôt pour le dire. 1989 laissera une empreinte indélébile dans l'histoire du socialisme en raison des événements historiques survenus en Europe de l'Est et en Union soviétique: dès maintenant on peut affirmer qu'ils posent le devenir du mouvement socialiste en des termes radicalement nouveaux et encore imprévisibles il y a un an. Il est impossible de prendre actuellement toute la mesure des bouleversements qui se sont produits dans ce qui fut, durant quarante ans, le monde communiste et qui sont loin d'être encore terminés. Avec l'implosion aussi brutale qu'inattendue des régimes se réclamant du communisme en Europe orientale, avec les transformations qui sont toujours en cours en Union soviétique, les rapports entre communisme et socialisme sont en ce début des années 1990, en pleine mutation. Et ceci, contre toute attente, au profit du socialisme. Un siècle exactement après la création de la Seconde Internationale à Paris, sept décennies après la constitution du Komintern et de ses sections nationales, on est en droit se demander si la parenthèse ouverte au sein du mouvement ouvrier au lendemain de la Première Guerre mondiale n'est pas en train de se refermer: il semble bien que la rivalité, incessante durant ces soixante-dix ans, entre communisme et socialisme, tourne à l'avantage de ce dernier. 1989 aura été une année noire pour le communisme comme il en a peu connu. Cela ne signifie pas pour autant que l'Europe des années 1990 en revienne à une simple copie plus ou moins conforme de celle de 1945 voire même celle de 1919: on ne saurait effacer des décennies d'histoire. Après quarante ans de régime se réclamant du communisme, les pays de l'Europe de l'Est sont nécessairement différents de ce qu'ils pouvaient être au lendemain de la Seconde Guerre mondiale. Dans quelles proportions, tout le problème est là. Leur retour, difficile parfois, à des formes de vie politique plus proches de celles des démocraties occidentales ne doit point masquer le lourd héritage qui est aujourd'hui le leur à tous les points de vue: politique, économique et social. La réintégration au système économique capitaliste — baptisé aujourd'hui plus pudiquement économie de marché — s'accompagnera d'une augmentation du chômage, de restructurations industrielles massives, d'un retour à la productivité, toutes choses qui ne se feront pas dans la facilité. Ces éléments nouveaux, parmi d'autres, doivent être pris en compte. L'histoire ne se répète pas s'il est vrai que parfois elle balbutie comme le montre la résurgence de certains problèmes affrontés en leur temps par le mouvement socialiste: la question du nationalisme et des nationalités qui réapparaît dans certains pays de l'Europe de l'Est et en Union soviétique est sans doute l'expression la plus manifeste de cette récurrence. Bien entendu ces problèmes se posent dans un contexte international entièrement différent, dans le cadre d'une Europe en construction pour qui, à son tour, 1992 devrait représenter tant sur le plan politique qu'au niveau économique un point de non-retour.

Implosion du communisme d'Etat en 1989 selon un processus imprévu créant une situation nouvelle et vraisemblablement bénéfique au socialisme; construction politique de l'Europe en 1992. Ces deux événements justifient peut-être le pari difficile proposé dans cet ouvrage: décrire les principales lignes de force du mouvement socialiste européen depuis un siècle. Il ne s'agit pas de retracer ici l'histoire de l'ensemble des partis socialistes en Europe durant cette période mais de présenter les grandes étapes de son développement en tant que mouvement international, essentiellement européen jusqu'à une période récente, ainsi que les principaux problèmes auxquels il a dû faire face. Nous nous sommes donc efforcés de reconstruire les moments les plus marquants de l'histoire de l'organisation du socialisme européen: Seconde Internationale puis à partir de 1923, Internationale ouvrière socialiste. Enfin les traits dominants de l'Internationale socialiste depuis sa constitution en 1951 ont été évoqués. Au delà des données factuelles indispensables, nous avons mis l'accent sur les questions fondamentales qui tout au long de cette histoire, se posent au mouvement socialiste et contribuent à expliquer sa physionomie actuelle.

On peut en retenir essentiellement quatre: la lutte pour la démocratie et le passage au socialisme par des moyens démocratique; le combat contre le nationalisme et ses diverses formes; la volonté d'amélioration des conditions de travail de la classe ouvrière: c'est tout le problème de la protection sociale qui se trouve ici posé. Enfin, les relations — conflictuelles et complexes — entretenues avec le communisme sont une constante de cette histoire pendant soixante-dix ans. Si le problème ne disparaît pas en 1989, tout porte à croire qu'il se pose en des termes radicalement différents à partir de cette date. Tels ont été les critères à travers lesquels nous avons abordé le récit de ce siècle de socialisme européen.

Au delà de la multiplicité des hommes, des faits et des dates, sans oublier les contingences et les hasards, il faut mettre en lumière les tendances profondes qui permettent de saisir toute l'originalité d'un courant politique. Le socialisme européen a existé depuis un siècle. Il a représenté une force qui, pour beaucoup, a contribué à façonner, de façon différenciée, le visage de la plupart des pays européens. A l'heure ou des tâches nouvelles l'attendent dans une Europe en construction, au moment où sa rivalité, vieille de soixante-dix ans avec le communisme, semble être définitivement dépassée, que pouvons-nous retenir des grandes lignes de son histoire?

VERS UN PROGRÈS INDÉFINI DU GENRE HUMAIN (1889-1914)

Le 2 août 1914 est une date noire de l'histoire de l'humanité, le début d'une catastrophe absolue pour ce siècle qui en subit encore aujourd'hui les conséquences. Créée un quart de siècle auparavant, l'organisation politique internationale du mouvement ouvrier qui s'était promis, il y a deux ans encore, au Congrès de Bâle en 1912, de mener la lutte la plus résolue qui soit contre la guerre, s'avère incapable d'en empêcher le déclenchement. De façon imprévue l'immense majorité de ses forces bascule dans le camp de l'Union sacrée. Dans toute l'Europe, seuls les partis socialistes de Russie et de Serbie refusent de voter les crédits de guerre et de soutenir cette dernière. De son côté le Parti socialiste italien est l'unique section de la Seconde Internationale qui, après avoir condamné la guerre impérialiste, adopte une position de neutralité vis-à-vis du conflit. Inversement les partis des principaux pays belligérants (Allemagne, Autriche-Hongrie, Belgique, France, Grande-Bretagne) trouvent chacun de bonnes raisons pour justifier le massacre et soutenir leurs gouvernements.

Cet incroyable retournement pose problème. Ici l'écart est total entre les proclamations énoncées antérieurement et les positions brutalement prises à partir d'août 1914 suivant une logique à première vue incompréhensible. Comment en est-on arrivé là? Pourquoi faire le contraire de ce que l'on a si souvent proclamé? Peut-on parler de «faillite» voire de «trahison»» de la Seconde Internationale comme on l'a souvent dit depuis? Sans le justifier ou le mettre en accusation, il est surtout nécessaire d'essayer de comprendre les raisons d'un tel phénomène et, pour se faire, l'examen des principales lignes de force de l'histoire de la Seconde Internationale, des partis qui la composent, de leurs succès et de leurs échecs s'impose. L'histoire de l'organisation est nécessaire mais pas suffisante pour appréhender les raisons du séisme d'août 1914: il faut également s'interroger sur le rapport de l'Internationale et de ses sections à leurs réalités nationales. Le brutal changement d'orientation politique effectué en 1914 ne peut s'expliquer seulement par les défaillances de quelques dirigeants politiques à un moment crucial: ses raisons plus profondes doivent être recherchées tant dans l'incapacité de l'Internationale à trouver une réponse à la question du nationalisme et des nationalités que dans un mode de fonctionnement se caractérisant essentiellement par une intégration de plus en plus poussée à la société qu'elle prétendait combattre et radicalement transformer. La construction et le développement des sections nationales de la Seconde Internationale vont de pair avec leur insertion croissante dans la société mais sans doute leurs dirigeants n'ont pas une claire conscience des conséquences d'un tel processus. Dans la plupart des partis socialistes, les réalités nationales l'emportent sur les idéaux internationalistes. Masquée par un discours révolutionnaire, cette évolution s'est insidieusement poursuivie durant toute l'histoire de la Seconde Internationale.

Constitution de l'Internationale

La disparition formelle de la Première Internationale en 1876, peu de temps après l'écrasement de la Commune de Paris, n'a pas empêché pourtant le développement du mouvement ouvrier [1]. Ce dernier est alors profondément divisé entre deux tendances rivales qui se combattent. Jusqu'au début des années 1890 les anarchistes semblent en mesure de l'emporter sur les marxistes en raison notamment de l'influence et du prestige de personnalités prestigieuses telles que l'Italien Malatesta, le Hollandais Nieuwenhuis, les Russes Bakounine [2] et Kropotkine. Tout en poursuivant la rédaction du *Capital*, K. Marx suit avec attention l'évolution des premiers groupements et partis socialistes en cours de formation dès la fin des années soixante-dix. Il est secondé dans cette double tâche par F. Engels qui, après la mort de Marx en 1883, lui succédera pendant douze ans. Le plus proche compagnon de Marx a-t-il infléchi la théorie marxiste en envisageant la possibilité pour le prolétariat d'accéder pacifiquement au pouvoir, en raison de son accroissement numérique et de son rôle toujours plus important dans la société? Plusieurs de ses écrits autorisent une telle lecture et la question reste encore posée aujourd'hui. Quoi qu'il en soit, jusqu'à sa mort, Engels est le garant de l'orthodoxie marxiste propagée par des hommes tels que Kautsky en Allemagne, Hyndman en Grande-Bretagne, Guesde et Lafargue en France, Iglesias en Espagne et Plekhanov en Russie. Leur influence connaît des fortunes diverses: ainsi l'audience du commentateur peut-être alors le plus profond de la pensée de Marx, l'Italien Labriola, ne dépasse encore guère la sphère de quelques cercles intellectuels restreints. Cependant au delà de la diffusion encore limitée du marxisme, ce qui frappe surtout en ce tournant des années 1880, c'est la variété, intellectuelle et politique du mouvement ouvrier européen partagé entre de nombreux courants; il est très loin de se limiter au marxisme et à son principal rival du moment, l'anarchisme. Fabiens et trades unionistes anglais, «possibilistes» et tenants de l'action directe inspirés du blanquisme en France, partisans d'un «socialisme intégral» conçu comme un humanisme influencé par le néo-kantisme et «socialistes de la chaire» en Allemagne, tels sont dans ces trois pays quelques exemples de ce foisonnement. Les différentes formes qu'il prend au niveau politique s'expliquent en premier lieu par l'histoire du développement économique et social spécifique de chaque nation mais cet ensemble de raisons ne peut à lui seul rendre compte de toute la réalité: l'histoire intellectuelle et religieuse y ont aussi leur place. La situation est différente en Italie ou en Allemagne qui viennent tout juste de réaliser leur unité politique depuis moins de trois décennies et en France qui a achevé la sienne bien avant la Révolution de 1789. Par ailleurs en ce XIXe siècle finissant, l'essor économique rapide que connaît l'Allemagne a peu à voir avec la grave crise affrontée par l'Italie au tournant des années 1880. Stagnante depuis 1873, l'économie française entre dans une période dépressive à partir de 1882. La tendance se renverse en 1895-1896 et les profits se multiplient jusqu'à la Première Guerre. De cette diversité de paramètres (économiques, politiques, sociaux, intellectuels et religieux) découlent des réalités nationales bien distinctes dans lesquelles le mouvement socialiste, souvent issu des milieux intellectuels, est encore minoritaire. Et en son sein les marxistes ne représentent qu'une tendance.

La lutte entre marxistes et anarchistes avait été sévère au sein de la Première Internationale, l'Association internationale des travailleurs (AIT)[3]; elle se poursuit après sa disparition. Plusieurs tentatives de reconstitution de l'AIT ou d'une organisation internationale voient le jour lors de conférences tenues à Berne en 1876, à Coire en 1881, à Paris en 1883. C'est en définitive à Paris que, du 14 au 21 juillet 1889, se tiennent deux congrès ouvriers rivaux, l'un de tendance réformiste, organisé par les «possibilistes» avec la seule participation étrangère de syndicalistes anglais, l'autre d'orientation marxiste auquel assistent des délégués venus de 23 pays et nations, tous européens à l'exception des Etats-Unis et de l'Argentine. Cette seconde réunion représente le véritable acte de naissance de la Seconde Internationale[4]. Abolition des armées permanentes, mise à l'étude d'une législation internationale sur le travail, campagne pour la journée de huit heures, choix du 1er Mai comme symbole de la lutte ouvrière[5], telles sont les bases programmatiques de la nouvelle Internationale dont l'apparition coïncide très nettement avec la structuration du socialisme à l'échelle européenne; si on ne peut retracer ici l'histoire de la formation de chaque parti social-démocrate, la chronologie montre toutefois à l'évidence ce mouvement d'ensemble au sein duquel la Seconde Internationale apparaît exactement en son milieu comme on le voit à la lecture de ce tableau:

Années	Pays	Partis
1874	Autriche	SPÖ
1875	Allemagne	SPD
1876	France	—
1878	Danemark	Union démocratique socialiste
1880	Suisse	Parti social-démocrate
1885	Belgique	POB
1887	Norvège	DNA
1888	Espagne	PSOE
1889	Suède	PSS
1892	Italie	PSI
1893	GB	ILP
1893	Pays-Bas	Ligue socialiste
1893	Roumanie	—

1894	Bulgarie	PSD
1898	Russie	POSDR
1899	Finlande	STP
1903	Serbie	SSDP

Durant sa première année, l'Internationale existe principalement à travers ses congrès. Jusqu'en 1891 au moins, Engels lui-même demeure persuadé que la social-démocratie allemande, frappée de 1878 à 1890 par les lois d'exception impériales «ne peut se permettre de jouer à créer des organisations internationales... aussi impossibles qu'inutiles»[6], ce qui rétrospectivement est assez paradoxal: bien vite les socialistes allemands vont jouer un rôle de premier plan dans l'organisation internationale du socialisme. Durant cette période initiale, les partis adhérents de l'Internationale restent très attachés à leur autonomie. En dépit de la tenue régulière de congrès internationaux dans les années qui suivent (IIe congrès, Bruxelles, août 1891; IIIe congrès, Zurich, 1893) et de sa volonté de «substitution du principe fédératif au principe de centralisation à outrance», il faut véritablement attendre le début du XXe siècle pour voir la Seconde Internationale se donner les moyens de coordonner son action de façon efficace. Cette nouvelle étape qui se situe après une clarification idéologique et politique de ses positions vis-à-vis de l'anarchisme et du syndicalisme se caractérise par la construction d'outils organisationnels appropriés. La question est rapidement réglée avec les anarchistes, définitivement exclus, après des débats tumultueux à l'issue du IVe congrès (Londres, 26 juillet - 2 août 1896). N'excluant pas l'intervention dans les institutions parlementaires, le socialisme définit la lutte politique comme une des modalités de l'action révolutionnaire[7]. Vis-à-vis du mouvement syndical, le problème est plus complexe en raison notamment des conceptions doctrinales de fond différentes entre sociaux-démocrates allemands et français: alors que pour les Allemands le syndicalisme représente «l'école primaire du socialisme», les Français au contraire se font l'avocat d'une pratique syndicale spécifique. En fin de compte c'est leur point de vue qui, soutenu par les socialistes anglais, finit par l'emporter ce qui explique la création en 1901 d'un Secrétariat international des organisations syndicales, autonome. Décision est prise à la même date de réunir régulièrement des congrès syndicaux. De cette pratique naîtra en 1919 la Fédération syndicale internationale [8]. De façon plus générale, la rupture de l'Internationale avec les anarchistes, dont sont proches de nombreux syndicalistes, a incontestablement favorisé l'autonomie du syndicalisme dans plusieurs pays européens.

Avec le congrès de Londres s'achève, pour reprendre une formule du socialiste français Jean Longuet, la période «constitutive» de l'Internationale; elle laisse la place à sa période «organique». Les congrès ont assis l'autorité de l'organisation, des questions politiques de fond viennent d'être résolues ou sont en voie de l'être. Il est maintenant possible de construire les structures organisationnelles nécessaires à l'action. Lors du Ve Congrès (Paris, juillet 1900) est mis sur pied un Comité international permanent qui commence à fonctionner dès la fin de l'année en prenant le nom de Bureau socialiste international (BSI) [9]. Composé de deux délégués par pays, il fonctionne annuellement en réunion plénière. A partir de 1905 un jeune socialiste flamand, Camille Huysmans en est nommé secrétaire et le transforme en un véritable organisme de coordination entre les congrès [10]. Le BSI devient alors le lieu de rencontre de tous les grands ténors du socialisme européen. Un an plus tôt a été créée une Commission socialiste interparlementaire ayant pour but de «faciliter une action commune sur les grandes questions politiques et économiques internationales». Son rôle empiète quelque peu sur celui du BSI et les délimitations ne sont pas toujours très nettes entre les deux instances. Et puis, se créent des organisations spécifiques: la Fédération internationale de la Jeunesse socialiste dirigée par H. de Man, L. Frank, K. Liebknecht tient sa première conférence à Stuttgart en 1907 [11] au même moment que le Congrès de l'Internationale. A l'initiative de la Conférence annuelle des femmes social-démocrates d'Allemagne est constitué la même année un Bureau international d'information des femmes socialistes à la tête duquel se trouve Clara Zetkin. Ainsi se construit un appareil propre à la Seconde Internationale qui l'aide à renforcer son poids politique. Cependant, au delà de la structuration de l'organisation, les grandes orientations et même son fonctionnement sont très largement tributaires des différents partis qui la composent et qui contribuent à modeler sa physionomie. A partir d'une description — nécessairement brève — des principales lignes de force du socialisme en Europe [12], il est possible de se faire une image plus précise de son organisation internationale.

Géographie du socialisme en Europe

A tout seigneur, tout honneur: le Parti social-démocrate allemand occupe la première place [13]. Au sein de la Seconde Internationale, il représente le modèle, l'inspirateur de nombreuses organisations qui, fascinées par son incontestable succès, s'efforcent, sinon de «copier» ses méthodes, du moins de s'en inspirer très largement. Pourquoi, comment peut-il disposer d'un tel rôle privilégié? Plusieurs raisons peuvent ici être invoquées et chacune d'entre elles sans doute concourt à un tel résultat. Tout d'abord les «pères fondateurs» du socialisme, Marx et

Engels, étaient des Allemands tout comme le sont leurs disciples, ces garants de l'orthodoxie parmi lesquels Kautsky occupe une place reconnue. Le marxisme a valeur universelle mais il est d'abord le fruit de penseurs allemands. En cette fin de siècle la supériorité de l'Allemagne en Europe — et d'abord sur la France — est pour certains tout autant une réalité intellectuelle que le résultat de la victoire de la guerre de 1870. Ce contexte général triomphant rejaillit sur le Parti social-démocrate (SPD). Efficace, discipliné, méthodiquement et scientifiquement organisé, il présente des qualités analogues à celles de l'Etat allemand. Outre cette identification idéologiquement lourde de conséquences mais bien réelle, il faut voir dans l'exemplarité du SPD une conséquence directe du développement considérable de l'économie allemande, la première d'Europe en cette fin du XIXe siècle, avant même celle de la Grande-Bretagne. L'essor très rapide du capitalisme en Allemagne y modifie profondément le paysage social et politique: ainsi la main-d'œuvre industrielle passe de 7 300 000 hommes à 10 200 000 entre 1882 et 1895, soit une augmentation de 40% en treize ans seulement. Les socialistes allemands savent fort bien tirer parti d'une telle situation en insérant leur organisation dans un immense réseau de groupements, associations, coopératives ouvrières, maisons des syndicats, très fortement implanté au sein de la classe ouvrière et constituant une véritable «contre-société» dans laquelle le travailleur allemand vit de sa naissance à sa mort: au sein de l'ensemble des sections du SPD, la proportion très élevée de prolétaires peut être estimée entre 77% et 94%. L'accroissement numérique des organisations professionnelles sous l'influence du SPD est tout aussi remarquable: elles passent de 50 000 adhérents en 1879 à 700 000 en 1900. En dépit des efforts de Bismarck qui, inquiet de ces succès, cherche à limiter la progression social-démocrate tant par la répression (lois d'exception promulguées de

1878 à 1890) que par une politique de «protection ouvrière» (lois sur les Assurances sociales de 1883, 1884 et
1889), la tendance se poursuit et le SPD se renforce.
Cependant la construction d'un si vaste appareil est à
long terme lourde de conséquences: elle secrète une énorme bureaucratie, efficace dans sa gestion mais qui oriente
toujours plus le Parti, en dépit du discours révolutionnaire qu'il continue à tenir, dans une voie réformiste. De
plus en plus un fossé se creuse entre le dire et le faire,
entre la proclamation d'une politique marxiste révolutionnaire et la pratique quotidienne qui l'est de moins en
moins. Dans un tel système la compétence gestionnaire
devient de plus en plus nécessaire: elle favorise à tous les
niveaux la stabilité des dirigeants au détriment de leur
mobilité. Cela ne peut que renforcer encore les tendances
à la bureaucratisation. Dans ces conditions, l'organisation, son renforcement puis sa sauvegarde en période de
crise — et la guerre est la période de crise par excellence
— deviennent toujours plus une fin en soi. On peut
mesurer tous les effets de ce processus en 1914 pour le
socialisme allemand comme pour l'ensemble de la Seconde Internationale qu'il inspire très largement: la bureaucratisation et l'intégration — diversifiées selon les
pays — du mouvement socialiste largement influencé par
le modèle allemand expliquent en grande partie la «faillite» de 1914. Et ceci d'autant plus que de nombreux partis
sociaux-démocrates européens fortement fascinés par le
grand frère germanique s'efforcent de «copier» ses méthodes [14].

Pour des raisons géopolitiques, linguistiques et cultu-
relles faciles à comprendre, c'est peut-être dans le cadre
de l'Empire austro-hongrois que les partis socialistes
s'inspirent le plus directement de l'exemple allemand. Il
faut cependant se garder de toute transposition par trop
schématique et prendre en compte les données spécifiques affrontées par les socialistes autrichiens [15]. Elles ont

nom: lutte pour le suffrage universel — il sera obtenu en 1907 — et surtout intervention dans le cadre d'un Etat multinational où les problèmes nationaux se posent avec acuité. Au sein même du prolétariat autrichien la solidarité internationaliste, cet idéal du mouvement socialiste, se heurte au sentiment d'appartenance à un groupe national déterminé. Qui l'emportera? La question des nationalités est d'une si grande complexité en Autriche-Hongrie qu'elle n'est pas discutée seulement au sein du Parti socialiste autrichien [16], surnommé parfois de façon significative la «petite Internationale»: c'est l'ensemble du mouvement socialiste qui se trouve ici concerné. Dans la monarchie bicéphale austro-hongroise le problème des rapports entre socialisme et nationalisme appelle des réponses urgentes alors que dans la majorité des Etats européens il a déjà été résolu par l'histoire. Les socialistes autrichiens sont contraints d'intervenir dans ce débat et de clarifier cette question dans leurs rangs au congrès de Hainfeld (1899). Ils doivent également définir leur attitude vis-à-vis du réformisme et de l'anarchisme. La clarification alors obtenue leur permet une progression rapide allant de pair avec un développement sensible du mouvement syndical; le tout s'accompagne d'un gain d'influence chez les intellectuels, notamment à Vienne, la capitale de l'Empire. Après avoir obtenu de haute lutte le suffrage universel, les dirigeants socialistes autrichiens réunis autour de Victor Adler estiment possible la conquête du pouvoir de façon légale. Cependant jusqu'à la Première Guerre mondiale ils se montrent impuissants à trouver une solution aux problèmes soulevés par le nationalisme: l'exacerbation est telle qu'elle provoque un conflit ouvert entre socialistes de langues allemande et tchèque avant 1914. Lors du congrès de Brunn (1899) a été recherchée une tentative de compromis et de lutte contre ces forces centrifuges mais elle n'a pas abouti. La perspective d'une Fédération de nationalités jouissant d'un statut analogue

entre elles ainsi que les possibilités d'une action réforma-
trice au sein de l'Empire austro-hongrois en restent au
niveau des intentions en raison du refus de celui-ci de
toute forme de coopération avec le mouvement socialiste.
Au sein de la social-démocratie autrichienne les tensions
nationalistes sont telles qu'elle en appelle à l'autorité de
l'Internationale lors de son congrès de Copenhague en
1910 pour apaiser les esprits. Sans grand succès! A la
veille de la Première Guerre mondiale l'échec de la social-
démocratie autrichienne sur la question des nationalités
est indéniable.

Le modèle allemand caractérisé par une étroite coopération entre parti et syndicat a bien des émules dans les
partis socialistes de l'Europe du Nord. Nombreux également sont les intellectuels à rejoindre leurs rangs: leur
critique de la société existante les place aux côtés des
opprimés. En Suède où l'introduction tardive du socialisme scientifique remonte aux années 1860, la première
réunion ouvrière importante a lieu en 1879. A sa naissance (1889) le Parti socialiste suédois regroupe 69 associations ouvrières et neuf ans plus tard se crée la Confédération générale du travail (LO) qui rassemble 60 000
ouvriers. La liaison très étroite entre parti et syndicat se
fait sur la base d'une orientation réformiste combinant
action parlementaire et lutte pour le suffrage universel.
La progression des élus socialistes est régulière: 17 en
1905, 35 en 1908, 64 en 1911 et 73 en 1914. Jusqu'à la
Première Guerre mondiale, les socialistes suédois affrontent une seule grave crise, la grève générale de 1909 où
30 000 ouvriers revendiquent une augmentation des salaires qu'ils justifient par l'essor économique que connaît
alors la Suède. L'échec de la grève entraîne une baisse des
effectifs du parti (60 000 militants contre 112 000) et du
syndicat (85 000 contre 162 000) mais ce recul est momentané. Bien vite la tendance s'inverse et les socialistes
suédois reprennent leur progression. Ils essuient parfois

la critique de gauche de certains groupes de jeunes au nombre assez restreint. La situation est différente au Danemark, pays essentiellement rural et si une Union démocratique socialiste s'y constitue dès 1878, il lui faut attendre vingt ans pour recevoir le renfort d'une organisation syndicale nationalement structurée. L'influence des socialistes dans la vie politique reste limitée: ils apparaissent surtout comme une force d'appoint du gouvernement radical de Theodore Zahl (1901 puis 1913) en se caractérisant par une politique des plus réformistes. En Norvège, les revendications ouvrières ont d'abord été soutenues par le Parti libéral et si le Parti ouvrier norvégien (DNA) créé en 1884 réclame le suffrage universel, la législation du travail et la reconnaissance du droit de grève, il lutte plus pour l'amélioration de la condition ouvrière que pour le socialisme: comme au Danemark il agit d'abord comme un groupe de pression sur le Parti libéral. Paradoxalement, c'est au sein de la Confédération générale du travail (LO) créée en 1889 que se développe, surtout à partir de 1905, une aile gauche dirigée par Martin Tranmael: ce militant d'origine ouvrière a vécu au début du siècle aux Etats-Unis, où, au contact des Industrials Workers of the World (IWW), il a fait l'apprentissage de méthodes d'action directes. Grèves, boycott, lutte antimilitariste connaissent sous son impulsion un réel écho chez les intellectuels ainsi que dans certains secteurs de la classe ouvrière [17]. Enfin le socialisme finlandais [18], assez semblable à celui de ses voisins géographiques nécessite néanmoins la prise en compte d'une donnée supplémentaire, la question nationale. La véritable indépendance de la Finlande vis-à-vis de la Russie tsariste ne survient en effet que le 6 décembre 1917, au lendemain de la Révolution. Cependant la Finlande s'est dotée depuis plusieurs années déjà d'une constitution nouvelle, d'une Chambre unique élue par des représentants des *deux* sexes; ce résultat provient d'une alliance entre la bourgeoisie et le prolétariat qui ne survit pas après 1906. Le succès obtenu, les antagonismes réapparaissent et favorisent une extension nouvelle du socialisme: en 1907 les socialistes font entrer 80 députés à la Diète et en dépit de plusieurs dissolutions ultérieures de cette dernière maintiennent leurs positions. Ils disposent à ce moment de la plus forte proportion d'élus parlementaires en Europe. La Finlande est pourtant un pays peu industrialisé mais les sociaux-démocrates finlandais ont su conquérir une forte influence chez les petits fermiers que vient encore renforcer le succès de leur lutte contre l'alcoolisme ainsi que leurs nombreuses réalisations municipales.

La situation est assez différente aux Pays-Bas où, plus que le marxisme c'est d'abord l'anarchisme qui a droit de cité en raison de la forte personnalité de Domela Nieuwenhuis. Cet ancien pasteur luthérien, militant dès 1879, contribue à créer deux ans plus tard la Ligue socialiste, d'inspiration largement anarchiste. Ce n'est qu'en 1893 que se constitue le Parti social-démocrate de Hollande assez rapidement divisé en deux tendances. Son leader, Troelstra, tient compte de l'influence du luthérianisme sur la population; il est prêt à mener des actions communes avec des forces politiques bourgeoises pour la conquête du suffrage universel mais cette orientation est contestée par une aile gauche autour de militants tels que Pannekoek, Görter et H. Roland-Holst partisans de méthodes de lutte plus radicales. On les retrouvera dans les années 1907-1908 proches de Rosa Luxemburg puis au début des années Vingt adeptes du «communisme de gauche» et membres plus ou moins éphémères du Parti communiste de Hollande. Ils ne constituent cependant qu'une minorité.

Fondé en 1885 le Parti ouvrier belge se situe à l'origine à la charnière des modèles allemands et français; il évolue ensuite de plus en plus vers son homologue germanique.

Deux éléments principaux conditionnent le socialisme belge. L'unité nationale réalisée depuis une période récente (1830) n'a pu en rien éliminer la diversité structurelle et culturelle de ce pays: la question linguistique s'y pose avec acuité et les socialistes doivent en tenir compte. Par ailleurs contrairement au mouvement ouvrier français les socialistes belges ont échappé à toute rupture brutale comme celle de la Commune bien que les classes possédantes soient hostiles à toute réforme politique ou sociale: la lutte pour le suffrage universel, longue et âpre, ne se conclut victorieusement qu'en 1914. Deux facteurs plus conjoncturels sont à l'origine de la naissance du Parti ouvrier belge: à l'agitation républicaine et anticléricale qui se développe en Belgique à la suite de la victoire électorale du Parti catholique en 1884, s'ajoutent des mouvements de grève provoqués par l'intensification de la crise économique, principalement dans le Borinage, pendant l'hiver 1884-1885. Aussi en avril 1885 peut se tenir un rassemblement de 59 sociétés: sept ligues, cinq coopératives, cinq sociétés de secours mutuels, vingt-cinq syndicats, dix groupes démocratiques et sept sections socialistes constituent le Parti ouvrier belge. Ouvrier et non socialiste: dès son apparition la nouvelle organisation manifeste une relative indifférence vis-à-vis de la théorie et du marxisme qu'exprime la Charte de Quaregnon adoptée par elle en 1894. Si le «collectivisme» y est défini comme «incompatible avec le capitalisme», l'accent est surtout mis sur le caractère éthique du socialisme. La composition du POB où syndicats, coopératives et sociétés de secours mutuels sont omniprésents [19] explique le réformisme de plus en plus affirmé dans lequel il s'engage: 37% de ses membres appartiennent à une société de secours mutuels ou à une coopérative. Plus favorable à partir de 1895, la conjoncture économique contribue à confronter cette évolution et entraîne la gestion accrue de nombreuses œuvres sociales s'accompagnant d'une bureaucratisation croissante. De plus en plus, le POB, à l'exemple de la social-démocratie allemande tend à devenir une contre-société que symbolisent ses Maisons du peuple gérées en coopératives, les deux plus importantes étant celles de Gand (1880) et de Bruxelles (1899). Ces Maisons où l'alcoolisme est interdit et combattu sont aussi des lieux d'éducation ouvrière, question à laquelle les dirigeants du POB — Emile Vandervelde en tête — sont particulièrement sensibles; cette préoccupation rejaillit d'ailleurs sur toute la Seconde Internationale au sein de laquelle le socialisme belge occupe une place importante. A sa création en 1900, le Bureau socialiste international est confié à trois Belges, Edouard Anseele, Emile Vandervelde et Victor Serwy; cinq ans plus tard ce dernier laisse le Secrétariat à un autre Belge, Camille Huysmans. En 1907, le bureau de la Fédération internationale des jeunesses socialistes est dirigé par Henri de Man dont il sera question ultérieurement. A l'exception d'une tendance de gauche constituée quelques années avant la Première Guerre mondiale, animée par Joseph Jacquemotte et assez proche par son idéologie et ses méthodes du courant syndicaliste révolutionnaire français, le socialisme belge se caractérise avant tout par son réformisme.

Avec des racines historiques toutes différentes, le socialisme britannique [20] se caractérise par un pragmatisme encore plus affirmé. Il combat plus pour la dignité humaine que pour le socialisme et veut être l'organisateur de la lutte pour un certain nombre de réformes sociales positives et immédiates. L'idée d'une transformation de la société selon un programme préalablement défini lui est tout à fait étrangère: si la Société Fabienne qui se crée en 1880 se réclame du socialisme, elle est par contre résolument opposée au marxisme. Partisans de la temporisation, du compromis, des réformes à long terme, ses adeptes n'envisagent pas le socialisme comme un mouvement révolutionnaire mais plutôt comme un processus graduel, une lente évolution. Plus «politique» est l'Independent Labour Party organisé à partir de 1893 qui se distingue aussi bien du marxisme que de l'idéologie trade unioniste mais dont la faiblesse doctrinale est indéniable. Dans un premier temps il n'arrive guère à «mordre» sur l'influence des trades unions, des syndicats qui connaissent une énorme progression dans les années 1888-1892: elle leur fait doubler le nombre de leurs adhérents. En 1890 ils revendiquent la journée de huit heures, l'assurance et les pensions de vieillesse; quatre ans plus tard lors de leur congrès national ils se prononcent en faveur de la socialisation de tous les moyens de production. Il faut attendre les premières années du vingtième siècle, de nouvelles attaques contre les trades unions (dans les usines, devant les tribunaux et dans la presse) pour qu'un certain nombre de militants se préoccupent de s'organiser de façon plus politique. A la suite des élections de 1906 une quarantaine de députés constitue le Labour Party, plus socialisant que socialiste, parti ouvrier, certes, mais relativement coupé des masses populaires et urbaines jusqu'à la veille de la Première Guerre mondiale. Principalement engagés dans l'action parlementaire, ses dirigeants sont mal en mesure de répondre aux aspirations de nombreux travailleurs, de plus en plus attirés vers les formes de lutte du syndicalisme révolutionnaire. Les leaders du Labour Party estiment possible et souhaitable une collaboration étroite avec les libéraux pour faire progresser la législation sociale, ce qui est effectivement mené à bien dans les années 1906-1914; cependant cette orientation diverge largement de celle suivie par les syndicalistes anglais beaucoup plus proches de la sensibilité de la «base» ouvrière. La faible diffusion du marxisme va de pair en Grande-Bretagne avec une séparation très nette entre mouvements politique et syndical ce qui en fait un cas relativement unique dans toute l'Europe.

Les choses sont infiniment plus complexes en France [21] en raison de la profonde division du mouvement ouvrier, au moins jusqu'en 1905. L'épisode tragique de la Commune, venant moins d'un quart de siècle après la sanglante répression anti-ouvrière des journées de juin 1848 témoigne du refus des classes dirigeantes de toute volonté de politique réformiste vis-à-vis de la classe ouvrière. Il faudra près d'une décennie à cette dernière pour être en mesure de retrouver une expression politique à l'orée des années 1880, même si plusieurs congrès ouvriers, d'inspiration diverse, parviennent à se réunir dès 1876. A cette date le mouvement ouvrier est partagé en multiples tendances: collectivistes, anarchistes, socialistes réformistes avoués (barberetistes) se côtoient et se combattent dans ses rangs. Avec le retour des Communards amnistiés à partir de 1880, l'organisation politique va pouvoir passer à un stade supérieur et les orientations stratégiques se préciser tout en se diversifiant. Le premier véritable congrès ouvrier qui se tient à Marseille en 1879 voit la victoire d'une coalition à l'orientation plus proche des options libertaires que marxistes, contrairement à ce qu'on a dit parfois. Il ouvre une période d'éclatement et de redéfinition du mouvement socialiste en France. Sous l'impulsion de Jules Guesde [22] se crée la même année une Fédération du parti des travailleurs socialistes de France. Jules Guesde est en rapport avec K. Marx dont il s'efforce de diffuser la pensée en France, mais il est vrai sous une forme des plus schématique et dogmatique. Bien vite la Fédération vole en éclats en raison du départ des coopérateurs, des positivistes et des radicaux puis des anarchistes en 1881. L'année suivante les partisans de Paul Brousse, les «possibilistes» structurés en une Fédération des travailleurs sociaux s'attachent à obtenir «ce qui est possible» et, plus que contre l'Etat jugé autoritaire et centralisateur, concentrent leur action sur le plan municipal, sans exclure la possibilité d'accéder au pou-

voir par les voies légales. Une partie d'entre eux scission-
ne en 1890 pour constituer autour de Jean Allemane le
Parti socialiste ouvrier révolutionnaire (PSOR): en ses
rangs des militants comme Lucien Herr accordent plus
d'attention à l'éducation des masses ouvrières qu'à la
propagande.

Le principal agent de diffusion du marxisme en France
est le Parti ouvrier français (POF) fondé par les guesdistes en 1881. D'inspiration marxiste, structurée et centrali-
sée, cette organisation favorise la progression du collectivisme au sein du socialisme français. En 1889 quatre
députés «guesdistes» sont élus; les élections municipales
de 1892 permettent la conquête de villes telles que Com-
mentry, Montluçon, Narbonne et Roubaix et ces progrès
sont encore confirmés l'année suivante lors des élections
législatives où J. Guesde est élu à Roubaix. Malgré tout,
le guesdisme reste un parti aux effectifs limités, principalement implanté dans le Nord, le Pas-de-Calais, l'Aube, la
Loire, le Rhône, bref dans des régions industrielles et
textiles[23].

Toute différente est l'orientation des blanquistes dont
Edouard Vaillant[24] est le porte-drapeau reconnu et res-
pecté: ils se définissent d'abord par le patriotisme révolutionnaire marqué par les souvenirs de la Grande Révolution française et la croyance en la démocratie directe.
Pour Vaillant, la séparation doit être totale entre parti
politique et syndicat, ce que soutiennent ses amis organisés depuis 1888 au sein du Comité central révolutionnaire
devenu en 1898 Parti révolutionnaire français. A côté de
ces organisations, les socialistes indépendants — Millerand, Viviani sont les plus connus — vont provoquer au
sein du socialisme français une crise révisionniste grave,
analogue à celle que rencontre au même moment la
social-démocratie allemande: depuis l'affaire Dreyfus ils
sont partisans d'une collaboration ouverte avec les républicains, d'abord pour défendre la IIIe République contre

la réaction, ensuite pour mettre en œuvre certaines réformes en matière de législation du travail et de protection sociale.

Cette orientation provoque au congrès général des organisations socialistes d'octobre 1899 réuni salle Japy à Paris de nombreux débats d'où résulte, non sans mal, un compromis: si le principe fondamental de la lutte des classes interdisant l'entrée d'un socialiste dans un gouvernement bourgeois est réaffirmé, cette éventualité peut néanmoins être admise dans «des circonstances exceptionnelles». A. Millerand franchit le pas la même année et devient ministre du Commerce. L'évolution de la situation, de nouvelles grèves, la réaction gouvernementale et le rebondissement du «cas Millerand» provoquent deux ans plus tard au congrès de Lyon la formation de deux partis distincts: le Parti socialiste français où l'on retrouve indépendants, broussistes et allemanistes, et le Parti socialiste de France où se côtoient les partisans de Guesde et de Vaillant. L'unification entre ces deux formations se fera en 1905 en partie grâce à l'intervention directe de la Seconde Internationale et des décisions prises par elle au congrès d'Amsterdam (août 1904). En raison aussi du rôle grandissant de celui qui de plus en plus se fait le porte-parole du socialisme français jusqu'à la Première Guerre mondiale. Agrégé de philosophie, chargé de cours à l'université de Toulouse, Jean Jaurès [25] s'est engagé dans une carrière politique sous le signe du républicanisme modéré puis s'est «converti» au socialisme en 1892 en particulier sous l'influence de Lucien Herr. Le socialisme représente d'abord pour lui l'élargissement et le triomphe des idéaux républicains énoncés par la Révolution française. Orateur hors pair, homme politique exceptionnel son prestige est considérable et pas seulement au sein du mouvement socialiste; il est le seul à pouvoir faire la synthèse des divers courants qui, depuis le congrès d'unité de 1905, cohabitent au sein de la SFIO.

Internationaliste et patriote, se réclamant du marxisme mais non de façon dogmatique comme Jules Guesde que peu à peu il supplante, il est, de la constitution de la SFIO à la Première Guerre mondiale, le symbole personnifié du socialisme français. Ce dernier progresse: de 52 en 1906, les députés socialistes sont 103 en 1914 et les effectifs du Parti ont triplé au même moment de 35 000 à 100 000 militants.

L'unité politique du socialisme français réalisée au sein de la SFIO ne doit point faire oublier la distance existant entre ce parti et le syndicalisme qui s'organise de façon autonome — et le proclame par la Charte d'Amiens en 1906. Le syndicalisme révolutionnaire tient à se délimiter avec netteté du socialisme français également fort éloigné alors du mouvement mutualiste, lui aussi en plein essor et largement dominé par les notables depuis les débuts du Second Empire. Pour ces deux raisons, autonomie du syndicalisme et séparation d'avec le mutuellisme, le socialisme français ne dispose pas de la même assise de masse ni d'une puissance analogue à celle de ses homologues allemands ou de l'Europe du Nord.

Cette séparation entre parti politique et syndicat se retrouve de façon plus tranchée encore en Italie et en Espagne. Avant 1859 les libéraux et les socialistes italiens ont d'abord été confrontés au problème de l'unité nationale. Sans avoir jamais été socialiste, G. Mazzini a pourtant fortement influencé le mouvement socialiste italien par l'intuition qu'il a, lors du Risorgimento, du rôle essentiel qu'est appellée à jouer la classe ouvrière dans l'Italie future. Comme en Espagne et en Suisse s'affrontent ensuite deux conceptions de la lutte sociale, une tendance autoritaire et marxiste opposée à une sensibilité fédéraliste et anarchiste. Une première ébauche de structuration du socialisme italien s'esquisse après 1872 à la suite du congrès de Rimini avec la formation de la Fédération italienne de l'Association internationale des travailleurs, d'inspiration bakouniniste et anarchiste. En 1874 elle compte environ 32 000 affiliés. Active jusqu'en 1876, elle prône l'action violente et directe mais bientôt cette orientation est remise en cause dans ses rangs et en 1880, au moment où les difficultés économiques de l'Italie se multiplient, la Fédération explose. Anarchistes et socialistes se séparent. Le Parti socialiste italien fondé en août 1892 est un produit de cette crise. Il trouve son leader en la personne de Filippo Turati et son théoricien avec A. Labriola. En la nouvelle organisation fusionnent le socialisme lombard réformiste, luttant pour de meilleurs salaires, s'appuyant sur les sociétés de secours mutuels et le socialisme romagnol, plus révolutionnaire, confronté à la question agraire, ce problème permanent posé à la nation italienne. Plus encore qu'en France peut-être, la démarcation sera nette entre socialisme et syndicalisme, ce dernier étant de plus en plus fortement influencé par le syndicalisme révolutionnaire au fur et à mesure qu'on approche de 1914 [26].

Le socialisme espagnol offre, à ses débuts tout au moins, quelques analogies avec ses homologues italien et russe, peut-être en raison de certaines similitudes avec la situation en Russie comme on l'a parfois avancé: développement très inégal des forces productives, échec répété de la révolution bourgeoise, défaites coloniales graves au moment où plusieurs puissances européennes remportent de grands succès en ce domaine, dépendance croissante vis-à-vis du capital étranger. Enfin et surtout des structures archaïques, la surpopulation rurale et une trop faible industrialisation posent le problème agraire de façon aiguë: les arguments en faveur d'une comparaison entre les deux pays sont nombreux. De cette analogie entre les facteurs économiques et sociaux il ne faut cependant pas tirer de conclusions trop hâtives quand à la physionomie du mouvement ouvrier dans la péninsule ibérique. Formellement créé en 1879, le Parti socialiste ouvrier espagnol (PSOE), dont le principal dirigeant est Pablo Iglesias, existe réellement à partir de 1888 et participe à la fondation de la Seconde Internationale. Il se réclame du marxisme dans un pays où l'anarchisme et l'anarcho-syndicalisme sont vivaces et le resteront. En 1888 a été créée l'Union general de trabajadores (UGT) qui assiste pour la première fois à un congrès de la Seconde Internationale en 1893; cependant la division entre mouvement politique et syndical restera longtemps une réalité en Espagne. En 1898 l'Espagne vit deux crises conjointes: la défaite coloniale, la perte de colonies en ébranlant l'Etat remet en cause une identité nationale[27] déjà mise à mal par le développement économique qui différencie la société méridionale — très sous-développée — et des noyaux industriels plus modernes comme celui de Barcelone.

Il semble que l'influence de la Première Internationale en Russie ait, surtout par l'intermédiaire de sa tendance bakouniniste, été assez forte. Son rôle décline à la fin des années Soixante-dix au profit du courant populiste qui s'adresse en priorité au monde paysan, très largement prédominant dans ce pays et bien incomplètement «libéré» depuis les décrets tsaristes de 1861 renforçant la communauté rurale. Jusque vers 1890 les marxistes russes se distinguent peu des populistes en dépit des efforts de G. Plekhanov et de ses amis regroupés depuis 1883 dans l'organisation «L'Emancipation du travail». Le développement rapide du capitalisme en Russie dans la dernière décennie du XIXe siècle favorise la constitution d'un prolétariat numériquement limité et fortement concentré dans quelques villes industrielles. Ce phénomène n'échappe pas à l'attention des diverses tendances du socialisme russe mais elles en tirent des conclusions différentes. Bien vite Lénine se fait le défenseur du marxisme révolutionnaire contre le «marxisme légal» de P. Strouvé et M.I. Tougan-Baranovski qui se limite à étudier le développement économique en Russie et à le justifier contre les tenants du courant slavophile, tout en lui ôtant son contenu politique et révolutionnaire. Le Parti ouvrier social-démocrate de Russie (POSDR) constitué en 1898 au congrès de Minsk est dans une large mesure une organisation d'exilés qui éprouvent de grandes difficultés à mener à bien leur implantation dans leur pays. Lors de leur second congrès tenu à Londres en 1903, ils se divisent entre bolcheviks et mencheviks, initialement en désaccord sur une question apparemment secondaire, les statuts du parti révolutionnaire. Les bolcheviks veulent construire un parti autoritaire et centralisé alors que les mencheviks défendent la conception d'une organisation plus large et ouverte aux sympathisants. Comme on le sait les divergences s'accroîtront dans des proportions considérables entre les bolcheviks, partisans de la dictature du prolétariat, et les mencheviks attachés aux aspects démocratiques de la Révolution. Cette scission est lourde de divisions futures pour le mouvement ouvrier, même si évidemment en ce début du siècle, personne ne peut en prévoir les conséquences. Ce débat, et l'importance qu'il a prise ont rendu rétrospectivement plus difficile peut-être l'appréciation qui peut être faite de la pénétration réelle du marxisme révolutionnaire en Russie. Ce qui est certain c'est que la poursuite du développement économique, la multiplication des grèves dans les centres industriels et surtout les événements de 1905 vont permettre un ancrage solide du socialisme au moins dans certains centres urbains de l'Empire tsariste.

Il en va différemment des pays balkaniques et ceci pour deux raisons principales. Le morcellement politique et national y prédomine encore très largement à la fin du XIXe siècle et la lutte pour le socialisme doit prendre en compte cette réalité incontournable. Le nationalisme des Etats balkaniques, obstacle réel à l'internationalisme socialiste, place les militants révolutionnaires devant une situation difficile à résoudre. Par ailleurs le caractère essentiellement agricole de ces pays où l'emporte encore la petite propriété, l'absence d'un véritable développement industriel jusqu'à la fin du XIXe siècle, expliquent la faiblesse persistante du prolétariat. Pour ne prendre qu'un exemple, on estime que la Serbie ne dispose alors que de 200 entreprises industrielles où travaillent moins de 15 000 ouvriers. Dans un tel contexte le socialisme est dans un premier temps l'affaire d'une intelligentsia minoritaire et isolée. Pourtant à la veille de la Première Guerre mondiale il est devenu dans cette région d'Europe une force politique et morale avec laquelle il faut compter. Ce résultat est dû à l'action de militants remarquables tels que Radovan Dragovic (1878-1905) en Serbie, Dimiter Blagoev (1855-1924) en Bulgarie et Christian Rakovsky (1873-1941) en Roumanie qui arrivent avec succès à propager les idées socialistes dans les principaux centres urbains [28]. Par leur situation, ils sont particulièrement sensibles à deux problèmes d'inégale importance auxquels va se heurter la Seconde Internationale: la question agraire et surtout le problème des nationalités et du nationalisme. Ce dernier est à l'origine de la guerre des Balkans en 1912-1913 qui représente le prélude de la Première Guerre mondiale.

C'est d'abord en Europe que dans sa très grande majorité s'implante le mouvement socialiste même s'il se développe aussi aux Etats-Unis — où apparaît un véritable parti socialiste au tournant du siècle — dans les dominions de la Grande-Bretagne (Australie, Nouvelle-Zélande), au Japon [29] et de façon bien plus limitée en Chine et dans certains pays d'Amérique latine. Pour le reste du monde, et en premier lieu l'Afrique, c'est bien plus par le biais de la question coloniale, abordée par la Seconde Internationale au congrès de Stuttgart en 1907 qu'est envisagée l'extension du socialisme. Jusqu'à la Première Guerre mondiale, le poids politique et économique de l'Europe sur le reste du monde est prépondérant: les progrès rapides du capitalisme que connaît ce continent y favorisent un accroissement généralisé de la classe ouvrière. C'est dans cette région du monde que s'organisent en premier lieu les partis socialistes et que se construit l'Internationale.

Pourtant en dépit de ce développement économique, le monde paysan reste encore majoritaire dans la plupart des pays européens et le socialisme est contraint d'intégrer cette donnée essentielle dans sa stratégie[30]. Comment intervient-il en ce milieu? Ici aussi, comme pour l'organisation des différentes classes ouvrières, c'est la disparité des situations qui l'emporte suivant les pays. Très tôt, dès le congrès de Zurich en 1893, une «commission agraire» s'efforce de jeter les bases d'une coordination de l'intervention en direction de la paysannerie. Il semble bien que les socialistes danois aient été les premiers à se préoccuper de cette question et à avoir mis l'intervention en milieu rural parmi leurs priorités. En une décennie le nombre de paysans augmente d'ailleurs très fortement au sein de ce parti: de 3 000 sur un effectif total de 14 000 militants en 1890, ils sont passés à 6 000 sur 17 000 en 1900. Le caractère fort peu industrialisé du Danemark en ces années contribue à expliquer cet état de choses. La situation se présente différemment en Roumanie. Deux facteurs externes poussent le Parti social-démocrate, où les intellectuels pèsent d'un grand poids, à intervenir au sein de la paysannerie: des troubles en milieu rural dans le nord de la Moldavie vers 1887-1890 se conjuguent à une agitation analogue contemporaine en Italie dont le retentissement est grand en pays danubien. Cependant le Parti socialiste demeure quasi inexistant chez les paysans roumains. De façon différente encore, les socialistes allemands et hongrois après s'être d'abord structurés dans les villes, progressent ensuite dans les campagnes. Dans les partis français, belge, hollandais, bulgare et serbe, le travail en direction des paysans est discuté et décidé de façon spécifique lors d'un congrès, à la différence de l'Italie où une organisation paysanne régionale et autonome, celle des paysans de Mantoue, choisit d'adhérer au parti dès la fondation de ce dernier.

Dans tous les cas, une volonté commune préside à ces choix: l'élargissement de l'implantation et de l'audience du socialisme et ceci qu'il s'agisse de pays où le suffrage universel a été conquis ou non. Cependant, à l'exception des socialistes danois qui poursuivent régulièrement leur intervention jusqu'en 1914, cette démarche est assez souvent interrompue peu de temps après ses débuts en raison de la répression qu'elle suscite ou du manque généralisé d'intérêt qu'éprouvent les militants à son égard. Des ruptures brutales surviennent en 1898 en Roumanie, en 1906/1907 en Russie, en 1908 en Croatie. Des circonstances extérieures interviennent parfois ce qui est le cas en Bulgarie avec la guerre des Balkans en 1912/1913. Dans les partis français et allemand l'intérêt retombe bien vite après quelques années d'enthousiasme: en Allemagne dès le lendemain du congrès de Breslau en 1895, en France après 1906 en dépit des efforts d'un petit groupe de militants réunis autour de Compère-Morel et désireux de poursuivre en ce sens. Des journaux spécifiques en direction du monde paysan ont été publiés dès 1888 en Roumanie et au Danemark, en 1893 en Allemagne (plus précisément en Bavière), en 1894 en Belgique et en France. Leur contenu illustre bien la diversité des orientations défendues par les socialistes: alors que danois, hollandais et français prônent la distribution des terres, les socialistes roumains, italiens, croates et russes espèrent gagner les masses paysannes au socialisme par la coopération, la multiplication des coopératives. Tous veulent unifier le monde paysan contre l'oppression capitaliste, ce qui dans la majorité des cas reste un vœu pieux en raison de la variété des couches sociales constituant la paysannerie: si ce mot d'ordre rencontre un certain écho dans la petite paysannerie, ses effets restent beaucoup plus problématiques dans le cas des moyens paysans pour ne rien dire des grands propriétaires. Un dernier obstacle, et de taille, le fait national, plus pesant dans la mentalité paysanne que dans la conscience ouvrière vient encore accroître les difficultés. Cependant, contrairement peut-être à ce que l'on a cru pendant longtemps, la Seconde Internationale et surtout les partis qui la composent n'ont pas limité leur intervention à la seule classe ouvrière[31]; ils ont réfléchi sur les réalités du monde paysan et se sont efforcés d'y intervenir.

Les grands problèmes: révisionnisme, question coloniale, lutte pour la paix

Chronologiquement, l'histoire de la Seconde Internationale et du socialisme européen jusqu'en 1914 s'articule autour de trois périodes distinctes[32]. Jusque vers 1895, dans leur grande majorité, les socialistes européens sont convaincus du caractère tout à la fois inexorable et rapproché de la future révolution: en raison des «lois naturelles de la société» révélées par le marxisme, le capitalisme court inévitablement à sa perte et son effondrement. Cette affirmation — ou cette espérance? — sont d'ailleurs partagées par les anarchistes, tout aussi optimistes, qui sont également convaincus d'assister au soulèvement révolutionnaire dans un futur proche. Ces conceptions sont peu à peu réléguées au second plan à partir de 1896 où, à une phase de stagnation économique, succède en Europe une période de prospérité et de développement: ce renversement de la conjoncture contribue à hâter l'explosion de la crise révisionniste qui, principalement en Allemagne, en France et dans une moindre mesure en Russie, va susciter d'innombrables débats dans le mouvement sans pour autant l'ébranler en profondeur. Chez les socialistes allemands, Edouard Bernstein qui a fréquenté les socialistes réformistes (les Fabiens à Londres, les «socialistes de la chaire» en Allemagne) publie après la mort d'Engels une série d'articles intitulée «Les problèmes du socialisme». Il expose de façon plus générale son point de vue au congrès du SPD de Stuttgart en 1898 et définit sa doctrine de façon cohérente dans son ouvrage, *Les Présupposés du socialisme* [33]. Il y présente le socialisme comme une exigence morale, éthique, tout en remettant en cause les fondements économiques du marxisme, la théorie «catastrophiste» de Marx prédisant l'effondrement du Capital au terme d'un processus inéluctable. Enfin il récuse l'idée d'une aggravation des luttes de classe: le développement du capitalisme offre une place grandissante à l'action réformiste tout en atténuant la misère de la classe ouvrière. Il faut donc encourager les fractions progressistes de la bourgeoisie, ne pas craindre de rechercher une coopération sur des points précis avec elles. Il serait absurde de ne voir dans l'Etat qu'un instrument de coercition au service des classes dirigeantes: avec les progrès de la démocratie, l'Etat obéit de plus en plus à l'intérêt général. En résumé, Bernstein exhorte la social-démocratie à se débarrasser de sa phraséologie révolutionnaire et à accepter de se transformer en un «parti de réformes socialistes et démocrates». On n'accédera pas au socialisme par la violence mais par un ensemble de réformes successives. Pour Bernstein l'essentiel n'est pas «le but final mais le mouvement» comme il le dit dans une formulation saisissante et appelée à bien des controverses.

Dès leur publication, ces thèses sont l'objet d'un large débat au sein du SPD où elles sont violemment combattues par une «gauche» impulsée par Rosa Luxemburg. La condamnation des thèses de Bernstein par Kautsky, le «pape du marxisme», le principal théoricien du SPD et sans doute de l'Internationale, est beaucoup plus nuancée en raison de la position «centriste», médiane de ce dernier [34]. Formellement obtenue au congrès de Hanovre en 1899, elle ne règle pourtant pas grand-chose sur le fond et les thèses de Bernstein vont gagner discrètement en influence au sein du «parti profond»: de nombreux permanents de l'organisation, une fraction notable du personnel municipal, bref la majorité des gestionnaires et des bureaucrates du SPD — et ils sont légion — se reconnaissent parfaitement dans l'analyse de Bernstein. L'évolution est analogue, plus marquée encore peut-être chez les responsables syndicalistes, beaucoup plus «réalistes» que «révolutionnaires» et cette évolution lente mais régulière pèsera d'un grand poids en 1914 tant chez les socialistes allemands que dans toute l'Internationale.

L'expression française de cette crise révisionniste internationale est tout à fait contemporaine. Ses premières manifestations publiques apparaissent en 1896, dans la foulée des élections municipales qui sont alors pour les socialistes un grand succès. Autour d'Alexandre Millerand, le principal porte-parole de ce courant, s'est constituée, avec des militants comme Abel Hovelacque et René Viviani, une Fédération républicaine socialiste de la Seine qui veut rapprocher le socialisme des républicains de progrès. Le problème va se poser avec une grande acuité moins de deux ans plus tard durant l'affaire Dreyfus et à la suite de la courageuse intervention de Zola dans la mêlée en janvier 1898, les socialistes se divisent sur leur attitude à adopter en la circonstance. Faut-il laisser les différentes fractions de la bourgeoisie se combattre entre elles pour des enjeux qui ne concernent pas le prolétariat — c'est ce que pense Jules Guesde — ou convient-il au contraire de défendre la République contre la réaction militaire au nom des principes de la Justice et du Droit issus des idéaux de 1789 comme l'estime Jean Jaurès? C'est en définitive cette dernière conception qui, non sans difficultés, l'emporte. Mais à la droite de Jaurès certains socialistes indépendants sont prêts à aller plus loin et désireux d'infléchir l'action de l'Etat républicain vers une politique de réformes sociales portant sur la législation du travail, l'extension de la protection sociale (notamment par l'instauration de Retraites ouvrières) dont ils seraient les promoteurs. (La première loi française sur les accidents du travail est toute récente — 1898 — mais il reste fort à faire. L'organisation des Retraites ouvrières et paysannes (ROP) en discussion depuis 1880 aboutira sous une première forme bien limitée en 1910)[35]. L'entrée de Millerand en juin 1899 dans le cabinet Waldeck-Rousseau comme ministre du Commerce et de l'Industrie sanctionne ces choix mais provoque d'âpres controverses au sein du mouvement socialiste. De ce point de vue l'affaire Dreyfus représente une étape importante pour le socialisme français: elle met en place les conditions politiques nécessaires qui permettent ultérieurement à certains de ses membres l'accès direct à la gestion des affaires de l'Etat républicain. La voie révolutionnaire n'est plus la seule possible. Cette politique qualifiée parfois de «dreyfusisme» à partir des années 1901-1902 est violemment combattue par quelques socialistes ou penseurs assez isolés se réclamant du marxisme: dégoûtés par ce qu'ils jugent être une véritable trahison de la doctrine, ils vont peu à peu entreprendre une révision du marxisme qui, entraînera certains d'entre eux fort loin du mouvement ouvrier. Georges Sorel (1846-1922)[36] est le plus important d'entre eux et les conséquences qui pourront être tirées de ses analyses auront ultérieurement une influence sur le développement de la pensée fasciste comme l'ont montré des recherches récentes même si elles ont sans doute surestimé son importance.

Enfin, au même moment en Russie, deux théoriciens Piotr Strouvé (1870-1944) et M.I. Tougan-Baranovski (1865-1919) professent un «marxisme légal» se rattachant sur un point précis à la pensée de Marx — la croyance dans le processus historique d'un développement inévitable du capitalisme — mais bien différent par les conséquences politiques qu'ils en tirent. Ces deux penseurs conservent l'analyse économique du marxisme tout en rejetant entièrement les implications politiques et sociales qu'elle entraîne: la doctrine de la révolution prolétarienne, la notion de dictature du prolétariat sont complètement abandonnées. Pour les «marxistes légaux» l'industrialisation de la Russie provoquera l'émergence d'une classe bourgeoise appelée ultérieurement à diriger une révolution démocratique, étape néccessaire et indispensable qui renvoie toute perspective de révolution prolétarienne à un avenir indéfini. Ainsi vidé de son contenu politique, le marxisme est parfaitement admissible pour les autorités, la censure tsariste qui le tolèrent effectivement: d'où sa dénomination de «marxisme légal». Il rencontre un relatif écho au sein du Parti social-démocrate russe où un groupe de militants réunis autour de Prokopovic et de Martinov, publie en 1898 un *Manifeste* dans lequel sont développées des conceptions fort proches de celles des marxistes légaux qui mettent avant tout l'accent sur l'analyse économique du marxisme: d'où le nom d'Economistes sous lequel il est passé à la postérité. La pensée des Economistes qui laissent à la bourgeoisie libérale le soin de lutter contre l'autocratie, peut se résumer en ces termes: «Participer, c'est-à-dire contribuer à la lutte économique et prendre part à l'activité de l'opposition libérale.» Pour leurs détracteurs parmi lesquels Lénine figure au premier plan, une telle position revient à nier la nécessité d'un parti politique révolutionnaire et d'une action socialiste spécifique. Les Economistes estiment légitime de lutter pour l'amélioration de la situation économique de la classe ouvrière mais se désintéressent de son combat pour l'autonomie politique ce qui revient à réduire à néant toute l'action du POSDR.

Bernstein en Allemagne, Millerand en France, les Economistes en Russie représentent les diverses facettes d'une seule et même crise qui touche, bien évidemment selon des modalités spécifiques, trois sections de la Seconde Internationale. Au delà des inévitables différences de situation, il s'agit bien d'un ensemble conceptuel commun résultant de la prise de conscience du décalage croissant existant entre la théorie et la pratique: de moins en moins les deux correspondent. Le révisionnisme remet en cause le marxisme orthodoxe, dogmatique et en voie de fossilisation dont Kautsky est le plus parfait représentant. Apparemment les révisionnistes sont politiquement battus et l'orthodoxie semble l'emporter. Pourtant dans les faits il en va tout autrement et ils gagnent du terrain comme le révèlera brutalement la cassure de 1914. *Les* révisionnistes, écrivons-nous, car la critique du marxisme orthodoxe s'opère bien dans deux directions différentes. Bernstein, Millerand et dans une moindre mesure les Economistes constatent l'inadéquation grandissante du discours socialiste avec la praxis qu'elle est censée engendrer: ils se proposent donc d'adapter le verbe à la réalité et puisqu'il y a pratique réformiste, de le dire clairement. Quelques années plus tard quand ce phénomène est devenu patent, après aussi que la pratique réformiste a montré ses limites — notamment en France à la suite de la violente répression anti-ouvrière menée par Clemenceau dans les années 1907-1908 — une remise en cause du marxisme officiel de la Seconde Internationale s'engage, non plus sur sa «droite» mais sur sa «gauche», notamment à partir des réflexions de Georges Sorel. D'abord limitée à des milieux marginaux et restreints, elle est ultérieurement promise à un bel avenir et constitue une seconde branche du révisionnisme toute différente de la première [37].

On ne saurait l'évoquer sans en rechercher les causes profondes, sans rappeler en particulier la crise du rationalisme qui, bien que de façon médiatisée et non directement politique, s'esquisse à partir du tournant du siècle dans de nombreuses sphères intellectuelles de la société. Jusque vers les années 1870-1880 la pensée rationaliste, issue de la Philosophie des Lumières au XVIIIe siècle et qui a eu une si grande influence sur la Révolution française a été prédominante en Europe. Elle était porteuse de l'idée d'un progrès indéfini aussi bien dans les sciences et les techniques que dans l'organisation de la vie sociale; elle constituait les fondements de l'humanisme, du libéralisme et de la démocratie bourgeoise qui, en dépit de certains reculs temporaires, a progressé de façon continue dans les premières décennies du XIXe siècle. Une certaine interprétation du marxisme, non exempte de schématisme et largement répandue dans les milieux dirigeants de la Seconde Internationale est influencée par ces postulats philosophiques. Dans une large mesure ce marxisme orthodoxe — officiel serait-on presque tenté de dire — se rattache à ce courant positiviste si important qui s'inscrit dans le droit fil de l'œuvre de la Révolution française et de ses idéaux: ainsi conçu le socialisme apparaît d'abord comme le continuateur, l'héritier de la démocratie bourgeoise portée à son plus haut niveau. Rationalisme, scientisme, croyance en un progrès indéfini et linéaire imprègnent de façon plus ou moins explicite mais fort profonde le socialisme de la Seconde Internationale: toutes ces notions sont des composantes de la pensée progressiste depuis plus d'un siècle.

Pourtant dans les dernières décennies du XIXe siècle, ce bel ensemble commence à être ébranlé. Sous la poussée des recherches nouvelles menées dans les sciences sociales et humaines s'effectue une remise en cause du rationalisme, de l'individualisme et du libéralisme. Le darwinisme, la philosophie bergsonienne qui privilégie l'intuition et l'évolution au détriment de la raison, bientôt les travaux sur l'inconscient menés par Freud [38]: autant d'éléments nouveaux qui viennent saper les fondements du rationalisme et qui vont porter de rudes coups a ses corollaires que sont libéralisme, démocratie et croyance en un progrès indéfini. Peu à peu le marxisme dominant au sein de la Seconde Internationale doit répondre à cette offensive même si, jusqu'en 1914, ce révisionnisme qui s'exprime d'abord sous la forme d'une critique «de gauche» se limite à des milieux restreints. Politiquement ses conséquences restent faibles dans un premier temps mais de plus en plus largement, il inspire des tenants du syndicalisme révolutionnaire en France et surtout en Italie et se trouve en mesure d'influencer ces milieux. Ce nouveau mode de pensée analyse l'importance du fait national de façon beaucoup plus juste que la Seconde Internationale qui prend néanmoins conscience de l'aggravation de la situation internationale, de la montée des nationalismes et des dangers accrus de guerre à partir de son congrès de Stuttgart en 1907. Malgré tout, en sous-estimant gravement le sentiment d'appartenance nationale des différentes classes ouvrières de chaque pays, elle se condamne à l'impuissance à le combattre le moment venu. La recherche d'une synthèse entre le national et le social que commencent à élaborer G. Sorel et certains de ses disciples n'aura quasiment aucune incidence politique en Europe avant août 1914 mais cette démarche ultérieurement poursuivie dans un contexte différent et soutenue par des forces sociales apparues au lendemain de la Première Guerre va puissamment contribuer à la naissance du fascisme. Cela ne signifie pas pour autant que ce dernier ait été entièrement conçu, idéologiquement et politiquement parlant, dès les années d'avant-guerre.

L'apparition du fascisme s'explique d'abord par un contexte précis et l'émergence de nouvelles forces politiques.

A partir de 1905 commence une troisième phase de l'histoire de la Seconde Internationale et ceci pour deux raisons: si le processus d'intégration de la social-démocratie à la société analysé par le révisionnisme de Bernstein se poursuit silencieusement, les grands débats sur cette question passent désormais au second plan. La question n'est pas réglée — comme l'avenir le montrera suffisamment — mais elle ne fait plus l'objet d'amples discussions: le socialisme international oriente ses réflexions et son action dans d'autres domaines. Et puis les événements de 1905 en Russie, en dépit de leur échec considéré comme provisoire par le mouvement socialiste, réactivent l'espoir d'une révolution possible dans un avenir assez proche. Le socialisme pense donc être en mesure de pouvoir reprendre sa marche en avant. Son unité organisationnelle au sein de la Seconde Internationale n'empêche pas que s'y constituent des tendances et que s'y expriment des divergences politiques: à la gauche du courant centriste, majoritaire incarné par Kautsky et l'austro-marxisme autrichien, une tendance radicale qui a des adeptes en Allemagne, en Russie aux Pays-Bas et en Norvège, est elle-même divisée entre léninistes et luxemburgistes en désaccord sur les rôles respectifs du parti et des masses dans le processus révolutionnaire. A la droite de l'Internationale, les révisionnistes formellement condamnés par le congrès d'Amsterdam (1904) qui a réaffirmé la primauté de la lutte de classe sont plus discrets mais tout aussi actifs. Leur influence dépasse le cadre de la majorité du SPD même si c'est dans cette organisation — demeurant plus que jamais le modèle du socialisme international — qu'elle y est la plus forte. Enfin, se détachant de plus en plus du socialisme international, les syndicalistes révolutionnaires influencés pour certains d'entre eux par les thèses de Sorel et de ses émules en Italie sont surtout forts dans ce pays, en France et en Espagne. En dépit des apparences et de l'image forte que donne l'Internationale, le socialisme international est loin d'être uni.

Le contexte politique général caractérisé par les appétits coloniaux croissants des principales puissances explique l'intérêt accru de l'Internationale pour la question coloniale [39]. Suivons ici la chronologie établie par M. Rebérioux et G. Haupt qui distinguent «trois grandes périodes dans l'histoire de la manière dont la question coloniale a été abordée, discutée et tranchée par l'Internationale jusqu'en 1914» [40]. La première, celle de la «préhistoire», correspond à celle où l'organisation des partis socialistes et plus encore de l'Internationale était embryonnaire. Elle voit l'apparition de tendances, leur organisation sur cette question et s'achève après le congrès d'Amsterdam. Dès 1896 certains socialistes auraient voulu que ce problème soit discuté dans l'Internationale mais il faut attendre le congrès de Paris en 1900 pour que soit énoncée une condamnation de la politique coloniale de la bourgeoisie. Dans les rangs socialistes s'opère une diversification sur cette question puisqu'au congrès suivant (Amsterdam, 1904) certains d'entre eux (Bracke, de Brouckère, Hyndman) dénoncent l'impérialisme contrairement à Bernstein et au Hollandais Van Kol, partisans d'une «politique coloniale socialiste positive». Si tous les socialistes sont d'accord pour partir de la notion de l'égalité des races, de fait les réticences sont grandes dans l'Internationale pour traiter plus avant cette question. Cependant l'aggravation de la tension internationale — les révoltes à Madagascar, au Congo et dans le sud-ouest africain allemand ainsi qu'au Tonkin — contraignent les socialistes à débattre plus profondément de la question coloniale de 1906 à 1908, le point fort de la discussion se situant au congrès de Stuttgart en 1907.

Trois positions principales apparaissent alors; elles ne coïncident pas totalement avec les grandes tendances politiques de l'Internationale. Pour certains socialistes comme l'Allemand David, l'idée colonisatrice est une des composantes du but universel de civilisation et de progrès poursuivi par le socialisme. Au centre Vandervelde, Mac Donald, Jaurès et Bernstein admettent la possibilité d'aspects positifs dans le système colonial qu'ils distinguent soigneusement de la «barbarie coloniale»; à gauche enfin, Kautsky récuse entièrement toute réalité colonisatrice qui, selon lui, ne contribue à développer ni les forces productives ni les moyens de production des pays arriérés. On le voit, les positions sont nettement divergentes et de fait le clivage s'effectue assez nettement entre les délégués des pays colonisateurs et des pays sans colonies. En définitive le congrès adopte la position de Kautsky selon laquelle les partis socialistes doivent combattre sous toutes ses formes la politique coloniale. Mais à une faible majorité de 128 voix contre 107 qui témoigne bien de l'absence de tout accord de fond sur cette question dans les rangs du socialisme international.

Enfin au cours d'une troisième période qui s'amorce vers la fin de l'année 1908, l'intérêt pour la question coloniale diminue même si dans certains pays colonisés se développent des luttes révolutionnaires suivies avec attention par certains membres de l'Internationale et en particulier par Lénine. Désormais c'est plus à la lutte contre la guerre que va se consacrer le mouvement socialiste, le problème étant de savoir si le socialisme est capable «d'établir un lien entre les formes déjà classiques de l'impérialisme colonial et les manifestations de l'impérialisme en tant que phénomène économique et social» [41].

Distincte bien que liée à la précédente, la question nationale se pose avec toujours plus de force au socialisme au tournant des années 1910. La persistance de l'antagonisme franco-allemand, les risques croissants de guerre en Europe sont visibles pour tous les socialistes et débattus au congrès de Stuttgart à la lumière de l'expérience de la Révolution russe toute récente. La grève générale peut-elle être un moyen de lutte contre la guerre? Ce débat fait apparaître au grand jour de réelles divergences entre Français et Allemands, les premiers prônant la grève générale insurrectionnelle en cas de guerre (Vaillant, Jaurès) alors que les Allemands soutiennent une orientation plus modérée en insistant sur la nécessité de s'opposer à toute politique d'armement (Bebel). Mais ils refusent tout appel à la désertion qui, selon eux, entraînerait la répression du gouvernement contre le Parti et l'incapacité pour lui d'intervenir au moment crucial. Une troisième motion défendant un antimilitarisme exacerbé par la bouche de Gustave Hervé est très minoritaire. Là encore l'accord se fait sur un texte de compromis rejetant aussi bien la grève générale que la désertion. Cependant «au cas où la guerre éclaterait néanmoins», le devoir du socialisme international est «de s'entremettre pour la faire cesser le plus promptement» et d'utiliser de toutes (ses forces) «la crise économique et politique créée par la guerre pour agiter et soulever les couches populaires les plus profondes et précipiter la chute de la domination capitaliste». Ce compromis est réaffirmé au congrès suivant de l'Internationale à Copenhague en 1910 où les socialistes allemands rejettent la proposition de l'Anglais Keir Hardie d'organiser, en cas de guerre, la grève générale dans les usines d'armement, les mines et les transports. La question est renvoyée au prochain congrès, prévu à Vienne en 1913 et qui ne se tiendra pas [42]. Cependant le renforcement de l'aggravation de la tension internationale marquée par la guerre italo-turque ainsi que le déclenchement des guerres balkaniques contraint la Seconde Internationale à organiser en 1912 un congrès extraordinaire contre la guerre à Bâle. Ouvert par un grandiose meeting pacifiste dans la cathédrale au cours duquel J. Jaurès prononce un discours resté célèbre, il se veut «une éclatante démonstration de l'unité du mouvement socialiste contre la guerre, une harmonieuse manifestation de la puissance de l'Internationale». Celle-ci propose la constitution d'une Fédération balkanique mais est incapable de définir la moindre initiative concrète et coordonnée contre la guerre qui se fait de plus en plus menaçante.

Cette impuissance est l'expression du profond malaise existant dans les rangs du socialisme européen sur la question de la guerre et de la paix. Une inconnue subsiste et de taille: que feront les socialistes allemands? Pour l'ancien socialiste Charles Andler, bon connaisseur des réalités germaniques, il ne fait aucun doute qu'en cas de guerre, le SPD suivra dans sa majorité les Hohenzollern, position qui provoque l'indignation de Jaurès et un débat public dans les colonnes de *l'Humanité*. Sans qu'ils en aient sans doute une claire conscience, les partis socialistes sont alors largement contaminés par le nationalisme ce qui s'explique en large mesure par leur intégration — différenciée suivant les pays et les partis — à la société, le SPD représentant certainement le cas le plus achevé de ce processus. Les choses se présentent un peu différemment en France en raison notamment de la dissociation existant entre parti et syndicat, inconnue en Allemagne. Dans l'Empire austro-hongrois où la question des nationalités est primordiale, les socialistes ont été incapables de faire face à leur montée. Le révisionnisme de gauche inspiré des idées de Sorel est une manifestation supplémentaire de cet échec du socialisme vis-à-vis de la question nationale: dégoûté de la pratique réformiste du socialisme orthodoxe, il en vient de plus en plus à concevoir le socialisme comme une notion morale, un idéal exaltant qu'il s'efforce ensuite dans une deuxième étape de concilier avec l'idéal national, cherchant ainsi à faire la synthèse entre socialisme et nationalisme. Ses idées, dont l'influence reste limitée en France, rencontrent une audience beaucoup plus large en Italie, en particulier chez les syndicalistes révolutionnaires qui, proches d'A. Labriola, défendent la notion de «nation-prolétaire» et en 1911 soutiennent la guerre de Libye. Apparemment ce courant du socialisme européen reste encore marginal; il met le doigt sur une réalité à laquelle va durement se heurter la Seconde Internationale à partir de 1914: le rapport du social et du national. Mais rares sont ceux qui en mesurent alors toute l'importance.

Pourtant à la veille de la Première Guerre mondiale, la Seconde Internationale et les organisations qui la composent donnent toutes les apparences d'un mouvement en plein essor: succès aux élections législatives comme en 1912 en Allemagne et en Russie ainsi qu'en 1914 en France, renforcement du nombre des adhérents de ses partis, développement dans de nouveaux pays et des régions jusqu'alors non «touchées» par le socialisme. L'accentuation des luttes de classe dans de nombreux pays depuis 1910 semble annoncer une nouvelle vague révolutionnaire plus forte encore que celle de 1905 et de futurs succès pour le socialisme. En moins d'un mois le déclenchement de la Première Guerre mondiale va ruiner tous ces espoirs, dissiper bien des illusions, briser un quart de siècle de progression du socialisme et, en mettant fin à un monde, ouvrir une nouvelle phase de l'histoire du mouvement ouvrier.

LA FRACTURE DE LA PREMIÈRE GUERRE MONDIALE (1914-1923)

Union Sacrée ou pacifisme?

Août 1914 révèle de façon tragique l'impuissance du socialisme international devant l'explosion du nationalisme et de ses conséquences meurtrières. Au sein du mouvement ouvrier il introduit une faille décisive à plusieurs niveaux. La cassure est idéologique, politique et organisationnelle. Idéologique, puisque à la lutte proclamée contre la guerre succède dans, des proportions très largement majoritaires, le soutien complet à cette dernière; politique, dans la mesure où l'Internationale se montre absolument inapte à proposer une alternative à une situation qu'elle subit beaucoup plus qu'elle ne domine; organisationnelle enfin, car durant les quatre ans de guerre elle fait preuve d'une carence totale de fonctionnement, ne serait-ce que de façon minimale, comme un organisme international. Ainsi le premier conflit mondial ouvre-t-il une crise sans précédent du socialisme européen dont ce dernier sortira profondément transformé.

Depuis quelques années déjà l'Europe a vécu des tensions internationales porteuses, pour la plupart, d'un risque de conflit généralisé. Cette tendance s'est encore aggravée depuis le congrès de la Seconde Internationale à Copenhague en 1910. En 1911 la pénétration des troupes françaises à Fez a provoqué une très vive réaction allemande, l'envoi d'un bâtiment de guerre devant Agadir. En définitive une conférence internationale des grandes puissances européennes laisse carte blanche à la France au Maroc cependant que l'Allemagne reçoit en compensation 100 000 km carrés au Congo. En 1911 également l'Italie ravit Tripoli à la Turquie, la Russie envahit la Mongolie et se fait menaçante envers la Perse. En novembre 1912 la guerre des Balkans [1], nouveau facteur de tension en Europe, conduit l'Internationale à réunir un congrès extraordinaire contre la guerre à Bâle. Le fait que ces crises répétées ont finalement pu être résolues sans déboucher sur un conflit majeur a sans doute conforté la majorité des socialistes européens, comme d'ailleurs de nombreux autres dirigeants politiques, dans l'illusion qu'une solution négociée pourrait être trouvée à la nouvelle situation provoquée par l'assassinat de l'archiduc Ferdinand-Joseph le 28 juin 1914 à Sarajevo. Les socialistes ne prennent véritablement conscience de la gravité de l'heure que le 23 juillet 1914, date de l'ultimatum autrichien à la Serbie. Dès lors il est déjà trop tard, le mécanisme est lancé et plus rien ne pourra l'arrêter. Pourtant subsiste malgré tout une espérance largement diffuse qu'une fois encore, on n'ira pas jusqu'«au bout». Tout se joue lors de la «semaine tragique» du 25 au 31 juillet, de façon très rapide contrairement à ce que croient les principaux dirigeants socialistes qui envisagent une crise de longue durée et pensent encore avoir le temps pour intervenir. Les 29 et 30 juillet le BSI se réunit d'urgence à Bruxelles: déjà dépassé par les événements qui se précipitent et que plus personne n'est en mesure de contrôler, il ne peut rien proposer de concret sinon d'avancer au 9 août le congrès international prévu de longue date à Vienne[2]. Déjà V. Adler fait part des difficultés grandissantes rencontrées par les socialistes autrichiens pour s'opposer au nationalisme déchaîné. L'Internationale espère encore que les classes ouvrières française et allemande sauront faire pression sur leur gouvernement respectif pour que l'Allemagne modère l'Autriche et la France, la Russie. Le lendemain, J. Jaurès est assassiné par un royaliste et sa mort symbolise la fin d'une période de l'histoire du socialisme européen tout en précipitant, à l'occasion de ses obsèques, la mise en place de la politique d'Union sacrée. Le grand tribun aurait-il pu empêcher la guerre? La question reste posée mais il ne fait aucun doute que sa disparition supprime un des derniers obstacles qui aurait peut-être pu entraver son déclenchement en même temps qu'elle démoralise et qu'elle laisse désemparés de nombreux militants au moment crucial[3].

Dès lors le ralliement des socialistes à une guerre qu'ils s'étaient solennellement juré de combattre moins de deux ans encore auparavant se fait en deux temps: vote des crédits de guerre puis participation ou soutien aux gouvernements. Le 1er août l'Allemagne déclare la guerre à la Russie et demande à connaître les intentions françaises. La SFIO et le SPD sont encore très partagés. Réunis le 2 août, salle Wagram, les socialistes français prennent la décision de voter les crédits de guerre si la France est attaquée par l'Allemagne. Le lendemain cette dernière déclare la guerre à la France et le jour même les parlementaires du SPD décident par 78 voix contre 14 de voter les crédits de défense nationale. Partisan d'un vote négatif dans l'éventualité où la guerre serait «offensive» et non «défensive», Kautsky est mis en minorité. Les socialistes allemands ont agi en ce sens, convaincus qu'ils sont que la SFIO ne ferait aucun obstacle à la politique du gouvernement français. Effectivement les projets de loi présentés le lendemain par le gouvernement Viviani pour l'organisation de la défense nationale sont adoptés à l'unanimité: depuis la mort de Jaurès, la SFIO et la CGT par la bouche de Léon Jouhaux se sont ralliées à la politique gouvernementale. Elles ne sont pas les seules: bientôt dans plusieurs pays des socialistes accèdent aux responsabilités nationales, chacun d'entre eux, bien entendu avec de bonnes raisons à les en croire. Dès le 3 août, à la suite de l'ultimatum allemand imposé à la Belgique, les députés du Parti ouvrier belge décident de soutenir la politique d'Union sacrée. Le lendemain, avec l'accord du POB, Vandervelde devient «ministre d'Etat» même si, jusqu'en janvier 1916, il n'a que voix consultative dans le gouvernement royal. Trois semaines plus tard J. Guesde et Marcel Sembat entrent dans le cabinet Viviani pour défendre, au nom de la plus pure tradition jacobine de 1789, la République agressée par l'impérialisme allemand. La participation de socialistes à des gouvernements bourgeois qui avait provoqué de telles polémiques dans la Seconde Internationale une décennie plus tôt n'est alors même pas discutée: elle est seulement entérinée. Ce sont les socialistes français qui poussent le plus loin la pratique de cette collaboration de classe, avec bien des nuances selon les personnes, la palme du genre revenant à Albert Thomas, futur ministre de l'Industrie et de l'Armement. En Allemagne comme en Autriche les gouvernements refusent d'accorder la moindre responsabilité aux socialistes. En Grande-Bretagne, il faut attendre mai 1915 pour voir Arthur Henderson entrer dans le gouvernement du libéral Asquith.

Les résistances à ce cataclysme idéologique et politique sont bien faibles. Dans toute l'Europe, seuls les partis socialistes de Serbie et de Russie votent contre les crédits de guerre. Complètement isolés en France, les opposants à l'Union sacrée se recrutent, dans les premiers mois, à peu près uniquement chez les syndicalistes et, plus particulièrement dans le «noyau» qui depuis 1909 a publié *La Vie ouvrière* avec des militants comme A. Rosmer, P. Monatte et M. Chambelland ainsi que l'écrivain M. Martinet [4]. Mais ils n'ont pratiquement aucune influence dans les rangs du Parti socialiste. En Allemagne le groupe des «radicaux» de Brême qui depuis 1910 s'est organisé autour de R. Luxemburg et K. Liebknecht est également opposé aux nouvelles conceptions majoritaires du socialisme. Il faut toutefois attendre décembre 1914 pour voir K. Liebknecht faire scandale en refusant, seul, de voter les crédits de guerre. Le refus du bellicisme existe également chez un certain nombre d'intellectuels: si certains d'entre eux comme Renner, Cachin, Vandervelde [5] ou Plekhanov brûlent ce qu'ils ont adoré en adorant ce qu'ils ont brûlé, d'autres comme F. Mehring, R. Luxemburg, F. Brockway, A. Snowden, F. Adler ou A. Bracke restent fidèles à leurs positions antérieures. Rappellons d'ailleurs que la principale initiative prise contre la guerre dans ces premiers mois et qui connaît un grand retentissement est l'appel de Romain Rolland «Au-dessus de la mêlée» publié dans *Le Journal de Genève* le 22 septembre 1914. Ce texte courageux d'inspiration humaniste, fruit d'une initiative individuelle conforte les doutes et les interrogations d'un certain nombre de socialistes en plein désarroi depuis le début des hostilités [6].

Si on ne peut, même aujourd'hui, expliquer complètement un tel retournement plusieurs remarques permettent néanmoins de mieux en cerner les causes. Ecartons d'emblée les explications de Lénine qui, pour des raisons politiques et polémiques faciles à comprendre, ont longtemps eu droit de cité. La division antérieure à 1914 des socialistes en «opportunistes» et «révolutionnaires» aurait préparé la nouvelle ligne de partage en «chauvins» et «internationalistes» [7]. S'il est vrai que durant les années 1914-1918 l'esprit internationaliste se situe dans le droit fil de l'aile gauche révolutionnaire constituée auparavant, la division entre bellicistes et pacifistes ne correspond pas nécessairement au niveau des hommes qui le défendent. Des militants de la gauche soutiennent l'Union sacrée, l'inverse est également vrai. D'anciens «radicaux» sont passés au nationalisme alors que des «opportunistes» se retrouvent parfois dans le camp bien plus limité de l'internationalisme. Par ailleurs la Seconde Internationale n'est pas le seul courant du mouvement ouvrier, même si elle est le plus important, à être touché par cette remise en cause généralisée des valeurs: syndicalistes révolutionnaires et anarchistes ne sont pas épargnés et, dans leur grande majorité, défendent de façon tout aussi surprenante le soutien à la guerre. Il est frappant de voir comment l'emprise du nationalisme se fait de façon massive sur le mouvement ouvrier ce qui exclut toute explication uniquement idéologique de ce processus. La cause essentielle semble bien plus être l'intégration [8] déjà approfondie des organisations et plus encore du monde ouvrier dans son ensemble à cette société qu'il prétend combattre. Son acception de la plupart des règles de fonctionnement de ces collectivités a entraîné l'adhésion à ses valeurs fondamentales. L'explosion nationaliste d'août 1914 vient se surimposer à des thèmes plus anciens — patriotisme, défense nationale — fort tenaces et largement répandus dans les masses. Très certainement les dirigeants socialistes ont entretenu bien des illusions sur leur capacité à les combattre, la force de leur internationalisme et ont surestimé l'importance réelle de ce dernier. En ce sens, comme tout moment de crise, la guerre est un puissant révélateur d'une situation donnée: elle met brutalement en lumière, non seulement l'intégration des organisations ouvrières à la société, mais encore le décalage parfois énorme existant entre leurs discours et leur pratique; cette intégration résultant tout autant d'une pratique réformiste que des conditions réunies pour la mener à bien, se développait insidieusement depuis des années mais pouvait cohabiter avec un discours révolutionnaire. Tout en existant dans les faits, l'écart entre le dire et le faire pouvait être masqué; à partir d'août 1914 cette position n'est plus tenable et le discours doit s'adapter à la dure réalité. Toute cette situation s'explique par la politique et la pratique menées antérieurement ainsi que de façon plus générale par l'insertion de chaque classe ouvrière à la société de son pays. Si on accepte une telle hypothèse, il devient illusoire de se demander si une autre politique eût été possible à l'Internationale: les jeux étaient faits en 1914 et ce qui semble de prime abord incroyable devient alors compréhensible [9].

Selon G. Haupt [10], on peut établir une distinction entre l'effondrement de l'Internationale, impuissante à empêcher la guerre entre les peuples et l'effondrement de l'internationalisme caractérisé par l'acceptation de la guerre et le soutien à cette dernière par la majorité du mouvement ouvrier. Etroitement liées, ces deux notions doivent néanmoins être envisagées distinctement. La faillite organisationnelle de la Seconde Internationale est rapide, se révèle en quelques semaines tout au plus et se confirme ensuite par son incapacité à coordonner la moindre action d'envergure durant les quatre ans qui suivent. L'échec de l'internationalisme est un phénomène plus lent et complexe. Le jugement porté à son égard est tributaire de l'analyse plus générale que l'on peut faire du conflit: s'agit-il d'une simple parenthèse à l'issue de laquelle le mouvement ouvrier reprendra sa marche en avant ou bien la classe ouvrière sortira-t-elle complètement transformée de ce tragique épisode? Il y a là un débat de fond qui ne pouvait évidemment être résolu par ses protagonistes mais au sein duquel il est possible d'intervenir aujourd'hui. En renforçant l'intégration ouvrière à la société et à l'Etat, la Première Guerre mondiale mine un peu plus les fondements déjà passablement attaqués d'un internationalisme possible. L'examen rapide de l'activité du Comité d'action CGT/SFIO [11] créé dès le 3 septembre 1914 tranche en faveur de la seconde hypothèse: la guerre achevée, ce n'est pas une parenthèse qui se ferme mais le début d'une nouvelle phase de l'histoire du mouvement ouvrier qui commence. Elle se caractérise par des rapports un peu différents vis-à-vis de la société dans laquelle il baigne et se concrétise par une remise en cause plus poussée encore de l'internationalisme si hautement proclamé avant 1914 et si inefficace le moment venu. Mis en place en raison de l'urgence de la situation, ce Comité auquel se rallient peu après les membres de la Fédération nationale des coopératives de consommation (FNCC) se voit bien vite obligé d'intervenir dans plusieurs «champs» résultant de l'ouverture des hostilités: augmentation rapide des prix, chômage, protection sociale insuffisante à un moment où blessés et handicapés augmentent par milliers. Son existence, son action qui se poursuit durant toute la guerre, le succès de son implantation dans toute la France sont autant de signes illustrant les progrès du réformisme syndical durant ces quatre ans. Cette orientation syndicale est confortée par une raison économique de base: nécessitée par les besoins de la guerre en armement, la mobilisation industrielle transforme les dirigeants syndicaux en «porte-parole d'un groupe (qui) est devenu vital pour la réussite de la vie nationale». A partir de cette situation de force il leur est possible d'obtenir des avantages substantiels pour une fraction au moins de la classe ouvrière. De ce point de vue la guerre crée les conditions objectives d'un réformisme syndical de type nouveau et précipite l'intégration plus poussée de la classe ouvrière. Initiée depuis 1884 en France avec la reconnaissance des syndicats (accueillie d'ailleurs avec défiance par certains dirigeants du mouvement ouvrier), poursuivie ensuite avec la mise en place d'une législation sociale (1898: loi sur les accidents du travail; 1910: instauration des Retraites ouvrières et paysannes), l'intégration de la classe ouvrière à la société se poursuit et se renforce. Compte tenu des conditions spécifiques, il en va de même dans les autres pays européens.

Cependant, passée l'euphorie des premiers mois, l'enthousiasme belliqueux retombe d'autant plus que cette guerre, que dans les deux camps l'on a crue assez brève, se prolonge, s'étend à d'autres pays et montre toute sa barbarie. En novembre 1914 la Turquie entre dans le conflit aux côtés des Empires centraux suivie par la Bulgarie en octobre 1915. Depuis mai 1915 l'Italie a choisi le camp franco-britannique et bientôt la Roumanie se joint également à la mêlée. La guerre s'enlise, s'éternise et commence à provoquer un mécontentement latent. Durant toute cette période l'action de l'Internationale se résume à un mot: le néant. En novembre 1914, C. Huysmans a transféré les services et les archives du Bureau socialiste international aux Pays-Bas, pays neutre et y fait entrer, justement par souci de neutralité, plusieurs socialistes hollandais. Les choses en restent là: pour Huysmans comme pour d'autres dirigeants socialistes parmi lesquels Kautsky, l'Internationale est un instrument utile en temps de paix mais pas en temps de guerre. Il est donc urgent de ne rien faire et de ne prendre aucune initiative. Cet attentisme est unanimement critiqué, aussi bien par les partisans d'une neutralité active de l'Internationale (Suisses et Italiens), que par les socialistes révolutionnaires (Lénine), et enfin les partisans de l'Union sacrée (Allemands, Belges et Français). A l'initiative de Vandervelde, les socialistes des pays alliés sont invités le 14 février 1915 à Londres. Après avoir déclaré qu'une victoire de l'Allemagne signifierait la fin de la liberté et de la démocratie en Europe, des représentants des partis anglais, belge, français et russe réaffirment leur volonté de combattre le gouvernement allemand — mais non son peuple. Le triomphe des Alliés représentera «la victoire de la liberté pour tous les peuples, de l'unité, de l'indépendance et de l'autonomie des nations dans une Fédération pacifique d'Etats-Unis d'Europe et du monde». Déjà, la perspective d'Etats-Unis d'Europe regroupés sous l'égide d'un organisme supranational est esquissée à cette date: on peut y voir l'ébauche de la future Société des Nations. Mais dans l'immédiat comme le rappelle J. Guesde, le «devoir des socialistes ... est de poursuivre la lutte jusqu'au bout». Deux mois plus tard se tient les 12 et 13 avril 1915 à Vienne la première conférence socialiste des Empires Centraux [12]: ces deux manifestations institutionnalisent la politique d'Union sacrée suivie par les partis socialistes des principaux pays belligérants.

Au delà du naufrage que représente pour le socialisme international l'été 1914, un certain nombre d'initiatives prises dans plusieurs pays par différents partis montrent toutefois que la notion d'internationalisme n'est pas complètement morte. Dès septembre 1914 l'exclusion du Parti socialiste italien de Mussolini [13], partisan d'une neutralité «agissante» et plus seulement «absolue», témoigne de la volonté majoritaire de cette organisation de ne pas se laisser entraîner dans le conflit. Le 27 septembre 1914 les socialistes suisses et italiens se rencontrent en Suisse à Lugano pour examiner la situation. Le conflit européen y est défini comme une guerre capitaliste pour la conquête de nouveaux marchés qui n'a rien à voir avec le combat pour une civilisation meilleure ou la liberté. Aussi est-il du devoir des socialistes des pays neutres d'intervenir auprès de leurs gouvernements respectifs pour qu'ils agissent en faveur d'une interruption du conflit [14]. De nouvelles rencontres des partis socialistes des pays neutres sont prévues. Les 17 et 18 janvier 1915, à l'appel des socialistes danois est organisée une autre réunion des socialistes des pays neutres à Copenhague mais seuls les socialistes de Hollande et de Suède sont en mesure de s'y rendre. Néanmoins cette initiative rencontre un écho certain dans les partis allemand, français, suisse ainsi que dans l'ILP britannique. En mai 1915 les partis socialistes suisse et italien essaient de mettre sur pied une conférence des socialistes des pays neutres en Suisse à Lugano mais cette initiative n'aboutit pas. En juillet 1915, non sans grandes difficultés, C. Rakovsky arrive à réunir une seconde conférence des partis socialistes balkaniques où sont réaffirmés deux principes, la neutralité des Balkans et l'internationalisme. En ces temps de guerre il s'agit déjà d'un résultat remarquable. Enfin le socialisme international peut encore mettre à son actif la tenue de deux autres manifestations: du 26 au 28 mars 1915 se tient à Berne une Conférence des femmes socialistes suivie quelques jours plus tard, les 5 et 6 avril d'une Conférence des jeunesses socialistes. Ces deux réunions où, pour la première fois depuis août 1914, se sont rencontrés des représentants des pays belligérants, ont pu se faire grâce à l'initiative des socialistes suisses. Elles ne rassemblent que des forces très minoritaires face à un mouvement largement contaminé par le social-patriotisme: malgré tout, en ces premiers mois de l'année 1915 apparaissent les débuts d'une critique organisée à l'orientation majoritaire. Les groupes d'opposition à la guerre se renforcent en Allemagne (autour du député Haase) et se structurent en France autour du guesdiste P. Faure et de la Fédération de la Haute-Vienne qu'il anime ainsi que du jaurésiste Jean Longuet.

Le succès de ces initiatives, le mécontentement croissant contre la guerre qui se développe de façon latente dans plusieurs pays notamment chez les femmes et chez les jeunes encouragent le Parti socialiste italien ainsi que deux militants, le Suisse Robert Grimm et le Russe Martov à franchir un pas supplémentaire. Les 15-16 mai 1915 la direction du Parti socialiste italien décide la tenue d'une réunion internationale. Organisée en Suisse par Robert Grimm avec la tolérance mais non le soutien du Parti socialiste suisse, cette conférence se tient du 5 au 8 septembre 1915 à Zimmerwald. Trente-huit délégués venus de 11 pays y participent. Les partis socialistes italien, russe, bulgare, roumain, polonais et letton y sont officiellement représentés ainsi que la Jeunesse socialiste norvégienne, des «gauches» de Hollande et de Suède; des socialistes allemands émanant de la gauche ouvrière mais fort peu réprésentatifs ainsi que deux syndicalistes français, Merrheim et Bourderon — mais aucun socialiste — complètent cette émunération. A l'issue des délibérations est publié un Manifeste appelant au «rétablissement de la paix entre les peuples sur la base d'une paix sans annexion». La guerre y est définie comme «un produit de l'impérialisme» et l'Union sacrée y est condamnée. Il s'agit d'un texte de compromis ne comportant aucun appel à la guerre civile ni à la révolution ce qu'auraient voulu faire figurer quelques participants constituant la «gauche» de Zimmerwald: Lénine est le plus connu d'entre eux et, à son initiative, est rédigé un texte dénonçant l'opportunisme et s'interrogeant sur les moyens de combattre la guerre. Dès cette date Lénine est désireux de rompre avec les «sociaux-patriotes», les partisans de la guerre. Un petit groupe minoritaire où se retrouvent notamment Trotski, A. Balabanova, R. Grimm et H. Roland-Holst défend une position intermédiaire. En dépit de ces divergences, grosses de divisions futures, Zimmerwald est un moment très important pour le socialisme européen puisqu'il a pu réunir et commencer à structurer un courant international d'opposition à la guerre. Les socialistes majoritaires en sont d'ailleurs parfaitement conscients et la tenue de la conférence de Zimmerwald représente pour eux et particulièrement pour les Français et les Belges, un véritable affront: le Manifeste de Zimmerwald publié en brochure est considéré par la SFIO comme une «œuvre de propagande contraire aux intérêts de la défense nationale et à l'organisation nationale et internationale du socialisme».

Zimmerwald ne reste pas sans conséquences. Il y a été décidé de mettre en place une Commission socialiste internationale (CSI) composée de deux Suisses et deux Italiens. Sans rompre formellement avec le BSI toujours muet depuis les débuts de la guerre, la CSI décide de réunir une seconde conférence internationale. En dépit des efforts menés à bien par les socialistes majoritaires pour contrecarrer cette initiative, la réunion se tient en un lieu gardé secret, à Kienthal en Suisse, où le 24 avril 1916 se rendent 44 militants. La poussée à gauche des opposants à la guerre depuis Zimmerwald s'y révèle très nettement. Dix-neuf d'entre eux (mencheviks russes, italiens, allemands) ont alors des positions beaucoup plus proches des pacifistes et, les discours le montrent, les critiques envers le socialisme majoritaire et le BSI y sont bien plus sévères. Un nouvel appel en faveur de l'action pour la paix et de revendications «pour le triomphe du prolétariat» y est proclamé; contrairement à la conférence de Zimmerwald, la perspective d'une rupture avec la Seconde Internationale devient maintenant envisageable. Renforcement et gauchissement des oppositions à la guerre caractérisent donc la conférence de Kienthal que l'on a parfois considérée comme l'acte de naissance de la IIIe Internationale. Cependant en la circonstance les thèses de Lénine, partisan de la transformation de la guerre impérialiste en guerre civile restent encore minoritaires.

Zimmerwald et Kienthal [15] sont une étape importante dans le regroupement des opposants à l'Union sacrée. Elles rencontrent un écho en Angleterre, particulièrement au sein de l'Independent Labour Party; en France où s'est constitué le Comité pour la reprise des relations internationales (CRRI) où se côtoient socialistes et syndicalistes ainsi que le Comité de défense syndicale principalement investi par les anarchistes; en Allemagne enfin autour des «Spartakistes» qui, autour de K. Liebknecht réaffirment la nécessité de la solidarité internationale des travailleurs tout en organisant le 1er mai 1916 la première grève contre la guerre. Au même moment les députés socialistes allemands qui ont refusé de voter les crédits de guerre sont expulsés de la délégation socialiste au Reichstag et commencent à s'organiser indépendamment. Enfin, en Autriche, le fils du dirigeant socialiste Victor Adler, Fritz Adler, assassine en octobre 1916 le président du Conseil, Sturgkh dans l'espoir de provoquer ainsi un choc dans la social-démocratie autrichienne. Cependant la progression de cette opposition ne doit point en faire oublier le caractère dispersé, fragmentaire et politiquement peu homogène: avec bien des nuances selon les hommes et selon les pays, elle est d'inspiration pacifiste plus que révolutionnaire.

1917-1918: le grand tournant

1917 représente le grand tournant des années de guerre en raison de l'importance des événements que connaît la Russie à partir de février. Mais en raison aussi de la lassitude généralisée que ressentent de plus en plus tous les belligérants vis-à-vis d'un conflit qui s'éternise. En se conjuguant, ces deux éléments vont largement modifier la physionomie du socialisme international. Bien vite, dès le mois de mars, la Révolution russe exprime par la bouche du Soviet de Petrograd la volonté de paix du peuple russe dont le gouvernement provisoire est obligé de tenir compte. Ce fait capital et entièrement nouveau va contraindre le Bureau socialiste international à sortir de la léthargie où il se trouve depuis trois ans. Au printemps et durant l'été 1917 de graves événements se produisent en Allemagne: grèves à caractère révolutionnaire en avril, à Leipzig notamment, et surtout constitution du Parti social-démocrate indépendant (USPD) avec Kautsky, Haase, Ledebour et Bernstein, favorables à des négociations directes avec la Russie républicaine. L'apparition de cette nouvelle organisation contribue à infléchir quelque peu l'orientation du SPD qui, après avoir soutenu la guerre sous-marine à outrance l'année précédente, commence à prendre ses distances vis-à-vis d'une telle politique, réclame une plus grande démocratisation du Reich et va même jusqu'à demander la recherche d'une paix négociée. En Autriche la majorité du Parti social-démocrate adopte lors de son congrès d'octobre 1917 une orientation pacifiste assez proche de celle de l'USPD. En France, à la suite de l'échec de l'offensive menée par Nivelle en avril 1917, le moral est au plus bas dans l'armée et provoque des mutineries écrasées dans le sang; de violentes grèves se développent à l'arrière en avril et mai vis-à-vis desquelles le gouvernement préfère céder sur certains points plutôt que de réprimer durement. L'état d'esprit est également très «mauvais» chez les ouvriers britanniques, de plus en plus hostiles à la guerre. Des rumeurs de négociations de paix circulent en Europe depuis la fin de l'année 1916: elles ne font que mieux ressortir encore l'absurdité d'un conflit meurtrier pour lequel, de plus en plus, seule une paix négociée semble être l'issue possible.

Dans ce contexte en pleine évolution, des socialistes des pays neutres — la Hollande et la Suède — (Troelstra, Branting) — après avoir, avec l'accord de C. Huysmans, constitué un Comité, se proposent d'organiser une conférence à Stockholm et envoient une invitation en ce sens à la plupart des partis socialistes européens. Cette initiative rencontre un écho particulièrement favorable chez les socialistes russes qui espèrent pouvoir, à travers la tenue de cette réunion, faire avancer la cause d'une paix de compromis et mettre ainsi fin à la guerre. Dans un premier temps l'accueil est beaucoup plus mitigé aussi bien chez les socialistes anglais et français que chez Plekhanov qui croient voir derrière cette proposition un piège tendu par l'Allemagne et destiné à faire accepter aux socialistes européens les buts de guerre des puissances centrales. Mais les adversaires de ce projet, parmi lesquels Cachin et Moutet qui sont allés prendre contact en Russie avec les socialistes russes, changent bien vite d'opinion, voyant dans la conférence prévue à Stockholm un moyen de convaincre les socialistes russes de rester en guerre aux côtés des puissances alliées. Le 28 mai le congrès national de la SFIO se prononce à l'unanimité, à l'exception de quelques socialistes de droite autour de Compère-Morel, en faveur de la participation à la conférence de Stockholm. Dans une certaine confusion et non sans de grandes illusions, cette initiative représente pour les socialistes de nombreux pays européens un espoir de progression vers la paix et la possibilité pour le socialisme international de faire des propositions en ce sens. Mais au dernier moment les gouvernements alliés refusent leurs passeports aux délégués: ils empêchent ainsi la conférence de se tenir en marquant leur volonté de continuer la guerre jusqu'à la victoire [16]. Dès lors il devient illusoire pour la Seconde Internationale d'espérer participer d'une quelconque façon à toute forme efficace d'activité diplomatique. Pas plus qu'en 1914, elle n'émet la moindre protestation essuyant de la sorte un nouvel échec presque aussi grave que celui subi par elle trois ans auparavant: plus que jamais le socialisme international est condamné à assister comme spectateur impuissant à la boucherie. Malgré tout, ce dernier épisode ébranle quelque peu la cause de l'Union sacrée: à partir de septembre 1917 les socialistes français refusent de participer au gouvernement, position partagée pour les mêmes raisons par Henderson en Angleterre même si certains députés travaillistes continuent à siéger dans le Cabinet de guerre de Lloyd George.

A la suite de l'échec que représente cette tentative, la fin de l'année 1917 est marquée par un événement de la plus grande importance: il s'agit bien entendu de la Révolution russe dont les répercussions vont contribuer à une recomposition d'ensemble du mouvement ouvrier. Tant en France qu'en Grande-Bretagne ses premiers effets sont perçus de façon plutôt négative au sein du mouvement socialiste. L'arrivée au pouvoir des bolcheviks permet enfin à la Russie de sortir du conflit laissant la France, la Grande-Bretagne et l'Italie seules en face des Empires centraux. On pourrait croire que cette évolution favorise les courants les plus «droitiers» du socialisme français mais elle est contre-balancée par les effets de la dictature de Clemenceau, partisan de la guerre à outrance, qui n'hésite pas pour cette raison à emprisonner de nombreux militants pacifistes et antimilitaristes. Ces deux raisons qui agissent en sens opposé maintiennent le socialisme français sur une ligne médiane, aussi bien distincte du social-patriotisme que du défaitisme révolutionnaire prôné par Lénine. En dépit de la très nette progression des minoritaires qui deviennent d'ailleurs majoritaires au sein du Parti lors de son congrès de Paris en octobre 1918, le socialisme français reste sur la défensive. En Grande-Bretagne, si une minorité fort restreinte de délégués d'ateliers (shop-stewards) soutient la révolution bolchevique, la majorité du socialisme anglais est hostile au régime des Soviets qu'elle dénonce comme une dictature terroriste: les mencheviks et Kerensky sont au contraire beaucoup plus populaires. En définitive, c'est en Italie que la Révolution d'Octobre est accueillie avec le plus grand enthousiasme ce qui s'explique par les traditions neutralistes et internationalistes maintenues par le Parti socialiste italien depuis le début de la guerre: son mot d'ordre central a été «ni collaborer, ni saboter». Après l'exclusion d'une aile «interventionniste» réunie autour de Mussolini, certains réformistes comme Turati rejoignent la cause de l'Union sacrée après la bataille de Caporetto. Mais la majorité de l'organisation se reconnaît davantage dans le «maximalisme», envisage la possibilité d'une révolution sociale et la prise du pouvoir par le prolétariat. Groupée autour de Serrati elle préconise une république socialiste tout en soutenant avec enthousiasme la Révolution russe.

C'est des Empires centraux que surgissent ensuite les mouvements qui vont contribuer le plus puissamment au renouvellement du socialisme. Après les grèves d'avril 1917 en Allemagne et la création de l'USPD, en raison de la lassitude provoquée par le caractère interminable de la guerre, l'agitation se concentre surtout chez les marins puis à partir de janvier 1918, dans des milieux ouvriers plus larges. L'USPD soutient ces mouvements. En janvier 1918 éclatent des grèves, d'abord à Berlin puis dans toute l'Allemagne; fortes de plus d'un million de personnes elles se soldent rapidement par un échec en raison de la répression gouvernementale à laquelle les socialistes majoritaires apportent leur collaboration. Cependant la marge dans laquelle évoluent ces derniers est étroite: soucieux de faire preuve de leur patriotisme, ils tiennent néanmoins à se démarquer d'une politique par trop nationaliste et pangermaniste. D'où leurs hésitations quant à la position à prendre vis-à-vis du traité de Brest-Litovsk signé le 3 mars 1918 avec les bolcheviks: il permet à la Russie de sortir de la guerre mais à un prix fort, la perte de l'Ukraine, bien difficile à justifier même pour des socialistes majoritaires. Inversement ce traité est tout à fait profitable d'un point de vue militaire et économique à l'Allemagne qui peut reporter l'ensemble de ses troupes sur le front occidental.

Jusqu'à la fin de la guerre les socialistes allemands soutiennent de tout leur poids l'effort de guerre de leur pays, y compris lorsque se forme en octobre 1918 un gouvernement chargé de négocier l'armistice. Le socialiste Scheidemann entre dans cette formation et, quand bien vite se pose le problème de l'abdication de Guillaume II, il n'est pas question pour le SPD de renverser la monarchie: son premier souci est d'éviter toute forme de révolution sociale, analogue au modèle soviétique, dont il a horreur. La division ou la faiblesse des autres forces se réclamant du socialisme joue à son avantage: l'USPD compte dans ses rangs des partisans mais aussi des adversaires de la Révolution soviétique comme Kautsky; les Spartakistes en butte à une dure répression sont insuffisamment organisés pour mobiliser victorieusement les milieux ouvriers contre le régime. La révolution de novembre 1918 en Allemagne commence avec la révolte des marins de Kiel qui entraînent les travailleurs de cette ville puis d'une grande partie du pays. A Munich, le socialiste K. Eisner, ancien modéré proche de Bernstein, devenu membre de l'USPD, se met à la tête d'un conseil d'ouvriers et de soldats qui prend le pouvoir en Bavière. Ces deux faits ainsi que la désagrégation du pouvoir central accélérée par la défaite militaire enclenchent un processus révolutionnaire à Berlin: sous la menace de la grève générale le gouvernement abdique et la République est proclamée. A sa tête se trouve un gouvernement composé de socialistes majoritaires et indépendants. Pour important qu'il soit ce changement politique n'implique aucune transformation radicale de la société; il se fait d'abord au profit des majoritaires du SPD qui estiment possible de remplacer l'Empire allemand par une République démocrate voire sociale mais nullement socialiste. Ainsi si l'Allemagne connaît une situation révolutionnaire, la majorité du mouvement socialiste n'en est pas à l'origine même s'il sait se mettre à sa tête pour mieux la maîtriser et la canaliser [17]. Il en va de même dans l'Empire austro-hongrois qui, également en raison de la défaite militaire, se disloque au même moment [18]. En octobre 1918, Bela Kun fonde une éphémère République hongroise des travailleurs qui sera écrasée en juillet 1919. La fin de l'Empire austro-hongrois, la révolte des nationalités permettent la création d'Etats nouveaux: la Hongrie, la Tchécoslovaquie et la Yougoslavie. Mais en la circonstance, le mouvement socialiste ne joue qu'un rôle secondaire: beaucoup plus fort que la volonté de révolution sociale, le sentiment national contraint les partis socialistes à s'adapter à une situation qu'ils n'ont pas voulu créer ni pu dominer.

Division et réunification du mouvement socialiste (1919-1923)

La Première Guerre mondiale se termine donc pour la Seconde Internationale comme elle a commencé: par une carence à intervenir en tant qu'organisme international et à coordonner l'action de ses différents partis. A la suite de la tentative avortée de la conférence de Stockholm, les partis socialistes européens sont plus divisés que jamais et incapables d'une action unie. Ils se trouvent dans des situations extrêmement variées: ils sont au pouvoir en Belgique et en train de contenir un mouvement révolutionnaire en Allemagne et en Hongrie; en Russie ils affrontent la guerre civile et vont bientôt prendre pour certains d'entre eux les chemins de l'exil. En Grande-Bretagne et en France les élections législatives de décembre 1918 et novembre 1919 vont, dans ces deux pays, marquer un certain recul du mouvement socialiste. En Grande-Bretagne, les principaux dirigeants du Labour Party

(MacDonald, Henderson, Snowden, Lansbury) sont battus mais la tendance se renversera assez vite ensuite en faveur du Labour. En France, le Bloc national de Clemenceau s'empare de 70 sièges socialistes à l'Assemblée nationale. Pourtant ces reculs électoraux des socialistes s'accompagnent d'une énorme progression des syndiqués dans les deux pays. En 1914 les Trades unions comptaient 4 millions d'adhérents; ce chiffre passe à 6,5 millions en 1918 puis 8,3 en 1920. En France le nombre de syndiqués qui est de 800 000 en 1918 s'élève à 2,5 millions en 1920. En dépit de cette progression encourageante pour eux, les socialistes anglais et français sont relativement peu en mesure d'intervenir alors dans la vie politique de leur pays et leur avis sur la reconstruction de l'Europe qui s'engage en ce début de l'année 1919 n'est guère écouté.

En février 1919, à l'initiative des partis socialistes des pays vainqueurs estimant que le socialisme a son mot à dire sur la réorganisation du Vieux Continent, C. Huysmans propose la tenue d'une conférence internationale. Pour les socialistes des puissances alliées il ne faut pas laisser l'initiative aux seuls gouvernements: le nouvel ordre européen doit se construire sur des notions de justice et de droit que le socialisme est le mieux à même de défendre. En accord avec Henderson, Vandervelde et Thomas, Huysmans organise en février 1919 à Berne une conférence à laquelle participent 102 délégués venus de 26 pays [19]. Dans les faits, de nombreux partis se font remarquer par leur absence et les «retrouvailles» entre socialistes sont difficiles: comme les socialistes russes, le POB refuse de participer à une réunion commune avec les Allemands en dépit des efforts de Vandervelde et d'Anseele. Jugeant inutile de siéger aux côtés des plus fermes partisans de l'Union sacrée, les Italiens, les Roumains, les Serbes, les Suisses et les bolcheviks restés fidèles à l'esprit de Zimmerwald, ne se dérangent même pas. Les socialistes américains jugent inutile l'envoi de délégués à la conférence tant que le traité de Paix n'est pas signé: toutes ces défections significatives limitent la portée de cette initiative. Néanmoins il s'agit de la plus importante manifestation socialiste internationale depuis 1914. Les travaux de la conférence s'organisent autour de deux questions politiques principales: les responsabilités des partis socialistes devant la guerre et l'attitude à adopter vis-à-vis du bolchevisme. Les problèmes territoriaux, l'établissement d'une Charte du Travail, la position à définir vis-à-vis de la Société des Nations en cours de formation font également partie de l'ordre du jour. Cette réunion où de nombreuses délégations sont partagées entre anciens majoritaires et minoritaires se solde par un échec, explicable par les divisions traversant le socialisme européen qui apparaissent au grand jour. La majorité des sociaux-démocrates allemands refuse d'admettre une responsabilité supérieure de leur pays dans les causes du déclenchement de la guerre ce que contestent formellement les socialistes français, et en tout premier lieu Albert Thomas, dans de violentes polémiques; un texte de compromis sur cette question peut néanmoins être voté. Cette atmosphère tendue empêche toute discussion sereine sur le second point de l'ordre du jour, la dictature du prolétariat, c'est-à-dire la politique que doit adopter le mouvement socialiste vis-à-vis de la Russie bolchevique. Dans sa majorité la conférence s'affirme hostile au gouvernement soviétique, que ce soit par la bouche du Suédois Branting dénonçant l'absence de démocratie (liberté de parole, d'écrit, de réunion, suffrage universel, responsabilité parlementaire) ou de l'Allemand Kautsky pour qui le «seul résultat positif de l'activité bolchevique» est «la création d'un militarisme nouveau». Présentée par Branting, une résolution mettant l'accent sur l'incompatibilité existante entre socialisme et dictature est finalement votée: elle «condamne tout empiètement — qu'il soit impérialiste ou bolchevik — de n'importe quel gouvernement sur les droits et les libertés des peuples et des individus». La conférence prend également la décision d'envoyer une délégation d'enquête en Russie soviétique. Seule une minorité autour du Français Jean Longuet et de l'Autrichien F. Adler se prononce en faveur de la Révolution russe tout en mettant en garde les participants contre les dangers de toute critique récupérable par la bourgeoisie sur cette question. Elle réclame la levée du Blocus contre la Russie. Après avoir salué les révolutions démocratiques accomplies en Russie, en Autriche-Hongrie et en Allemagne, les socialistes demandent aux travailleurs de ces pays «de développer les institutions démocratiques et républicaines propres à favoriser l'avènement du socialisme». C'est réaffirmer ici le lien indissoluble entre démocratie et socialisme, maintes fois énoncé avant 1914 mais ce postulat fondamental du mouvement socialiste prend maintenant une signification quelque peu différente en raison de l'existence de la révolution bolchevique, cette forme de dictature qui, selon le Suédois H. Branting présidant les débats à Berne, «avilit le nom de socialisme». En définitive la première conférence socialiste internationale organisée par le BSI à l'issue des quatre ans de guerre met à jour des divisions idéologiques et stratégiques au sein du mouvement autrement profondes que celles apparues sept ans auparavant lors du congrès extraordinaire de Bâle[20]. Les conséquences politiques et organisationnelles de cet état de chose se feront bientôt sentir au sein du socialisme européen.

Cette impuissance est plus patente encore à la suite de deux autres réunions tenues, l'une à Lucerne en août 1919, l'autre à Genève en août 1920[21]. A cette date la Seconde Internationale est encore une force apparemment capable de réunir les organisations ouvrières de 47 pays parmi ceux où la social-démocratie est la plus forte: Allemagne, Grande-Bretagne, France, Belgique, pays scandinaves. Il semble que certaines difficultés soient surmontées à Genève: un accord peut se faire sur la question des responsabilités de la guerre. Les socialistes allemands prennent une position jugée satisfaisante par ceux de l'Entente; en «échange» est émise une condamnation générale des traités de paix et leur révision est demandée. Mais ce n'est pas le plus important. En renouvelant sa condamnation des méthodes gouvernementales bolcheviques (à l'exception du vote du délégué de l'ILP), la Seconde Internationale montre son incompréhension de la tendance générale du moment et son incapacité, sinon à s'insérer dans un processus révolutionnaire, du moins à ne pas s'en couper. La fondation formelle de la IIIe Internationale se situe en mars 1919. La nouvelle organisation devient une force réelle au cours de son second congrès lors de l'été 1920, juste à la suite de la conférence de Génève[22]. La formation du Komintern entraîne un processus général de scission au sein du mouvement ouvrier et des sections nationales de l'Internationale communiste apparaissent de façon différenciée dans la plupart des pays. Tant sur la conception du parti que sur les méthodes de lutte pour arriver au socialisme, l'écart est grand entre le socialisme traditionnel et ceux qui se réclament du bolchevisme. Le Komintern engage un combat ouvert contre l'Etat capitaliste par des méthodes d'action prolétariennes combinant grèves et action de masse, action illégale et clandestine, démoralisation de l'armée, etc. Au même moment il dénonce avec virulence le réformisme au sein du mouvement ouvrier. L'Internationale socialiste s'avère alors incapable de s'opposer à cette tendance. Se trouvant en position défensive, significativement, elle transfère son siège de Bruxelles à Londres[23] pour élire domicile chez un de ses partis les plus «à droite», fuyant de la sorte les mouvements révolutionnaires qui se développent en Europe et particulièrement en Europe centrale. Et le congrès qu'elle prévoit pour 1922 ne se réunira jamais.

Peu après en effet survient une nouvelle scission internationale du socialisme à l'issue de laquelle le mouvement ouvrier est désormais organisé pour près de trois ans en trois tendances distinctes — et non pas deux comme on le dit généralement. Au sein de la Seconde Internationale plusieurs partis et organisations, et non des moindres, récusent tout autant la politique d'Union sacrée et ses conséquences dont ils ne veulent plus endosser la responsabilité, que le défaitisme révolutionnaire et les méthodes de gouvernement bolcheviques. Contre la tendance droitière de l'Internationale, ces «centristes» se font les défenseurs du socialisme révolutionnaire tout en conservant leur autonomie vis-à-vis du mouvement communiste avec lequel ils divergent sur les objectifs, les méthodes de lutte et les formes d'organisation. Contrairement à la droite du socialisme international restée au sein de la Seconde Internationale, ces socialistes de gauche soutiennent sans réserve la Révolution russe.

Après une période préliminaire de contacts informels entre les dirigeants de l'ILP anglais, les socialistes indépendants allemands, les austro-marxistes autrichiens, une fraction notable de la SFIO autour de Jean Longuet, le Parti socialiste suisse, le Parti socialiste tchécoslovaque et divers autres partis aux forces plus réduites, une première réunion préparatoire se tient à Berne en décembre 1920, prélude à une conférence internationale réunie à Vienne du 22 au 27 février 1921. A l'issue de cette manifestation est créée l'Union des partis socialistes pour l'action internationale (UPSAI) [24] dont F. Adler est nommé secrétaire. La nouvelle organisation refuse tout autant le réformisme de la Seconde Internationale que le révolutionnarisme de la Troisième, jugé simple «instrument de la politique étrangère de l'Union soviétique». Pour les fondateurs de l'UPSAI, la Seconde Internationale n'existe plus: réformiste et nationaliste, elle sombre dans le ministérialisme et représente tout au plus selon F. Adler la «centralisation des partis réformistes»; de son côté la IIIe Internationale fait l'erreur de ne pas tenir compte des conditions de lutte particulières de chaque pays et veut transposer partout mécaniquement les formes de lutte qui ont réussi en Russie. L'influence prédominante de l'Union soviétique sur la IIIe Internationale risque de dévoyer cette dernière au seul profit du gouvernement bolchevik. Aussi l'UPSAI rejette-t-elle tout autant les seules méthodes parlementaires que les formes d'action employées par les bolcheviks. Après avoir dénoncé le capitalisme et l'impérialisme fauteurs de guerre, les socialistes de gauche recherchent les moyens de les combattre: ils déplorent la division qu'affronte alors le prolétariat à l'échelle internationale et veulent travailler à reconstruire l'unité du mouvement ouvrier sur les bases du socialisme révolutionnaire: à cette fin ils lancent un appel aux socialistes de tous les pays «pour qu'ils secondent les efforts tendant à la création d'un front prolétarien révolutionnaire contre le capitalisme et l'impérialisme tant dans leur propre pays que dans le cadre d'une organisation internationale prolétarienne». Se situant à mi-chemin entre le socialisme réformiste et le communisme, se défiant tout autant de «l'impatience naïve» de Moscou que «du sceptique manque de foi» de Genève, les socialistes de gauche se font les défenseurs d'une politique révolutionnaire visant «à la réalisation du socialisme par la conquête du pouvoir politique et économique au moyen de la lutte révolutionnaire de classes». Leur organisation se voit bientôt affublée du sobriquet de «Seconde Internationale et demie» [25] par ses adversaires, qu'ils soient de droite ou de gauche. Son existence organisationnelle sera brève en dépit des nombreux partis qu'elle regroupe et qui représentent alors environ la moitié des forces du socialisme international. En fusionnant avec la Seconde Internationale en 1923, l'UPSAI disparaîtra pour laisser place à l'Internationale ouvrière socialiste. Pourtant ce courant socialiste de gauche perdure sous des formes et des appellations diverses jusqu'à la Seconde Guerre mondiale; ses forces seront extrêmement variables mais jamais négligeables et son homogénéité politique voire organisationnelle sera, à la fin des années Trente, supérieure à celle de l'IOS, apparemment pourtant beaucoup plus puissante. La persistance de ce courant est une des expressions de la crise du socialisme international entre les deux guerres, crise larvée à la fin des années Vingt mais qui s'aggrave tout du long des années Trente.

La conférence de Berne où commence à se structurer le socialisme de gauche à l'échelle européenne est un événement capital dans l'histoire du mouvement ouvrier au lendemain de la Première Guerre mondiale; elle influe largement sur le devenir des partis communistes et socialistes européens pour la décennie à venir. Elle marque une nouvelle rupture pour le socialisme au lendemain des quatre années de guerre où, après avoir connu de grandes difficultés, il vient non sans peine de reconstruire son unité. La tenue tardive de cette réunion — les contacts se sont engagés depuis près d'un an — s'explique par la volonté des socialistes de gauche de ne pas se couper des masses ouvrières largement attirées alors par le communisme. On peut se demander — simple hypothèse d'école — comment se seraient déroulées les scissions et la création de plusieurs partis communistes si le socialisme de gauche s'était structuré à l'échelle européenne six ou huit mois plus tôt. N'aurait-il pas constitué un pôle de regroupement alternatif au Komintern alors en pleine gestation qui aurait été susceptible de limiter son développement? En Allemagne et en France, les résultats des congrès de Halle (octobre 1920) et de Tours (décembre 1920)[26] auraient sans doute été différents et l'organisation initiale des partis communistes allemands et français se serait sans doute faite sur une base beaucoup plus limitée.

Dès le lendemain de la conférence de Vienne, l'Union des partis socialistes pour l'action internationale met au centre de son action la recherche patiente et obstinée de la reconstruction de l'unité ouvrière. L'UPSAI ne veut pas être une Internationale supplémentaire et estime que son rôle sera terminé le jour où son but principal aura été atteint. Dans un premier temps elle semble progresser dans la direction qu'elle s'est fixée; les circonstances lui sont favorables puisque dès son IIIe congrès (été 1921), tablant sur une stabilisation de la vague révolutionnaire en Europe, l'Internationale communiste décide de s'orienter «vers les masses» et de mettre en œuvre une politique de front unique avec les autres composantes du mouvement ouvrier. Cette stratégie est confirmée et approfondie en décembre 1921. Sur ce terrain, un rapprochement devient possible avec l'UPSAI. Aussi à l'initiative de cette dernière, se tient à Berlin en avril 1922 [27] une conférence dite «des trois Internationales», la première du genre depuis la création du Komintern — et la dernière! — où est représentée la très grande majorité des composantes politiques du mouvement ouvrier. La conférence affirme la nécessité «de délibérations en commun, en vue d'actions communes, pour des buts concrets de toutes les tendances représentées...» Un accord se fait sur deux points précis: l'organisation de la lutte commune pour la journée de huit heures et la promesse d'un procès public pour les mencheviks et les socialistes-révolutionnaires en Russie. On envisage de poursuivre les discussions et un Comité d'organisation composé de neuf membres (trois par Internationale) est constitué dans ce but.

Mais ce premier succès reste sans lendemain: intervenant au nom de la Seconde Internationale et représentant la droite de cette dernière, Vandervelde a exigé de la part des communistes «des garanties» avant de s'engager dans toute forme d'action avec eux: les communistes doivent mettre fin à tout «noyautage» au sein des rangs socialistes, accorder la liberté aux peuples de l'Union soviétique (Vandervelde est particulièrement sensible à l'indépendance de la Géorgie) et garantir la protection des libertés publiques ainsi que la libération des prisonniers politiques en Russie. Toutes ces conditions sont fort difficiles à admettre pour le gouvernement soviétique et la IIIᵉ Internationale qui en débattent peu après. Les compromis faits à Berlin par les délégués communistes leur paraissent trop élevés et lors de la première réunion du Comité d'organisation en mai 1922, c'est la rupture. Les espoirs mis par l'UPSAI dans la possibilité d'une réunification ouvrière à l'échelle internationale se sont avérés vains: la division est appelée à être une réalité durable.

Dans l'immédiat, cet échec a pour résultat de favoriser un processus de rapprochement entre les deux composantes du socialisme international. La dernière année d'existence de l'UPSAI est l'histoire de ses «retrouvailles» puis de sa réunification avec la Seconde Internationale. Dès juillet 1922, des représentants des deux organisations se rencontrent à Amsterdam. A partir de décembre un Comité exécutif se réunit régulièrement en travaillant dans la perspective d'une fusion entre les deux organisations qui aboutit en mai 1923 à la création d'une nouvelle organisation, l'Internationale ouvrière socialiste (IOS) au congrès de Hambourg [28]. Six cent vingt délégués représentant 6 millions d'adhérents et 35 partis y sont présents. (En 1914 la Seconde Internationale pouvait revendiquer 3,5 millions d'adhérents). Fédération de partis autonomes, l'IOS a pour vocation «d'unifier l'action des partis adhérents et de les grouper dans des actions communes». Les articles 3 et 4 de ses statuts précisent bien qu'elle ne sera «une réalité vivante» que dans la mesure «où ses décisions dans toutes les questions internationales sont obligatoires pour tous les éléments qui la composent». Ainsi, toute décision de l'IOS représente «une limitation volontairement acceptée de l'autonomie (des partis) de chaque pays». Les errements des années 1914-1918 ne sont pas oubliés puisqu'il est bien spécifié que «l'IOS n'est pas seulement un instrument en vue des tâches de la paix mais également un instrument indispensable pendant toute guerre» et qu'en une telle circonstance, elle représente «l'instance suprême». Son congrès tri-annuel est son principal lieu d'élaboration politique où les partis, représentés en fonction de leur importance, élisent un Comité exécutif; ce dernier choisit lui-même dans ses rangs un Secrétariat et un Bureau. Se réclamant toujours dans son discours du marxisme le plus orthodoxe qui soit, la nouvelle Internationale est nettement hostile au bolchevisme et à la Révolution russe, en particulier en raison de l'influence de mencheviks comme Abramovitch; les efforts de sa «gauche» arrivent néanmoins à faire admettre à Hambourg la nécessité de marquer une réserve vis-à-vis de l'intervention des puissances étrangères en Union soviétique en demandant au mouvement ouvrier d'opposer «une résistance à toute forme d'intervention des gouvernements contre la Russie». Sur un autre plan l'accord est unanime pour condamner la guerre impérialiste et la réorganisation de l'Europe, codifiée par le traité de Versailles, qu'elle a entraînée: sur ce point, Français, Anglais, Belges et Allemands n'ont aucun désaccord. Initialement critique envers la Société des Nations, l'IOS modifiera bientôt son attitude et se fera l'apôtre de la lutte pour le désarmement, l'arbitrage et la sécurité collective prônés par l'organisation genevoise. Enfin des contacts sont immédiatement pris avec l'Internationale syndicale fondée à Amsterdam en juillet 1919 [29]; à partir de cette date un comité permanent établit une liaison régulière entre les deux organisations.

Plus de quatre ans après la fin de la Première Guerre

mondiale l'organisation créée à Hambourg rassemble sous son égide l'essentiel des forces du socialisme international à un moment où le mouvement communiste, encore jeune, est en proie à de nombreuses crises de croissance. 1923 est une année ingrate pour l'Internationale communiste et ses sections qui en France, en Allemagne, en Norvège et en Yougoslavie connaissent d'importantes scissions suivies de phénomènes analogues en Suède et en Tchécoslovaquie en 1924/1925: autant d'épisodes favorables pour le mouvement socialiste lui-même profondément ébranlé par les grandes divisions qu'il a vécues depuis 1914. En 1923 le socialisme international semble avoir surmonté les difficultés issues de la Première Guerre mondiale et de ses conséquences. A la vague révolutionnaire qu'a connue l'Europe au début des années Vingt paraît succéder une période d'accalmie plus propice au socialisme réformiste. Après avoir surmonté les divisions dans ses propres rangs, il semble être en mesure de reconstituer son unité idéologique, politique et organisationnelle: rares sont les groupes socialistes qui, après avoir refusé de réintégrer le giron social-démocrate à Hambourg, poursuivent indépendamment leur existence. Et de fait, la fin de cette décennie va être une période relativement faste pour l'Internationale ouvrière socialiste même si une opposition socialiste de gauche subsiste aussi bien dans ses rangs que de façon autonome. Les choses changeront du tout au tout la décennie suivante et révéleront l'incapacité de l'IOS à intervenir dans une période plus tragique: ce colosse qui regroupe des millions d'adhérents ne dispose que de pieds d'argile et fera alors montre de son impuissance.

UN COLOSSE
AUX PIEDS D'ARGILE (1923-1940)

Les belles années de l'unité retrouvée

A partir de 1923 la division du mouvement ouvrier en deux blocs hostiles et rivaux devient une réalité incontournable pour une durée que personne ne peut prévoir. Ni surmonter dans la mesure où aucune des deux forces en présence n'a l'intention réelle de dépasser cette situation. Les efforts persistants du socialisme de gauche pour dépasser la grande division des années 1920/1921 et retrouver les voies de l'unité demeurent infructueux. En fait malgré quelques nuances, l'hostilité ouverte durera plus d'une décennie et il faut attendre l'arrivée de Hitler au pouvoir entraînant la destruction du communisme et du socialisme en Allemagne pour assister à une modification de cet état de choses: la prise de conscience de la gravité du fascisme, la nécessité de le combattre provoquent un changement total d'orientation de l'Internationale communiste et permettent un rapprochement puis une coopération toute relative dans certains pays entre les sections nationales des deux principales composantes politiques du mouvement ouvrier. Cinq ans plus tard le pacte germano-soviétique remet brutalement en cause cette stratégie et précipite le déclenchement d'un nouveau conflit mondial.

Jusqu'en 1914, l'équilibre politique de la Seconde Internationale s'était principalement organisé autour des forces respectives du socialisme en Allemagne et en France: sur la question fondamentale de la guerre et de la paix, les affrontements — larvés mais bien réels — avaient leurs racines dans les positions différentes de ces deux partis. On s'exposerait à méconnaître un aspect fondamental de l'histoire du socialisme européen de cette période si on faisait abstraction de tels rapports de force. L'histoire de l'IOS serait également incompréhensible si on ne faisait entrer en jeu des paramètres analogues: en tant qu'Internationale, ses prises de positions sont pour la plupart la résultante des forces de ses sections les plus puissantes. Ici, deux données principales doivent être prises en compte. Jusqu'en 1924 les organisations affiliées à l'IOS se divisent entre partis de pays vaincus et vainqueurs: il faut attendre la signature du pacte de Locarno en 1925 pour voir s'estomper puis disparaître cette division. Par ailleurs, en raison de la défaite de l'Allemagne et de l'affaiblissement du SPD, l'influence des socialistes allemands au sein de l'Internationale a beaucoup diminué depuis 1914[1]. Le SPD n'a pu empêcher la scission des socialistes indépendants puis la création du Parti communiste allemand, le plus puissant d'Europe. Le rééquilibrage se fait au profit des socialistes de l'Europe du Nord (Grande-Bretagne, Belgique, pays scandinaves), appartenant pour la plupart au camp des vainqueurs de la guerre ou aux pays restés neutres. Se situant tous à la droite de l'Internationale, ils pèsent d'un grand poids politique sur elle. Leur influence est contrebalancée par une «gauche» socialiste dont Otto Bauer est le représentant le plus illustre. Les recherches théoriques menées dans le cadre de l'austro-marxisme depuis des années, avant même la Première Guerre mondiale lui permettent de jouer ce rôle. La fonction idéologique prédominante des socialistes autrichiens dans la toute récente UPSAI maintenant disparue contribue également à maintenir l'existence de cette sensibilité «de gauche». Toute l'histoire politique de l'IOS s'organise autour du compromis entre ces deux grandes tendances, non sans une certaine division du travail entre elles: les questions doctrinales relevant plus du discours de la gauche alors que les grandes décisions politiques, tant sur les problèmes de la paix que de l'unité ouvrière et de la démocratie sont surtout l'affaire de la droite. Ces deux données essentielles permettent de mieux saisir les nouveaux rapports de force qui conditionnent l'équilibre européen du socialisme international au milieu des années Vingt. Mais bien évidemment ce dernier est aussi tributaire de l'évolution de chacun de ses partis [2].

En Grande-Bretagne, le Labour Party sort de la guerre complètement transformé. Il est devenu un parti cohérent, discipliné, centralisé, disposant d'une assise de masse comme le montrent à l'évidence ses résultats électoraux. Avant 1914, il n'avait pas dépassé 7,6% des suffrages. En 1918, compte tenu de l'instauration du suffrage universel masculin et du vote des femmes, il obtient 2,4 millions de voix représentant 22% du total des votes. Cependant ses principaux leaders sont battus. Il poursuit ensuite son ascension: 29,5% des suffrages en 1922, 30,5% l'année suivante et en 1924 en dépit de la défaite du gouvernement travailliste, 5,5 millions de voix représentant 33% des suffrages se portent sur son nom. Le Labour Party bénéficie du travail d'implantation entrepris avant la Première Guerre mondiale, de la dimension pacifiste de son programme de politique extérieure et des difficultés du Parti libéral. En juin 1918, lors de son congrès, il a adopté comme programme un document rédigé par S. Webb sur le «nouvel ordre de la société». Sur le plan doctrinal il a officiellement introduit le socialisme dans son programme comme le dit l'article 4 de ses statuts qui garantit «aux producteurs manuels ou intellectuels les fruits complets de leur travail ainsi que la distribution la plus équitable possible sur la base de la propriété collective des moyens de production et du meilleur système d'administration et de contrôle par les peuples de chaque industrie et service». Ayant ainsi gagné en influence et délaissé quelque peu son pragmatisme au profit d'un socialisme plus affirmé, le Labour Party va être amené à jouer au sein du mouvement socialiste international un rôle sans commune mesure avec celui qui avait été le sien avant 1914.

Les progrès des partis socialistes sont tout aussi remarquables dans l'Europe du Nord: ils sont en passe de devenir la première force politique dans tous ces pays. Ce processus amorcé en Finlande depuis 1907 se poursuit en Suède en 1918 puis au Danemark en 1924 et enfin en Norvège en 1927. C'est en Suède que triomphe tout particulièrement le socialisme puisque dès 1921, les socialistes arrivent au pouvoir. Hjalmar Branting est en mesure de constituer un gouvernement à direction socialiste qui rencontre néanmoins bien des difficultés à imposer un programme économique cohérent et plus encore une politique de réformes sociales. Au Danemark, la victoire des socialistes aux élections de 1924 permet à leur dirigeant Stauning de former un gouvernement avec l'appui des radicaux. Contrairement à la Suède où un Parti communiste fort existe à l'orée des années Vingt, le communisme reste complètement marginal au Danemark. En raison de l'existence déjà ancienne du courant anarcho-syndicaliste animé par Martin Tranmael dès 1905/1906 ainsi que des violentes luttes de classe que connaît alors la Norvège il connaît un meilleur sort dans ce pays. La majorité du Parti ouvrier norvégien (DNA) vote en faveur du ralliement à la IIIe Internationale et le Parti social-démocrate des travailleurs resté dans le camp socialiste est très minoritaire. Mais dès 1923, la majorité du Parti ouvrier norvégien, en désaccord avec le Komintern sur les modalités d'application des vingt et une conditions, rompt avec ce dernier sans réintégrer pour autant l'IOS. Le DNA rallie bientôt le petit groupe de partis socialistes qui, se situant dans la continuité de l'Union de Vienne, s'est organisé au sein du Bureau international des partis socialistes révolutionnaires, plus connu parfois sous le nom de Bureau de Paris. Une minorité de communistes norvégiens reste affiliée à la IIIe Internationale. Jusqu'en 1927 existent donc en Norvège trois partis ouvriers mais à cette date le DNA et le Parti social-démocrate fusionnent en quittant respectivement le Bureau de Paris et l'IOS; ce n'est qu'en 1930 que le nouveau Parti ouvrier norvégien réadhère à l'IOS, pour peu de temps d'ailleurs.

En Belgique le POB a été durant les quatre ans de guerre étroitement associé au gouvernement par l'intermédiaire d'E. Vandervelde. Les élections législatives de novembre 1919 sont un succès pour ce parti dont le nombre d'élus passe de 40 à 70. Aussi le POB peut-il entrer au gouvernement et y rester jusqu'en novembre 1921 mais la crise économique que connaît alors la Belgique l'oblige à réviser cette politique. Les élections de 1925 marquent pour lui une nouvelle progression (78 élus) et permettent la formation avec le centre-gauche d'un cabinet de coalition qui fait long feu. Les socialistes belges participent alors à un gouvernement d'union nationale qu'ils abandonnent à la fin de 1926. Au sein du mouvement ouvrier belge ils restent largement majoritaires et le Parti communiste n'y dispose que d'une audience limitée. Le POB est très réservé vis-à-vis du mouvement communiste, tout comme les socialistes hollandais qui n'accèdent pas au pouvoir pendant cette période. Dans le sillage du Labour Party, le socialisme de l'Europe du Nord va peser d'un poids grandissant sur les destinées politiques de l'IOS alors que socialistes italiens et espagnols aux prises avec les dictatures de Mussolini et de Primo de Rivera ont une influence politique beaucoup plus restreinte, au moins durant cette décennie: les choses changeront après 1933 en raison de la menace grandissante et désormais manifeste pour tous qu'est devenu le fascisme.

En Allemagne, le SPD avait représenté le parti «modèle» au sein de la Seconde Internationale. Au lendemain de la Première Guerre mondiale il a beaucoup perdu de son prestige et pas seulement en raison de la défaite militaire de son pays. Parvenu au pouvoir à la faveur d'une révolution qu'il a tout fait pour canaliser et endiguer — par souci de préserver l'Allemagne des troubles révolutionnaires qu'a connus la Russie — il demeure encore une force mais sur son déclin. Il n'a pas hésité à s'allier aux éléments les plus conservateurs ainsi qu'à l'armée pour mettre fin au mouvement révolutionnaire survenu en Allemagne en 1918/1919. Par la suite il se montre incapable de mettre sur pied une véritable démocratie économique et de modifier en profondeur la société germanique. Il s'est attiré la haine du mouvement communiste en raison de sa politique répressive de maintien de l'ordre ainsi que de sa responsabilité directe dans l'assassinat de K. Liebknecht et de R. Luxemburg. Le meurtre de ces deux militants ainsi que d'autres moins connus a été néanmoins insuffisant pour empêcher le développement d'un puissant parti communiste en Allemagne. Enfin vis-à-vis du peuple allemand, le SPD a paru par trop pacifiste au moment où en raison de la défaite du pays, l'exacerbation des sentiments nationalistes, accrédite la croyance de la thèse du «coup de poignard dans le dos»: militairement l'Allemagne était en mesure de l'emporter et si elle a été finalement vaincue, c'est en raison de la «trahison» des politiciens. Les socialistes allemands ne sont pas exempts de responsabilités dans cette affaire. Toutes ces raisons jouent et s'additionnent en sa défaveur lors des élections de juin 1920 qui le voient perdre la moitié de ses voix (5,6 millions contre 11,5) au moment où les socialistes indépendants doublent leur score. Il faut attendre la stabilisation du régime de Weimar et les succès obtenus par Gustave Stresemann en politique extérieure, ce Stresemann que le SPD soutient sans relâche, pour voir s'inverser la tendance. Néanmoins ce recul est fortement ressenti dans l'IOS.

En Autriche, les sociaux-démocrates règnent sur Vienne la Rouge jusqu'en 1927 et, en raison de la prédominance de l'ex-capitale impériale, ils contrôlent la majorité du pays. Leur principal théoricien Otto Bauer qui occupe également une place de choix au sein de l'IOS envisage la révolution comme pouvant se dérouler sur la base d'une socialisation graduelle des moyens de production et d'une transformation progressive de la propriété privée en propriété d'Etat; dans un tel schéma la violence doit être utilisée seulement de façon défensive pour riposter à la bourgeoisie au cas où cette dernière en viendrait à s'attaquer à la classe ouvrière. Par le nombre de ses adhérents, le Parti socialiste autrichien est le troisième d'Europe. De 1918 à 1920 il met en œuvre une législation sociale hardie (allocation chômage, loi de huit heures, protection du travail des femmes et des enfants, droit aux congés payés, mise en place d'assurances pour la maladie). Majoritaires à Vienne, les sociaux-démocrates y entreprennent de vastes réalisations qui en font sans doute la ville la plus progressiste d'Europe entre les deux guerres: programmes d'urbanisme, d'éducation, etc. Ces résultats, le prestige des théoriciens austro-marxistes qui dès la veille de la Première Guerre mondiale ont commencé à supplanter au sein de l'Internationale l'influence du socialisme allemand, assurent au socialisme autrichien une place privilégiée dans l'IOS. L'UPSAI a existé en grande partie grâce à lui. Son influence est encore sensible dans la première décennie de l'IOS: dans divers pays la voie réformiste pratiquée par des partis socialistes semble être justifiée par les faits mais c'est peut-être en Autriche qu'en ce milieu des années Vingt les succès du socialisme apparaissent comme les plus éclatants. Deux éléments entièrement nouveaux caractérisent alors la situation du mouvement socialiste: certains de ses partis sont, ont été récemment ou seront prochainement, sans nul doute au pouvoir. Une partie d'entre eux a pu y accéder à la faveur des circonstances exceptionnelles provoquées par la guerre mais la paix revenue, ils n'ont pas cru bon de remettre en cause leur participation. Le débat sur le «ministérialisme» et le révisionnisme qui a fait rage quinze ans plus tôt est bien oublié et il ne semble pas que cette politique nouvelle fasse en quoi que que ce soit l'objet d'une discussion au sein du mouvement: ce triomphe a posteriori des thèses de Bernstein n'entraîne aucun débat. Par ailleurs à la suite de la victoire de la Révolution russe et de la création du Komintern ainsi que de partis communistes, le mouvement ouvrier vient d'affronter un schisme majeur. L'unité ouvrière réalisée sous l'égide de la Seconde Internationale avant 1914 a vécu mais cette question essentielle continue de se poser de façon constante quoique dans des contextes très différents aux dirigeants de l'IOS jusqu'à la Seconde Guerre mondiale. Elle constitue un des aspects fondamentaux de toute l'histoire de cette organisation.

De 1923 à 1927 les leaders de l'Internationale reconstituée opposent aux dirigeants du Komintern une fin de non-recevoir à toute initiative unitaire, à tout pas en avant dans cette direction avant de se voir, à leur tour; combattus avec violence à partir de 1928 par l'Internationale communiste. Il serait tout à fait exagéré de dire que le mouvement communiste s'est fait le défenseur de l'unité ouvrière dans les années 1924-1927 mais sans nul doute des ouvertures de sa part en ce sens ont alors été rejetées sans ménagement par l'IOS. Les dirigeants communistes ne sont pas les seuls à se préoccuper de l'unité: au sein de l'IOS et à ses marges, plusieurs partis et groupements socialistes continuent de militer pour une réunification du mouvement ouvrier. Bien évidemment rien ne peut se faire sans la nouvelle Internationale en raison de sa puissance. Dans ses premières années, l'IOS qui regroupe l'essentiel du mouvement socialiste en Europe comme sur les autres continents apparaît comme une force imposante. Son Secrétariat, d'abord situé à Londres, s'installe ensuite à Zurich de 1926 à 1935 puis à Bruxelles jusqu'en mai 1940. Il est dirigé pendant toute cette période par F. Adler[3] (à l'exception de quelques mois en 1924); dans un souci manifeste d'équilibre politique la présidence de l'IOS est constamment confiée à des représentants de sa «droite»: A. Henderson (1923-1924); T. Cramp (1924-1925); A. Henderson (1925-1929); E. Vandervelde (1929-1936); L. de Brouckère (1936-1939); J.W. Albarda (1939); C. Huysmans (1940). Dans ses premières années, l'IOS tient régulièrement ses congrès, le second à Marseille (août 1925), le troisième à Bruxelles (août 1928) et le quatrième à Vienne (juillet-août 1931)[4]. Les 36 partis qu'elle rassemble en 1928 (le Parti socialiste suisse a rejoint ses rangs deux ans auparavant) regroupent 6 630 000 adhérents, chiffre qui baisse quelque peu trois ans plus tard où ses effectifs sont encore de 6 200 000 membres[5]. Dans leur écrasante majorité, ces partis sont européens à l'exception du Parti socialiste des Etats-Unis qui ne regroupe que quinze mille adhérents en 1925. La même année en Argentine, les socialistes sont 12 000 et ce ne sont pas les partis socialistes de Turquie, de Palestine ou de la Guyane anglaise qui peuvent modifier ces proportions: ils pèsent peu à côté des 3 100 000 membres du Labour britannique, des 860 000 socialistes allemands. Avec leur centaine de milliers d'adhérents, les socialistes français viennent loin derrière ces organisations mastodontes mais derrière aussi les belges (620 000), les hongrois (190 000) — rappelons que ces deux partis sont constitués sur la base d'une affiliation collective des syndicats — les autrichiens (570 000), les tchèques (200 000) et les danois (143 000)[6]. Il est vrai qu'ils ont été particulièrement éprouvés par la scission survenue à Tours et que la seconde moitié des années Vingt leur est plus favorable. Dans d'autres pays les dégâts ont été moindres pour les socialistes.

Les résultats obtenus par les partis de l'IOS aux élections durant ces mêmes années font apparaître une stabilité générale du socialisme: les variations oscillent faiblement entre 25 500 000 et 26 millions de voix[7]. A titre indicatif, signalons qu'en 1925, l'Internationale communiste revendique 1 700 000 adhérents dont 1 200 000 en Union soviétique[8]. Très certainement dans les années qui suivent, l'écart se creuse au détriment du Komintern: ses sections nationales affrontent de multiples scissions et voient le départ de nombre de ses dirigeants, souvent parmi ses fondateurs; ce mouvement qui a commencé dès 1923 se poursuit jusqu'en 1930 en plusieurs vagues aussi bien en Allemagne, qu'en France ou en Tchécoslovaquie ainsi que dans la plupart des autres pays européens. A partir de 1928 l'orientation dite «classe contre classe» adoptée par l'Internationale communiste lors de son VIe congrès et marquée par une virulence accrue vis-à-vis de la social-démocratie qualifiée de «social-fasciste», provoque par son caractère outrancier et ses difficultés d'application de nouvelles crises au sein du monde communiste[9]; dans leur majorité elles profitent à l'IOS et à ses sections. A l'orée des années Trente, moins que jamais l'unité d'action, si minime soit-elle, ne semble envisageable entre les deux Internationales ouvrières. Sur cette question cruciale il s'est presque opéré un chassé-croisé entre les deux organisations qui portent chacune d'entre elles une part dans la responsabilité de la division ouvrière. A partir de 1925 on assiste à une évolution de la politique du Komintern qui semble alors repenser sa stratégie et envisager peut-être la perspective d'un rapprochement avec l'aile réformiste du mouvement ouvrier: le capitalisme international qu'il a espéré abattre au lendemain de la Révolution russe s'étant révélé plus résistant que prévu, il faut modifier l'orientation générale en conséquence et faire preuve de plus de souplesse vis-à-vis du réformisme. Ce cours plus modéré de l'Internationale communiste se manifeste en 1926 lors de la grande grève des mineurs en Grande-Bretagne, ainsi qu'en Chine et de façon plus discrète en France et en Pologne. La Ligue contre l'impérialisme créée au congrès de Bruxelles en février 1927 et sans nul doute une émanation de l'Internationale communiste constitue également une manifestation de cette stratégie nouvelle. Affirmant son désir de coopération avec les mouvements nationalistes des pays coloniaux et semi-coloniaux, elle cherche à ses débuts à s'ouvrir largement aux partis socialistes comme le montre le compte rendu de son congrès de fondation rédigé par Willy Münzenberg dans la *Correspondance internationale*:

> «L'attitude des chefs de la IIe Internationale envers le congrès de Bruxelles ne prête aucune atteinte à ce congrès envisagé comme un produit communiste, ce qui n'a nullement empêché la participation du deuxième président du Labour Party et du secrétaire de l'ILP, Brockway... *Le Peuple*, l'organe central de la social-démocratie belge souligne l'importance historique mondiale du congrès.»

Cette volonté d'un des principaux responsables du Komintern de laisser la porte ouverte aux socialistes contraste totalement avec l'attitude toute de réserve et de défiance prise par l'IOS en la circonstance. En aucun cas les espoirs de Münzenberg ne se concrétiseront et en septembre 1927, l'exécutif de l'IOS après avoir rappelé sa «plus vive sympathie pour les peuples qui mènent la lutte contre l'oppression impérialiste et coloniale» précise bien que «sa tâche principale consiste à grouper les éléments prolétariens de ces peuples sous le drapeau du socialisme international et non pas à créer une organisation internationale nouvelle» subordonnée aux mouvements nationalistes ou «aux intérêts de la politique d'une puissance étrangère». (C'est bien évidemment l'Union soviétique qui est visée ici). Aussi interdit-elle à ses partis affiliés d'adhérer à «l'organisation dite 'Ligue contre l'impérialisme'». Afin de mettre les points sur les i, F. Adler publie en octobre 1927 dans *Informations internationales*, le bulletin d'information de l'IOS, un long article relatant les circonstances précises de la création de la Ligue contre l'impérialisme dans lequel il insiste sur le rôle essentiel qu'y a joué le mouvement communiste et en particulier W. Münzenberg. Mais il ne fait aucune proposition en direction de ce mouvement, lui opposant ainsi une fin de non-recevoir [10]. Peu après les tentatives de rapprochement de l'Union soviétique et de l'Internationale communiste avec l'aile réformiste du mouvement ouvrier sont abandonnées et ne seront reprises qu'en 1934 mais il ne fait aucun doute qu'en 1926-1927 le refus soit d'abord venu de l'IOS. Principal leader de l'UPSAI de 1921 à 1923, Fritz Adler, est une des têtes politiques de l'IOS et le reste jusqu'en 1939 à l'exception d'un bref intermède.

A-t-il conservé quelques réminiscences de sa volonté unitaire des années 1921/1923 ? On l'ignore mais ce qui est sûr c'est qu'il est alors politiquement dépendant de l'aile droite de l'Internationale (Vandervelde, les Anglais, les socialistes de l'Europe du Nord) farouchement opposée à toute perspective de rapprochement avec les communistes. F. Adler se trouve ainsi coupé des forces beaucoup plus limitées du socialisme de gauche qui, issues de la défunte UPSAI, ont refusé d'adhérer à l'IOS ou restent à ses marges: les SR de gauche russes, le petit noyau fort limité maintenant des socialistes indépendants allemands, le Parti ouvrier norvégien, les socialistes italiens maximalistes, le Bund et le Parti socialiste indépendant de Pologne ainsi que quelques groupes à la vie éphémère ayant rompu avec le communisme en Suède, en Tchécoslovaquie, en Yougoslavie. En France, l'Union socialiste-communiste composée d'anciens communistes ayant rompu avec le Parti en 1922/1923 se rattache à ce courant. Organisé depuis 1924 au sein du Bureau international des partis socialistes révolutionnaires, le Bureau de Paris, dont la première secrétaire du Komintern, Angelica Balabanova est le porte-drapeau, ce courant est resté fidèle à la volonté unitaire de l'ancienne UPSAI et travaille avec des forces beaucoup plus réduites au même but. En avril 1926, il se voit opposer une fin hautaine de non-recevoir de F. Adler refusant au nom de l'IOS de participer à une conférence commune de toutes les organisations ouvrières proposée par l'ILP. Une proposition analogue faite par le même parti en 1927 n'est pas mieux accueillie [11]. Plus que jamais l'unité ouvrière, si importante pour le mouvement socialiste avant la Première Guerre mondiale, est maintenant renvoyée aux calendes grecques. Au sein de l'IOS, les partis les plus proches politiquement de cette gauche socialiste indépendante — le Parti socialiste suisse, l'Independent Labour Party ainsi que le Parti socialiste indépendant de Pologne — n'ont pas les forces suffisantes pour infléchir l'IOS vers une voie plus unitaire. Cette perspective semble plus que jamais condamnée et à la fin des années Vingt l'hostilité de l'IOS vis-à-vis de l'Union soviétique et du Komintern s'accroît encore: elle lui reproche tout autant la prolongation superflue d'un système gouvernemental s'apparentant à une dictature qui n'aurait selon ses analyses dû qu'être provisoire, que la théorie «de l'inéluctabilité des guerres capitalistes». Bien évidemment l'orientation «classe contre classe» adoptée par l'IC depuis son VIe congrès et aboutissant à une dénonciation virulente de la social-démocratie aimablement qualifiée de «social-fasciste» n'est pas de nature à améliorer des relations au demeurant inexistantes comme il est constaté au congrès de Vienne en 1931: depuis son précédent congrès, trois ans plus tôt, l'IOS n'a eu «aucun rapport avec l'IC et ses institutions auxiliaires». L'IOS se réjouit visiblement d'une telle situation qui a rendu «les tentatives d'une manœuvre de front unique… moins nombreuses qu'auparavant. Elles ont été rendues plus difficiles à une époque où l'IC mène la lutte contre les socialistes en les désignant d'une façon éhontée sous le nom de social-fascistes» [12].

Unité, unité, que de crimes on commet en ton nom!

Dans ses premières années, l'histoire de l'IOS se caractérise également par la cohabitation en son sein d'une pratique réformiste de ses sections nationales entraînant un relatif attentisme avec un discours marxiste des plus orthodoxes. Apparemment la doctrine est cohérente, en fait elle est avant tout rassurante et peut être acceptée par tous. Le congrès de Hambourg s'est achevé sur la base d'un compromis doctrinal à l'avantage de la gauche et sans doute l'unité n'a-t-elle pu se faire qu'à ce prix. Mais comme le montrent, en particulier, toutes les prises de position sur la question de l'unité ouvrière, dans la réalité, c'est incontestablement la «droite» de l'IOS qui l'emporte et décide des grandes orientations stratégiques: on retrouve ici une caractéristique de la Seconde Internationale qui avant la Première Guerre mondiale s'accommodait fort bien d'un discours marxiste rigoureux avec une pratique réformiste favorisant l'intégration de ses sections nationales aux sociétés dans lesquelles elles intervenaient. Cette contradiction entre l'affirmation d'un socialisme internationaliste, révolutionnaire et une pratique strictement nationale et réformiste de ses différents partis affiliés est sans doute la clé de l'échec final de l'IOS, échec qui n'est pas sans rappeler celui de sa devancière. On retrouve ici le même écart, la même distorsion entre le dire et le faire. Pourtant il ne s'agit pas d'une simple répétition et le contexte a changé depuis la Première Guerre mondiale. Les partis socialistes ne sont plus seulement cantonnés dans l'opposition: l'entre-deux-guerres marque pour plusieurs d'entre eux l'arrivée au pouvoir et une collaboration pour ne pas dire une intégration plus poussée à l'Etat par le biais de responsabilités syndicales plus étendues et parfois l'intermédiaire d'organisations associatives, mutualistes, représentatives du monde du travail. Le soutien à certaines réformes — les Assurances sociales en France en 1930 [13], par exemple — vient encore conforter ce processus. Sur un autre plan, dans son idéal ambitieux d'une lutte commune pour la paix et le socialisme son principal objectif, au delà des grandes envolées lyriques, le bilan général de l'IOS reste des plus limités. Jusqu'au début des années Trente les effets de cette contradiction ne se font guère sentir: le contexte général de détente internationale autorise les plus fols espoirs. Mais viennent de façon conjuguée les effets de la crise économique mondiale de 1929 et la montée du fascisme: l'impuissance de l'IOS à agir sur le cours des choses se révèle alors de façon tragique.

Comment envisage-t-elle la lutte pour la paix, quels sont ses principes en la matière? Lors de la conférence de Genève d'août 1920, l'accent avait été mis sur la complémentarité, le caractère indissociable existant entre socialisme et démocratie dans les termes suivants: «Le socialisme ne cherche pas à supprimer la démocratie; sa mission historique est au contraire d'amener la démocratie à son achèvement» par l'établissement d'une législation démocratique. C'était se situer dans le prolongement des thèses du socialisme international antérieur à 1914 mais dans un contexte différent. Les conséquences politiques d'un tel postulat aboutissent à une condamnation sans appel du régime soviétique, cette «forme de dictature d'une partie du prolétariat». On ne s'étonnera pas de trouver des mencheviks comme R. Abramovitch ou F. Dan parmi les tenants de cette analyse également développée par Kautsky. Elle est reprise et réaffirmée par l'IOS qui dénonce tout aussi totalement l'offensive des puissances capitalistes en Union soviétique et appelle les ouvriers du monde entier à combattre cette intervention qui d'ailleurs «n'éliminerait pas les erreurs de l'actuelle phase de la révolution russe, mais éliminerait la révolution elle-même». Au sein de l'IOS les positions se cristallisent de plus en plus en une gauche et une droite pour qui le bolchevisme est une déviation complète du socialisme. Tout en étant hostile à une dictature qui se prolonge, la gauche garde l'espoir que le régime soviétique évoluera vers des formes plus proches de la démocratie. A partir de 1928 elle réclame l'admission de l'Union soviétique à la SDN dans l'espoir, qu'en s'intégrant au concert des nations, elle évoluera vers un système gouvernemental moins dictatorial. Outre F. Adler, O. Bauer, J. Longuet, G.D. Cole, Brailsford et P. Nenni se rattachent à ce courant.

Sur la question fondamentale des voies d'accès au socialisme, l'IOS développe des positions beaucoup plus circonstanciées. Sa reconnaissance de l'importance du fait démocratique ne l'empêche pas toutefois d'en relever le caractère relatif, variable selon les cas et même d'envisager la possibilité d'arriver au pouvoir selon des méthodes violentes. Débattue au congrès de Marseille en 1925, cette question fait apparaître au grand jour des divergences de fond entre les partis sur ce problème. Il s'avère difficile pour l'IOS de trancher et d'adopter une position commune ce qui amène son premier président, Henderson à intervenir dans le débat de façon tout à fait significative: poursuivre la discussion, conduirait selon lui, «à d'interminables controverses stériles sur une question qui du point de vue pratique se résout d'elle-même comme une question de pure pertinence dans chacun des pays où elle se pose» [14]. C'est laisser à chaque parti socialiste la liberté d'agir à sa guise sur un problème fondamental et affirmer son incapacité à définir une politique d'ensemble. Cela est contraire à l'esprit des articles 3 et 4 des statuts selon lesquels toute décision de l'IOS représente «une limitation volontairement acceptée de l'autonomie des partis de chaque pays» [15]: ici la doctrine cède la place au pragmatisme le plus vulgaire. Dans une telle situation, la réaffirmation du marxisme le plus orthodoxe devient une nécessité: puisqu'aucune politique cohérente ne peut être envisagée, il faut combler le vide existant pour ne pas ébranler les vieilles certitudes. Le discours marxiste a très précisément cette fonction ainsi que l'avantage supplémentaire de pouvoir faire l'unanimité chez les militants. Mais toute médaille a son revers et cette attitude frileuse pousse à éluder les questions les plus embarrassantes que peut venir poser l'actualité. L'IOS a la volonté d'intervenir dans trois directions essentielles: la lutte contre la réaction, pour l'amélioration des conditions d'existence de la classe ouvrière et enfin le combat contre la guerre et pour la paix. Cette dernière question, la plus importante de toutes pour l'ensemble des socialistes, est également celle où l'accord peut se faire le plus facilement dans leurs rangs ce qui explique l'attention particulière que lui apporte l'IOS, dans ses premières années du moins.

Marqués par la Première Guerre, désireux peut-être d'oublier et de faire oublier la politique largement pratiquée de soutien à l'Union sacrée, les socialistes de l'IOS se définissent sur la base d'un pacifisme intransigeant à partir d'une analyse établie au congrès de Hambourg. Aucune paix durable ne peut être possible sans que soit réalisé un désarmement général, des vainqueurs comme des vaincus, que les classes ouvrières de chaque pays doivent exiger de leurs gouvernements respectifs. L'IOS condamne le traité de Versailles dont elle dénonce les injustices, l'inefficacité et les néfastes conséquences. Hambourg n'a suivi que de quelques mois l'invasion française de la Ruhr stigmatisée par l'IOS. Cette dernière défend le principe de la normalisation des relations avec l'Allemagne et de l'internationalisation du paiement des réparations. C'est poser la question de la SDN vis-à-vis de laquelle l'IOS à ses débuts se montre assez critique, se bornant à voir en elle «une organisation des Etats capitalistes bourgeois». Mais pas pour longtemps [16]. Dès 1924, en raison sans doute de l'arrivée au pouvoir de plusieurs partis socialistes et de l'espoir d'une démocratisation de la vie politique non seulement dans ces pays mais aussi à l'échelle internationale, l'IOS modifie son point de vue et estime pouvoir, à travers la SDN, œuvrer plus efficacement à l'établissement d'un nouvel ordre international. Elle suit de très près les discussions du Protocole de Genève qui, la même année, établissent une définition de l'agression et désignent comme agresseur tout Etat refusant de se soumettre à l'arbitrage de la SDN; comme l'organisation de Genève, elle appelle à une Conférence internationale du désarmement. A partir de 1924 l'IOS se lie de façon plus étroite à la SDN, partageant ses succès et bientôt ses échecs: elle pense pouvoir travailler à la cause de la paix dans un cadre principalement diplomatique, grâce à l'intervention accrue des socialistes dans les instances internationales. Peut-être espère-t-elle de la sorte pouvoir dépasser les contradictions qu'elle sait subsister encore dans ses rangs: la volonté du règlement pacifique et négocié des grands problèmes internationaux peut aller à l'encontre des intérêts nationaux de certains pays et placer parfois les partis socialistes devant un choix difficile. Pourtant si les priorités nationales continuent d'être un puissant facteur de division, la situation est modifiée depuis 1914. L'IOS cherche à coopérer avec un organisme international de type nouveau dont elle s'efforce d'infléchir l'action en direction de ses idéaux. Ce changement peut dans une certaine mesure apparaître comme un progrès: par l'intermédiaire des socialistes au pouvoir, il est possible au mouvement socialiste d'intervenir directement dans les pourparlers diplomatiques. Cependant cette focalisation sur la SDN présente également des inconvénients: elle risque de placer l'IOS à la remorque d'une institution qu'elle ne contrôle pas, sur laquelle elle a peu de prise et au sujet de laquelle elle nourrit bien des illusions. De plus l'existence de la SDN contribue à masquer des divergences réelles entre socialistes en favorisant des positions de compromis qui, tout en contentant tout le monde, n'ont plus aucune portée politique réelle. La recherche d'une stratégie cohérente, la volonté de mobilisation des masses ouvrières maintes fois affirmée par l'Internationale sont de plus en plus reléguées au second plan et cèdent le pas à l'action diplomatique alors que n'existe aucun accord de fond sur les questions les plus essentielles.

A partir de 1926, l'IOS s'engage davantage encore dans un programme de lutte contre la guerre, tourné vers le futur plutôt que le présent: en avril 1926, elle crée une commission de travail sur la question du désarmement qui élabore un plan destiné à être soumis à la SDN pour la Conférence du désarmement. Ce document, *Le Militarisme et le désarmement* est discuté et adopté au congrès de Bruxelles en 1928. Après avoir rappelé que le désarmement généralisé n'est possible que dans un système socialiste, il propose un certain nombre de mesures immédiates: réduction du service militaire, diminution des dépenses d'armement, contrôle international. Mais aucune proposition précise permettant d'aboutir à ces premiers résultats n'est avancée. Plus intéressantes peut-être sont les tentatives d'élaboration d'un ordre économique international faites peu après par l'IOS en liaison avec la Fédération syndicale internationale: ce système dépasserait les antagonismes nationaux, et en premier lieu le cadre étroit du protectionnisme. Quatre conditions sont nécessaires à la réalisation d'un tel projet: diminution des entraves du commerce mondial, égalisation des conditions de travail, contrôle des monopoles, création, à l'imitation du Bureau international du travail (BIT), d'un Bureau économique international [17]. Mais toutes ses propositions resteront à l'état de vœux et n'aboutiront à rien de concret. L'IOS n'est pas en mesure d'impulser une politique susceptible d'aboutir à des objectifs aussi ambitieux même si, sans nul doute, ces propositions ont pu, et pas seulement dans le cadre de la SDN, rencontrer un certain écho. Elles sont l'expression d'un certain «air du temps», convergent, partiellement du moins, avec les objectifs explicites de l'organisation genevoise et de certains hommes d'Etat comme Aristide Briand ou Gustave Stresemann, partisans de solutions négociées des grands problèmes européens et mondiaux. En cette fin des années Vingt, au moment où la «diplomatie de Genève» semble être en mesure de réorganiser pacifiquement l'Europe, à l'heure où des pourparlers entretiennent l'espoir qu'une solution pourrait être trouvée au problème des réparations, alors que les tensions sont réduites sur le Vieux Continent, les propositions de l'IOS pour utopiques et généreuses qu'elles sont, ne semblent pas trop décalées vis-à-vis des forces politiques auxquelles elles s'adressent. Contrairement à l'Union soviétique et au Komintern, obnubilés à partir de l'été 1928 par la «menace» d'une invasion étrangère de la patrie du socialisme qui ne repose sur aucun fondement sérieux, les recherches d'une organisation négociée, pacifique et rationnelle de l'Europe par l'IOS s'inscrivent dans un contexte général qui autorise alors de telles espérances.

En octobre 1925, l'Allemagne a signé le pacte de Locarno, reconnaissant ainsi l'inviolabilité des frontières de la France et de la Belgique et s'engageant à ne pas modifier ses limites orientales. Quelques jours plus tôt, elle a conclu à Moscou un accord commercial inaugurant de bonnes relations économiques entre les deux pays. Contrairement au traité de Versailles qui a été imposé à l'Allemagne — ce que dénonce l'IOS — le pacte de Locarno a été librement consenti. Il modifie la situation de l'Allemagne, marque sa réintégration dans le concert des grandes nations victorieuses, favorise un climat de détente en Europe et semble écarter tout risque de revanche, toute menace de guerre. L'année suivante l'Allemagne entre à la Société des Nations, ce qui aboutit à modifier quelque peu le caractère de cette organisation: depuis sa création en 1919 elle paraissait principalement dominée par les Etats vainqueurs de la Guerre. 1926 marque un tournant dans son histoire et à partir de cette date, jusqu'au début des années Trente, elle peut réellement jouer le rôle international qui lui est dévolu. Elle exerce effectivement son arbitrage entre nations et dispose du droit moral pour le faire. On entre alors dans l'ère des conférences internationales, la plus importante d'entre elles étant sans doute le pacte Briand-Kellog, signé entre la France et les Etats-Unis auquel adhèrent ensuite 60 pays qui déclarent solennellement renoncer à la violence dans les conflits internationaux ainsi que leur volonté de recherche de solutions négociées. Puis en 1928, la France, la Grande-Bretagne et la Belgique évacuent la Rhénanie. Au même moment le problème des réparations dues par l'Allemagne semble en voie de règlement à partir du plan Dawes relayé quelques années plus tard par le plan Young. L'IOS participe à la Conférence du désarmement de 1932 et y propose un nouveau Plan [18]. La détente internationale s'explique aussi par une réduction des tensions dans plusieurs pays: en France où la reconstruction bat son plein, en Allemagne où la République de Weimar paraît plus solidement installée à partir de 1925, en Grande-Bretagne où après un intermède travailliste, la grève des mineurs se solde par un échec durement ressenti par le communisme anglais; revenus au pouvoir en 1925 les conservateurs semblent alors en mesure de maîtriser la situation. Détente internationale, difficultés de l'Union soviétique où la lutte politique faisant rage au sein du Parti communiste se répercute sur l'Internationale et ses sections: plus que jamais en cette fin des années Vingt le mouvement socialiste a le vent en poupe comme l'expriment certains de ses dirigeants. Pour Henderson ouvrant le congrès de Bruxelles en 1928, l'IOS est au seuil de la victoire en raison de la force de l'opinion publique qu'elle est en mesure de mobiliser vis-à-vis des gouvernements. Certains de ses dirigeants sont cependant plus réservés ou plus lucides sur les capacités de la SDN ainsi que sur les potentialités de la période: ainsi F. Adler écrit-il en 1929 dans une brochure au titre significatif, *Au cas où la guerre éclaterait néanmoins* [19], que:

«La classe ouvrière n'aurait que son propre avenir à défendre et que l'ordre socialiste à conquérir.»

C'est revenir ici à la problématique antérieure à la Première Guerre mondiale, ne faire confiance à aucune autre force que celle de la classe ouvrière; cependant cette vision des choses est loin d'être partagée par toute l'Internationale. Dès l'année suivante elle va se trouver directement confrontée aux conséquences politiques de la crise de 1929 et de l'arrivée de Hitler au pouvoir. Avant d'aborder cette nouvelle phase de l'histoire de l'IOS il convient d'évoquer ses réflexions vis-à-vis d'un problème qui ne concerne pas seulement l'Europe et qui se posera véritablement dans toute son ampleur après la Seconde Guerre mondiale: il s'agit de la question coloniale.

L'approfondissement de l'analyse sur les réalités coloniales se situe également à la fin des années Vingt. Ces dernières avaient déjà été l'objet de discussions au sein de la Seconde Internationale et il ne semble pas que l'IOS s'en soit immédiatement préoccupée. Ce n'est qu'en 1925 qu'elle décide, lors de son second congrès, de mettre la question coloniale «à l'ordre du jour du prochain congrès». Une Commission coloniale constituée en avril 1926 est chargée de préparer un rapport pour cette échéance. Afin d'obtenir le maximum de renseignements, cette instance envoie un questionnaire demandant des informations, tant sur la «situation actuelle par rapport à la politique des gouvernements dans les colonies» que «sur la tactique du parti (socialiste) en ce domaine». A partir des réponses envoyées par les partis de Grande-Bretagne, de Hollande, d'Italie, des Etats-Unis, de France et du Danemark, une synthèse est effectuée. Présentée à Bruxelles, elle est adoptée par le congrès [20] et représente le point de vue officiel du socialisme sur cette question pour plus d'un quart de siècle: il faudra attendre la période de la décolonisation à la fin des années Cinquante pour voir le mouvement socialiste réfléchir à nouveau aux problèmes coloniaux, dans un contexte évidemment bien différent. En la circonstance, une fois de plus ce qui frappe c'est le décalage entre le discours et la réalité: l'analyse de l'IOS ne sera pour ainsi dire suivie d'aucun effet.

La politique coloniale est définie comme «un des moyens par lequel le capitalisme s'est étendu sur la terre entière» en raison du puissant développement des forces productives. Ce processus qui a «aidé au développement de la division internationale du travail» a un aspect contradictoire. Il est négatif dans la mesure où «le progrès s'est acheté au prix de bien des maux»: il a signifié pour les indigènes dépossession, pillage éhonté, exploitation au seul profit des métropoles «empêchant par-là même le développement des forces naturelles et l'organisation de la production dans le pays». Tout n'y est pourtant pas entièrement condamnable: ce processus a été «le point de départ d'une évolution moderne de l'état social et culturel chez les peuples colonisés les rendant ainsi accessibles à des idées démocratiques, nationales et sociales modernes». Cette évolution s'étant poursuivie inégalement, il en résulte que les peuples colonisés ont atteint des «stades de développement divers». Poursuivant son analyse, la Commission coloniale de l'IOS établit une distinction entre deux pôles extrêmes. Dans le cas de peuples de vieilles civilisations, le colonialisme a pu jouer un rôle progressif puisqu'il a permis un développement «au point de vue technique et social». Il en est découlé l'apparition

«d'importants mouvements nationaux qui tendaient à se libérer du joug étranger. De tels pays pourraient ainsi être libérés de la domination étrangère sans devoir pour cela retomber de la phase capitaliste à une phase plus ancienne et primitive, sans que soient détruites chez eux les méthodes modernes de production et de transport et sans qu'ils aient ainsi à sortir du cercle de l'échange international des marchandises».

Au pôle opposé se trouve le cas des peuples colonisés «qui se trouvaient avant la domination étrangère à un stade d'évolution très primitif» et qui n'ont guère dépassé ce stade. Dans ce cas la domination étrangère peut encore jouer un rôle progressif et sa disparition signifierait

«non pas le progrès vers une culture nationale mais bien

la régression à une barbarie primitive, non pas encore le développement à une démocratie nationale mais l'assujettissement des masses du peuple à la domination soit d'une minorité de colons blancs soit de despotes et seigneurs féodaux indigènes».

Entre ces deux cas toute une gamme de nuances peut être répertoriée. Cependant les positions adoptées par l'IOS s'organisent entre ces deux extrêmes. Tout «en repoussant le principe même de la domination étrangère établie sur les peuples colonisés», le socialisme se doit d'établir une distinction entre deux types de revendications. Pour les peuples coloniaux qui ont atteint «la condition d'une civilisation moderne» il faut mettre en avant le mot d'ordre de libération complète du «joug étranger» et appuyer leur revendication à l'indépendance. Pour les autres peuples coloniaux qui n'ont pas encore atteint ce stade, l'IOS demande

«une protection efficace contre l'oppression et l'exploitation, une éducation systématique dirigée vers la préparation de l'indépendance de ces peuples et en même temps l'extension de leur autonomie administrative, poussée progressivement jusqu'à la complète autonomie définitive».

A partir de ces principes généraux, l'IOS distingue trois cas de figure possibles. Elle apporte son appui sans réserve aux luttes d'indépendance des peuples opprimés et revendique l'indépendance et l'égalité des droits pour la Chine, l'autonomie du peuple hindou pour les Indes, l'indépendance complète de l'Egypte, de la Syrie et de l'Irak en demandant que ces deux derniers pays entrent à la SDN. Pour les colonies «à civilisation développée» (colonies de la Couronne britannique, colonies françaises, italienne et espagnole, Java, Madagascar), elle revendique

> «un degré d'administration autonome... la liberté pour les
> indigènes de s'organiser en vue de conquérir et bien exer-
> cer cette autonomie (représentation du peuple élu par
> toute la nation, administration locale et régionale confiée
> aux indigènes dans le droit des minorités non indigènes,
> droit d'accès aux postes, même les plus élevés aux indi-
> gènes)».

Enfin dans le cas des colonies «à civilisation non
développée» (en particulier en Afrique tropicale et sub-
tropicale ainsi que dans le Pacifique), l'IOS réclame la
cession du sol

> «non encore concédé aux indigènes, la suppression de tout
> impôt spécial aux indigènes (en dehors de ceux de l'admi-
> nistration publique), l'abolition de toute forme de travail
> forcé et une meilleure réglementation du travail, enfin un
> contrôle sur le recrutement de la main-d'œuvre et des
> conditions de travail de manière à empêcher l'esclavage
> industriel et la destruction de la vie économique des com-
> munautés de village ou de tribus indigènes» [21].

Sur le plan politique, tant que les populations indigènes de ces régions ne seront pas capables de régir leur pays
par des institutions démocratiques il importe «de veiller
à ce que les blancs n'aient pas comme classe exploitante
un pouvoir absolu sur leur administration». Une juridic-
tion particulière doit se donner les moyens de mettre en
pratique un tel système.

Il ne semble pas que l'effort d'analyse entrepris à
l'occasion du IIIe congrès de l'IOS ait été poursuivi. La
question coloniale n'est pas discutée lors de son IVe
congrès en 1931 même si dans les documents publiés à
l'issue de cette réunion figurent de précieuses informations relatives aux dominions britanniques. Les problèmes coloniaux sont désormais relégués au second plan
bien qu'ils soient à nouveau évoqués en 1935 à l'occasion

de la guerre d'Ethiopie puis l'année suivante avec l'arrivée au pouvoir des Fronts populaires en Espagne et en France. Entre temps d'autres questions plus urgentes ont mobilisé l'IOS.

Incompréhension du fascisme, seconde crise révisionniste et socialisme de gauche

A partir de 1930, avec la foudroyante progression de Hitler, révélée lors des élections législatives d'août où le Parti national-socialiste passe de 12 à 107 élus en totalisant 6,4 millions de voix, avec sa transformation en un parti de masse, le nazisme montre brutalement à l'Europe son agressivité, sa nouveauté et sa force. Dès lors la nécessité de le combattre devient de plus en plus urgente pour le mouvement ouvrier. Sous de multiples formes ce problème ne cesse de se poser jusqu'en 1940; il ne sera jamais résolu par l'IOS qui durant toute cette décennie s'avère toujours plus incapable de s'opposer à son offensive, est divisée sur la stratégie à suivre en la circonstance et finira par en périr. La montée du fascisme en Europe est vieille de plusieurs années déjà: cette tendance générale s'est esquissée dès les lendemains de la Première Guerre mondiale [22] mais elle ne prend vraiment toute son importance qu'au tournant des années 1930. Rétrospectivement on peut comprendre que l'IOS n'ait pris conscience de la gravité du fascisme qu'à partir de cette date: chronologiquement sa réflexion suit de près l'événement mais l'insuffisance de ses analyses antérieures explique partiellement du moins le retard pris par elle pour appréhender correctement ce phénomène politique nouveau.

Assurément l'IOS n'a pas attendu le début des années Trente pour formuler une sévère condamnation du fascisme italien: en 1924 l'assassinat du député socialiste Matteotti a provoqué une émotion considérable en Europe et dès les années Vingt le socialisme international organise l'aide aux réfugiés politiques, tout d'abord aux antifascistes italiens. En 1930 est créé sous l'égide de l'IOS un Comité Matteotti qui se donne pour mission d'attirer l'attention sur la difficile situation rencontrée alors par la veuve du député socialiste. Cette organisation animée par une militante de la SFIO, Adrienne Marchand, est soutenue par des organisations féministes comme les sections française et italienne de la Ligue internationale des femmes pour la paix et la liberté (LIFPL), le groupe de l'ancienne communiste Sylvia Pankhurst en Grande-Bretagne, des organisations pacifistes (comme La Paix par le droit), etc.[23]. Elle est active jusqu'en 1934, date de sa dissolution. Dans le même ordre d'idées mentionnons l'activité de Jean Longuet au sein de la Commission sur la situation des prisonniers politiques mise en place par l'IOS en 1928[24] qui a pour fonction de suivre et de défendre les prisonniers politiques non seulement de l'Italie mussolinienne mais aussi de la Roumanie et de la Yougoslavie. Au sein de cette Commission, Jean Longuet est en relation avec l'ancien député socialiste italien G.E. Modigliani, le frère du peintre. Cette action réelle de l'IOS en faveur des premières victimes du fascisme ne doit cependant point masquer la grave sous-estimation faite par elle au même moment de ce mouvement. Cette incompréhension ne lui est d'ailleurs pas spécifique et durant la même période les analyses de l'Internationale communiste pèchent tout autant par leur insuffisance. Il va sans dire qu'il est rétrospectivement plus facile, six décennies plus tard, à l'historien de saisir le cours des choses, leur importance et d'en mesurer toute la portée...

La faiblesse de l'analyse de l'IOS réside peut-être d'abord dans sa méconnaissance de la spécificité du fascisme [25] assimilé tout d'abord au congrès de Hambourg à un simple phénomène de réaction résultant de la Guerre mondiale. Otto Bauer, un des théoriciens pourtant les plus originaux de l'IOS, évoque en 1923 les «tendances dictatoriales» de certains pays européens — en premier lieu l'Italie et la Hongrie. Cinq ans plus tard, Vandervelde qui représente une sensibilité politique différente, plus à droite, dans l'Internationale, réaffirme ce point de vue sans guère l'approfondir, tout en déniant le moindre caractère de nouveauté au fascisme. Le comparant à «un boulangisme qui a réussi, un bonapartisme qui trouve le moyen d'être moralement très au-dessous de la seconde édition du bonapartisme», il prédit un avenir limité à cette forme de gouvernement valable seulement pour les zones territoriales de l'Europe «économiquement et politiquement arriérées» [26]. Dans cette optique, le fascisme est conçu comme une forme de gouvernement transitoire, explicable par les réactions apeurées des classes dirigeantes de quelques pays européens de seconde zone. Phénomène désagréable certes, il a ses origines dans le retard de ces pays et doit être analysé comme une forme de réaction particulièrement autoritaire mais condamnée à terme. De cette vision d'ensemble découle une sous-estimation du phénomène, de son côté novateur et des enjeux stratégiques qu'il va prochainement poser au mouvement ouvrier international. Pour les socialistes les menaces sont à rechercher ailleurs: toujours au congrès de Bruxelles, Vandervelde évoque les dangers du «néo-capitalisme américain», beaucoup plus dangereux à terme pour l'avenir du mouvement ouvrier international.

Les progrès rapides accomplis par le fascisme, le danger de plus en plus grave qu'il représente sont à nouveau à l'ordre du jour des discussions du congrès de Vienne en 1931 [27]. Entre temps a explosé la crise économique mondiale dont les effets commencent à se faire sentir en

Europe, tout particulièrement en Allemagne et en Grande-Bretagne; le tour de la France ne vient qu'en 1932. L'augmentation dans des proportions dramatiques du nombre de chômeurs et la démoralisation accrue des classes ouvrières sont autant de cadeaux inattendus et inespérés pour le fascisme. D'où des débats accrus au sein du mouvement socialiste. Pour Léon Blum, leader incontesté de la SFIO, le fascisme représente encore et uniquement une forme particulière de dictature dans laquelle il range aussi bien le régime mussolinien que la Pologne de Pilsudski, la Hongrie de Bethlen, le gouvernement bulgare ou la Turquie de Kemal. L'arriération économique de ces pays, les frustrations nationalistes qu'ils connaissent ont servi de terreau à ces mouvements qui, toujours selon le socialiste français, ne peuvent concerner des Etats modernes comme l'Allemagne et la France[28]. C'est répéter ici à peu près dans les mêmes termes l'analyse de Vandervelde à Bruxelles.

Cependant d'autres dirigeants socialistes ne se contentent plus de cette approche. Par la voix d'Otto Bauer, une tendance de l'IOS infléchit alors son analyse dans des termes assez proches de ceux employés au même moment par l'Internationale communiste. Le fascisme y est décrit comme «une création de l'industrie lourde allemande» et la manifestation dernière «d'un sursaut du capitalisme moribond»: ce dernier et la grande propriété foncière exploitent «le désespoir des masses paupérisées de la petite bourgeoisie et de la classe paysanne pour abattre la classe ouvrière et écraser le peuple allemand sous un despotisme terroriste»[29]. Il y a incontestablement un renouvellement dans la réflexion, mais cette analyse comporte cependant une faiblesse essentielle. Elle ne prend pas en compte ce qui constitue la grande nouveauté du fascisme et interdit de l'assimiler à un simple régime réactionnaire de type bonapartiste: son caractère de masse qui va obliger l'IOS comme le Komintern à combattre sur ce terrain. Des propositions concrètes, bien caractéristiques du mode de pensée de l'IOS, sont d'ailleurs avancées à Vienne: l'Internationale se propose de faire pression sur les pays capitalistes afin qu'ils aident financièrement l'économie allemande. Avec le retour à la prospérité, les conséquences des difficultés économiques disparaîtront, les fondements du fascisme seront minés et il n'aura plus aucune raison d'être. Cependant le congrès se divise sur les implications politiques immédiates d'une telle stratégie: les socialistes allemands vont-ils dans ces conditions soutenir le chancelier Brüning contre Hitler ou doivent-ils engager une lutte ouverte contre le fascisme en conservant toute leur autonomie vis-à-vis de Brüning? Faut-il privilégier l'action de masse en allant jusqu'à envisager un rapprochement avec l'Internationale communiste? Le problème de l'unité ouvrière se trouverait ainsi posé dans des termes nouveaux. Faut-il au contraire mettre l'accent sur la défense de la démocratie et ne pas hésiter à passer des compromis avec des forces politiques modérées contre l'extrême droite? A travers ces questions — et l'incapacité pour l'IOS d'y répondre — c'est tout le problème de son orientation stratégique qui se trouve ainsi débattu. Comment en effet lutter contre le fascisme dans le cadre des institutions démocratiques auxquelles sont attachés les dirigeants de l'IOS, sans le soutien de la moindre mobilisation ouvrière au moment où les relations avec l'Internationale communiste sont marquées par une violente hostilité entre les deux courants? Dans sa très grande majorité le Congrès se prononce pour la voie démocratique [30].

Pourtant une opposition de gauche proposant une politique plus combative contre le fascisme, ne refusant pas un rapprochement avec l'Internationale communiste et prônant l'action de masse s'affirme lors du congrès autour de l'Independent Labour Party, du Parti ouvrier norvégien, du Bund polonais (qui a réintégré l'IOS depuis son V^e congrès en juillet 1930). Politiquement elle est largement battue à Vienne et ses thèses sont repoussées par 300 voix contre 5. Le Parti socialiste suisse qui lui a exprimé sa sympathie, notamment sur la question du désarmement, refuse au dernier moment de prendre part au vote et s'abstient. En dépit de cette défaite écrasante, le congrès de Vienne marque les débuts de la structuration d'une opposition de gauche socialiste au sein de l'IOS: moins d'un an plus tard, elle va donner naissance à un nouveau courant international du mouvement socialiste. A côté du Bureau de Paris qui poursuit, bien que difficilement son existence, se constitue peu à peu une seconde greffe du socialisme révolutionnaire, appelée à se développer tout au long de cette décennie. Ces deux branches fusionneront en 1935 pour constituer le Bureau international d'unité socialiste révolutionnaire (BIUSR) plus connu sous le nom de Bureau de Londres. L'apparition de cette gauche socialiste dans plusieurs pays européens en ce début des années Trente est un des signes de la crise politique croissante de l'IOS et de son incapacité à définir une stratégie commune contre le fascisme pour tous ses partis [31].

Les exigences d'une lutte antifasciste plus ferme, la volonté de sortir le socialisme du réformisme où il s'est enlisé générèrent en moins d'un an une vague de scissions au sein des sections de l'IOS: en Allemagne avec la création en 1932 du Parti socialiste ouvrier (SAP); en Grande-Bretagne avec la prise de distance croissante de l'Independent Labour Party du Labour et de l'IOS (bientôt, l'ILP rompra formellement avec l'IOS); aux Pays-Bas avec la création en avril 1932 du Parti socialiste ouvrier indépendant (OSP) animé par J. De Kadt qui rompt à son tour avec l'organisation internationale. En Norvège, la désaffiliation du Parti ouvrier norvégien de l'Internationale s'est effectuée dès 1930. Des liens existent entre ce courant international et la tendance de gauche de P.-H. Spaak au sein du Parti ouvrier belge. Tous ces groupes en contact plus ou moins informels depuis 1930, ont adopté comme base de programme le texte de l'ILP, *Socialism in our Time*, réclamant une politique socialiste plus offensive, revendiquant des salaires permettant un niveau de vie décent et favorisant une relance de l'activité économique, l'établissement d'un système national de crédit. Dans un premier temps ils agissent avec une relative discrétion pour ne pas s'attirer les foudres de l'IOS qui interdit à ses sections l'affiliation à deux organismes internationaux. Assez vite, ils franchissent le Rubicon en se réunissant les 5 et 6 mai 1932 à Berlin pour constituer une nouvelle organisation l'Internationale Arbeitsgemeinschaft (IAG), dont l'orientation refuse tout autant «le gradualisme de la collaboration de classes des sociaux-démocrates que la rigidité, la psychologie des communistes». Les «révolutionnaires-socialistes» comme ils s'intitulent eux-mêmes estiment que, quel que soit le sectarisme de l'IC, toute politique antifasciste conséquente passe par l'unité d'action avec elle, ce à quoi s'est refusée jusqu'alors l'IOS, trop heureuse de pouvoir condamner le sectarisme, réel, de l'IC pour n'entreprendre aucune démarche unitaire et continuer la politique réformiste de collaboration de classes menée par plusieurs de ses partis. Le Parti ouvrier norvégien qui a appartenu au Bureau de Paris puis l'a quitté en 1927 est membre de la nouvelle organisation et constitue «le lien historique» entre ces deux organisations alors distinctes du socialisme de gauche.

Dans les mois qui suivent, la marche des événements interpelle durement le socialisme international et le mouvement ouvrier dans son ensemble. Le 30 janvier 1933 marque pour lui un tournant historique dans la mesure où il assiste, impuissant, à l'arrivée au pouvoir de Hitler. Moins de deux mois plus tard les partis communiste et socialiste d'Allemagne sont dissous sans avoir fait montre ni l'un ni l'autre de la moindre résistance. Cette débâcle du mouvement ouvrier allemand — un des plus puissants encore au monde même si son influence internationale est moindre qu'avant 1914 — a des conséquences incalculables pour l'Europe et pour le monde. Elle représente une défaite de première grandeur pour la principale section de l'Internationale communiste. Pourtant, en raison de la stalinisation déjà fort avancée de cette organisation, la perte sans combat de son plus beau fleuron n'y provoque que de faibles remous. L'influence du SPD dans l'IOS y est proportionnellement moins forte que celle des travaillistes anglais et des socialistes de l'Europe du Nord dont le poids politique l'emporte aussi sur les socialistes autrichiens et français. Il n'empêche: jusqu'en 1933 les socialistes allemands occupent encore une place importante dans l'IOS et le désastre qu'ils subissent alors affaiblit l'IOS tout en modifiant de façon assez sensible le rapport des forces en faveur de tendances plus réformistes. De façon plus générale, 1933 représente une étape décisive pour le mouvement ouvrier international qui voit dès lors se poser à lui de façon urgente la question du fascisme: il ne lui est plus possible de l'éluder. La progression des régimes fascistes ou autoritaires a commencé dès les années Vingt en Europe mais bien évidemment la victoire de Hitler donne à cette tendance une formidable impulsion que vont conforter un an plus tard les journées de Vienne: elles aboutissent à l'écrasement des socialistes autrichiens.

L'importance de la victoire du nazisme a été perçue par l'IOS: ses dirigeants prennent la décision d'organiser une conférence internationale à Paris en août 1933 pour débattre des moyens les plus appropriés pour combattre le fascisme et faire face à la nouvelle situation. Mais si la tenue de cette réunion témoigne de la prise de conscience accrue du danger, elle révèle également l'hétérogénéité politique de l'IOS, où des forces et des courants contradictoires existant en son sein vont sourdement mais réellement s'opposer toujours davantage. Dès le 19 février 1933 le Bureau de l'IOS a d'ailleurs appelé l'Internationale communiste à «suspendre la lutte fratricide» [32] au sein du mouvement ouvrier mais il faudra plus d'un an et demi encore avant que ne se réalise dans quelques pays européens l'unité d'action avec des sections du Komintern. Cette question largement débattue à Paris six mois plus tard suscite des stratégies diamétralement opposées.

Le seul point de l'ordre du jour de la conférence de Paris [33] est des plus explicites puisqu'il doit y être discuté de «la tactique et (de) la stratégie du mouvement ouvrier pendant la période de l'offensive fasciste». Il suscite la cristallisation de trois courants. La gauche se rassemble sur une motion présentée par un des dirigeants du Bund polonais, V. Alter. Dans les années Vingt, le Bund polonais a eu des liens internationaux fort proches de ceux des maximalistes italiens. Pietro Nenni, particulièrement sensible à la lutte contre le fascisme, assez proche, par ses positions de l'IAG, et qui jusqu'en 1930 a appartenu au Parti socialiste italien maximaliste, membre du Bureau de Paris [34], le Suisse Robert Grimm, le Français J. Zyromski qui depuis 1927 anime une tendance de gauche dans la SFIO, «la Bataille socialiste» favorable à l'unité d'action avec les communistes, la soutiennent. On trouve encore parmi ses défenseurs le Belge Paul-Henri Spaak qui publie depuis 1926 avec Xavier Relecom et Albert Marteaux au sein du POB un journal également intitulé *La Bataille socialiste*, désireux d'arracher cette organisation «de la politique de routine, de concessions et d'abdications» qu'elle pratique «depuis plusieurs mois, peut-être même plusieurs années» et qui presse E. Vandervelde de reconnaître l'Union soviétique. Cette gauche prône une tactique «révolutionnaire» en des termes assez proches de ceux des communistes. La lutte pour la conquête du pouvoir par l'action de masse ainsi que l'instauration de la dictature du prolétariat sont à l'ordre du jour et la classe ouvrière unie doit prendre les fascistes de vitesse sans craindre le bloc de la réaction. Ce courant défend un type de socialisme offensif reposant davantage sur l'action de masse que sur la voie parlementaire et légale. Nenni propose la tenue d'une conférence analogue à celle de Berlin en 1922, non pas pour faire «le procès du passé» mais pour voir, en raison des circonstances — montée du fascisme, crise de la démocratie et de la paix — quelles sont les possibilités de «réaliser l'unité d'action du prolétariat».

A l'opposé, la droite de la conférence s'appuie sur les partis socialistes de l'Europe du Nord, de la Belgique, de la Hollande organisés sous la houlette du Labour Party. Les socialistes tchèques et polonais se rattachent à ce groupe, totalement opposé à tout rapprochement éventuel avec les thèses communistes et hostile à toute forme d'action, si minime soit-elle, avec eux. Se déclarant partisans d'un socialisme ouvert, démocratique, adapté aux conditions économiques nouvelles et capable d'attirer les classes moyennes en recherchant l'assise démocratique la plus large, ces socialistes veulent rompre définitivement avec le communisme afin d'éviter de rejeter les classes moyennes dans les bras de la réaction et du fascisme. La catastrophe allemande a été possible en raison de la peur des classes moyennes devant le communisme et en raison également du fait que les socialistes n'ont pas su faire face à cette situation. Toute lutte susceptible d'être victorieuse contre le fascisme passe obligatoirement par la reconquête des classes moyennes et l'affirmation la plus nette qui soit pour les socialistes de leur volonté de défense de la démocratie; cela suppose de leur part la plus grande prise de distance possible vis-à-vis du communisme, cette forme de dictature. Cette analyse sera reprise et approfondie un an plus tard à la suite des journées de Vienne de février 1934 qui voient la défaite du socialisme autrichien et l'arrivée au pouvoir de Dollfuss. Pour l'aile la plus droitière de l'IOS, cet épisode finira de confirmer ce que la tragédie allemande a déjà mis en lumière: l'impuissance du socialisme révolutionnaire à faire pièce au fascisme, la nécessité d'un changement complet de stratégie passant par une rupture complète avec le Komintern. Toute forme d'unité d'action avec les communistes ne peut qu'alimenter les craintes des classes moyennes et les jeter dans les bras du fascisme. Cette analyse est aussi bien défendue par des partis socialistes au pouvoir (Danemark, Suisse, Tchécoslovaquie) que par des partis qui aspirent à y accéder (Grande-Bretagne, Hollande) ainsi que par certains membres de la direction du SPD en exil à Prague. Ces deux orientations sont, on le voit, totalement antagonistes. Au centre enfin, F. Adler, L. Blum, O. Bauer expriment un discours marxiste orthodoxe: le socialisme doit conserver son visage propre, autonome, révolutionnaire bien sûr mais distinct du bolchevisme: certaines formes d'action communes avec ce dernier, si limitées soient-elles, ne sont pas à exclure, à la condition formelle que la IIIe Internationale et ses sections abandonnent toute référence et toute attaque contre le «social-fascisme». Quelques mois auparavant cependant, la SFIO a interdit à ses militants d'adhérer au Mouvement Amsterdam-Pleyel à l'occasion du second congrès de cette organisation à Paris en février 1933. Les liens par trop manifestes de cette organisation avec le Komintern expliquent cette décision, remise en cause d'ailleurs par un certain nombre de socialistes de gauche... Les deux dirigeants rappellent également la nécessité de sauvegarder la spécificité, l'autonomie du socialisme: il est hors de question de le mettre à la remorque des classes moyennes. Cette position offre l'avantage de sauvegarder un discours marxiste orthodoxe dans les termes, mais elle ne permet en rien de définir une ligne politique précise pour l'action. Elle est également incapable de réaliser la synthèse entre des conceptions par trop opposées.

Finalement la Conférence de Paris se sépare sans avoir pu définir une stratégie d'ensemble: tout au plus a-t-elle pu constater les divergences profondes entre la minorité de gauche de l'IOS, encline à l'unité d'action avec le Komintern, l'aile droite qui s'oppose de toutes ses forces à cette stratégie et le centre qui se montre impuissant à opérer une synthèse. La position centriste permet de conserver un discours apparemment cohérent et acceptable pour tous, mais ne pouvant réaliser l'accord entre des analyses par trop divergentes, elle est incapable de définir une stratégie pour l'action. Dernière réunion internationale de l'IOS jusqu'à sa disparition définitive en 1940, la conférence de Paris se sépare sans aboutir au moindre résultat concret. Jusqu'à la Seconde Guerre mondiale, l'écart va se creuser toujours plus profondément dans l'IOS entre deux conceptions opposées de la lutte pour le socialisme, résultant elles-mêmes de postulats bien différents. Des objectifs communs, une orientation adoptée par tous deviennent dès lors impossibles entre les socialistes aux prises avec le fascisme — et souvent contraints à l'exil — et ceux qui, ayant accédé au pouvoir, récusent toute forme de lutte révolutionnaire. Entre ces deux blocs, les cas espagnol et français représentent deux exceptions brillantes, décisives sur le plan européen par leurs répercussions internationales mais brèves et non représentatives du socialisme dans son ensemble [35].

1933 représente également une nouvelle étape dans la structuration du socialisme de gauche autonome vis-à-vis de l'IOS et hors de celle-ci. Durant ces mois décisifs s'amorce un rapprochement conduisant à la fusion *de facto* entre les deux tendances du socialisme révolutionnaire existant en Europe. A l'initiative de l'IAG se tient à Paris dès le 6 février 1933 une réunion à laquelle assistent, outre les cinq partis fondateurs de ce nouvel organisme, les socialistes italiens maximalistes et le Parti d'unité prolétarienne français, tous deux membres du Bureau de Paris. Sous le coup de l'émotion suscitée par l'arrivée de Hitler au pouvoir est envisagée la tenue dans de brefs délais d'une conférence mondiale de toutes les organisations ouvrières afin d'organiser la lutte internationale contre le fascisme. Un télégramme proposant cette perspective est envoyé aux deux Internationales qui ne se donnent même pas la peine de répondre. Cependant cette initiative contribue à un élargissement du socialisme révolutionnaire en Europe en suscitant le ralliement de plusieurs groupements qui ont rompu antérieurement avec le communisme: deux d'entre eux, la Fédération communiste ibérique et le Parti communiste indépendant de Suède — la majorité du Parti communiste suédois qui s'est séparé quatre ans plus tôt du Komintern — répondent positivement à cette invitation et décident de participer à la conférence. Les trotskistes, très intéressés également par l'évolution jugée prometteuse selon eux du socialisme de gauche s'y rendent également. En fin de compte 14 organisations, en majorité socialistes de gauche, sont présentes les 27/28 août à Paris. Cette manifestation est un lieu de rencontre exceptionnel entre diverses oppositions: socialistes de gauche, communistes «de gauche» et «de droite» ayant rompu avec le Komintern. Grande est la diversité de ces groupements: le Parti ouvrier norvégien peut revendiquer une centaine de milliers d'adhérents alors que les socialistes-révolutionnaires russes de gauche, en exil depuis plus d'une décennie, sont vraisemblablement réduits à quelques unités! L'hétérogénéité politique de cette réunion est tout autant de règle que dans celle de l'IOS tenue quelques jours plus tôt. Partisans de la réunification du mouvement ouvrier à travers la social-démocratie, les Norvégiens et les Français du PUP estiment toute action commune impossible avec l'IC, contrairement à l'ILP britannique pour qui

127

l'unité d'action est souhaitable et nécessaire. D'autres organisations enfin condamnent sévèrement la «faillite» des deux grandes Internationales ouvrières mais seuls les trotskistes, le SAP allemand et deux partis hollandais, le Parti socialiste révolutionnaire (RSP) et le Parti socialiste indépendant (OSP) vont jusqu'au bout de leur logique en signant un texte, «la Déclaration des Quatre» en faveur d'une nouvelle Internationale, la IVe. En définitive, les résultats concrets de cette conférence sont bien limités. Une action de boycott des organisations ouvrières contre l'Allemagne hitlérienne est votée à l'unanimité. Par 10 voix contre 4 la conférence se prononce pour un «congrès mondial représentatif de toutes les organisations ouvrières mondiales qui acceptent la base de la lutte nécessaire pour la réalisation du socialisme». Mais, pas plus que la conférence de Paris réunie quelques jours plus tôt par l'IOS, l'initiative prise par l'IAG ne favorise une cohérence accrue du mouvement ouvrier dans la lutte contre le fascisme [36].

1933 enfin est une date capitale pour l'histoire du socialisme européen dans la mesure où son désarroi devant le fascisme vient se surimposer à une crise plus ancienne à laquelle il est confronté depuis plusieurs années déjà. Dans l'histoire du socialisme international elle constitue une seconde phase du révisionnisme, en référence à celle survenue dans les toutes dernières années du XIXe siècle autour de Bernstein et de Millerand. Elle concerne principalement les socialismes belge et français tout en s'organisant autour de ces deux personnalités que sont H. de Man pour la Belgique et Marcel Déat pour la France. Leur influence dépasse néanmoins le cadre de leurs organisations nationales respectives. Comme cela avait été le cas un quart de siècle plus tôt, la crise surgit dans un premier temps de la prise de conscience de l'écart, du décalage croissant entre le discours et la pratique socialiste et de la volonté d'y remédier: une fois encore il y a tentative de faire coïncider le dire et le faire. A l'examiner attentivement cette crise a elle-même son histoire et se décompose en plusieurs périodes chronologiques distinctes qui ne doivent pas être confondues. Initiée dès 1926, elle connaît à partir de 1929/1930, et en raison de la crise économique mondiale, un nouveau rebondissement: le socialisme doit trouver des réponses appropriées à la situation. Puis, à partir de 1933, ce qui n'était auparavant qu'esquissé, ce qui ne représentait qu'une menace potentielle devient une réalité beaucoup plus pressante et de plus en plus le socialisme prend conscience du défi que lui lance le fascisme. De façon bien plus approfondie que celui de Marcel Déat, le révisionnisme socialiste de Henri de Man cherche alors les moyens de combattre le fascisme avant d'être, mais plusieurs années après seulement, happé par lui selon un processus qui n'avait rien d'inévitable.

En 1926, Henri de Man publie un livre au titre provocateur, *Au delà du marxisme* [37]. L'ancien dirigeant de la Fédération internationale des jeunesses socialistes bénéficie d'une connaissance approfondie du mouvement socialiste jointe à l'expérience de la Grande Guerre qui l'a marqué à jamais. Il dispose d'une solide culture marxiste et d'une vaste connaissance des réalités internationales qu'il a acquises en enseignant aux Etats-Unis et en Allemagne au début des années Vingt. Il va remettre en cause le socialisme traditionnel et quasiment inchangé, défendu par le POB depuis la Charte de Quaregnon. Point nodal de ce programme, le principe du collectivisme qui sera réalisé par l'expropriation sans indemnité des moyens de production représente le but final, clairement défini. Mais entre cette perspective révolutionnaire et la pratique quotidienne du Parti, les voies de la conquête du pouvoir restent à peu près entièrement à définir. Aucun «pont doctrinal» n'existe entre les deux. Cette dichotomie n'est pas trop gênante en période de prospérité dans la mesure où l'orientation réformiste du POB trouve terrain sur lequel s'exercer. La question du pouvoir ne se pose pas et la séparation entre le mouvement et le but final, pour réelle qu'elle soit, n'est pas vécue trop douloureusement par les militants. Mais en supprimant toute possibilité de «mouvement», de réforme, la crise rend cette contradiction plus aiguë, voire intenable. En 1927 l'idée principale exposée par de Man n'est pas tellement de rompre mais plutôt de «dépasser» le marxisme orthodoxe dominant au sein du POB et de l'IOS. Il le définit comme un déterminisme économique, critique sa croyance en l'inéluctabilité de la Révolution, ce qui pour le théoricien belge représente une vision trop optimiste des choses. On le voit, le point de départ est exactement le même que celui de Bernstein trois décennies plus tôt; il s'agit d'une remise en cause analogue du discours marxiste, rationaliste, positiviste encore largement répandu dans l'Internationale et qui sert de langage de base pour analyser un monde en pleine évolution.

Cependant le révisionnisme de De Man se nourrit d'une autre source: il intègre en effet l'expérience inoubliable quoiqu'imprévue représentée par la Première Guerre mondiale en retenant tout particulièrement une donnée qui lui semble essentielle, l'adhésion massive des différentes classes ouvrières à la guerre. Cet enthousiasme incroyable pose de façon nouvelle la question qui va être au centre des recherches théoriques, et dans un premier temps au moins des choix politiques, faits par Henri de Man: quels sont les mobiles profonds du socialisme? Quels sont les facteurs subjectifs qui entraînent l'adhésion des masses au socialisme? Depuis la Grande Guerre la situation a bien changé en Europe et si selon de Man, la classe ouvrière est en plein embourgeoisement en Allemagne, en Belgique, dans d'autres pays européens et aux Etats-Unis, il devient d'autant plus nécessaire de mettre en lumière les mécanismes psychologiques subjectifs qui la font adhérer au socialisme: cette démarche n'a rien d'inéluctable, ne repose sur aucune certitude, sur aucun déterminisme, économique ou autre, contrairement à ce que prétend, selon de Man, le marxisme traditionnel. Le théoricien belge lui reproche son économisme, son schématisme générateurs d'un optimisme messianique ne correspondant en rien à la réalité; de tels fondements laissent complètement en suspens la question des facteurs de mobilisation des masses au socialisme. Les conséquences de la Première Guerre mondiale, la force du nationalisme qu'elle a révélé, la montée en puissance des classes moyennes: autant de raisons qui exigent des réponses urgentes. Mettant au premier plan de son analyse l'élément subjectif, de Man n'hésite pas à écrire:

> «En dernière analyse, l'infériorité sociale des classes laborieuses ne repose ni sur une injustice politique ni sur un préjudice économique mais sur un état psychique... Le sens le plus profond du socialisme est d'aider des millions de gens à vaincre un complexe d'infériorité sociale.»

Outre l'importance primordiale donnée au facteur subjectif, c'est remettre en cause la notion de plus-value ainsi que l'analyse marxiste de la classe ouvrière: on voit l'ampleur d'une telle démarche, le caractère beaucoup plus sacrilège de ce révisionnisme au regard duquel les attaques de Bernstein semblent bien limitées.

Cette révision du dogme, cette charge contre le marxisme est violemment critiquée par Vandervelde qui, dès la parution de l'ouvrage, se livre au rappel de quelques principes de base[38]: l'exploitation capitaliste, au sens économique du terme, n'a pas disparu et il lui est facile de le montrer. Mais le leader du POB élude les questions pertinentes posées par de Man qui a le mérite de s'interroger sur les transformations subies depuis des décennies par le prolétariat, l'émergence des classes moyennes, la montée en puissance du capital financier monopolistique. Son révisionnisme s'accompagne d'un intérêt indiscutable pour l'expérience fasciste italienne comme le montre sa correspondance avec Mussolini en 1930 [39]. De façon peut-être contradictoire, de Man en appelle au même moment à l'unité politique du prolétariat qui «loin d'être un obstacle pour l'alliance avec les éléments anticapitalistes de la classe moyenne, des intellectuels et des classes moyennes prolétarisées est au contraire la condition préalable de sa réalisation et de son succès». Prônant de la sorte l'unité des «réformistes et des communistes», de Man n'hésite pas à caractériser la Révolution russe de «rempart de la lutte mondiale pour le socialisme» dans la préface rédigée en janvier 1933 d'un nouvel ouvrage *L'Idée socialiste* [40] qui paraîtra en langue française en 1935. On le voit la pensée de De Man, fort complexe, évolue dans le temps et ne saurait être réduite à de simples catégories. Sa démarche théorique s'accompagne jusqu'en 1933 de choix politiques le situant plutôt à la gauche de l'IOS, alors que Vandervelde, tout puissant patron du POB se rattache à sa droite. Révisionnisme de droite et critique de gauche peuvent encore se rencontrer à cette date et il serait profondément illusoire de juger de Man à la suite de son évolution ultérieure, de le faire, pour reprendre une heureuse formulation, «prisonnier de son avenir» [41]. Cette confusion témoignerait plutôt de la complexité représentée par la crise révisionniste à laquelle est alors confrontée l'IOS à l'orée des années Trente.

Bientôt elle a des conséquences dans la SFIO. La reconstruction de ce parti qui passe de 30 000 militants après Tours à plus de 100 000 moins d'une décennie plus tard est une réussite indéniable qui jusqu'en 1930 se fait en grande partie aux dépens du Parti communiste. Ce dernier ne peut empêcher le départ de nombreux pionniers et le retour de la majorité d'entre eux — pas tous — à la «Vieille Maison». Ce succès ne doit point faire oublier la lutte de tendances politiques rivales portant en premier lieu sur la question de la participation ministérielle: à partir de 1924, les socialistes sont profondément divisés à ce sujet. En 1929 les divergences s'approfondissent entre la majorité du groupe parlementaire — qui défend la politique participationniste — et la majorité de la Commission administrative permanente. Un an plus tard Marcel Déat [42], une des étoiles montantes de la SFIO, manifestement influencé par l'ouvrage de Henri de Man paru quatre ans plus tôt, publie à son tour *Perspectives socialistes* [43]. Refusant de laisser son parti se contenter «d'une acceptation instatisfaite de l'impuissance», tout comme H. de Man, il part du décalage existant entre le discours et la pratique socialistes. Sans aucun doute est-il mû par de réelles ambitions personnelles mais l'essentiel n'est pas là et on ne saurait ramener les causes de la crise néo-socialiste dans la SFIO à cette seule donnée. Selon Marcel Déat, le socialisme doit, pour arriver au pouvoir, organiser une majorité nouvelle réunissant la classe ouvrière et les classes moyennes sur la base d'un programme anticapitaliste se proposant de libérer la société des «mauvais côtés» du capitalisme. Un Etat aux pouvoirs renforcés, des organisations syndicales et coopératives destinées à contrôler ce processus seront les instruments nécessaires à la réalisation de ce programme. Le problème n'est pas de renverser le capitalisme mais «de faire pression sur lui pour l'infléchir, toutes forces jointes, toutes circonstances utilisées». Se plaçant délibérément dans une perspective réformiste, Déat insiste sur les possibilités d'action accrues offertes par l'Etat depuis la Guerre mondiale, tout comme sur l'émergence des classes moyennes, ce qui revient *de facto* à minimiser le rôle de la classe ouvrière. Son révisionnisme qui ne peut pas ne pas heurter le discours socialiste traditionnel est accueilli avec intérêt par certains des responsables de la SFIO parmi les plus à droite comme Albert Thomas;

mais il est délibérement ignoré par Léon Blum qui refuse de s'exprimer publiquement à son sujet ce dont M. Déat semble avoir conçu une grande amertume. Ultérieurement, dans ses *Mémoires*[44], il date de ce fait «sa rupture intellectuelle et morale» avec le principal dirigeant de la SFIO: il pouvait prétendre jusqu'alors aux rôles les plus importants dans l'organisation et sans doute l'a-t-il envisagé. En écrivant ce livre publié aux éditions Valois, il pensait déranger et provoquer tout en espérant amener la majorité de la SFIO à ses vues.

Quoi qu'il en soit, cet élément personnel accroît les tensions et sans doute les divergences entre Blum et Déat tout en poussant ce dernier à s'engager davantage. En 1932 après avoir été élu député du XXe arrondissement à la suite d'une campagne vigoureusement anticommuniste, Déat se décide à mener un débat public dans le Parti sur ses positions. La victoire de la gauche aux élections législatives pose une nouvelle fois la question de la participation: les divergences entre la CAP et le Groupe parlementaire subsistent. Rien n'est réglé à la réunion d'Avignon de la SFIO en mars 1933 et deux données supplémentaires et de taille viennent alors s'ajouter à ce débat: désormais la crise mondiale touche la France et ses conséquences économiques et sociales se font sentir. Par ailleurs Hitler est au pouvoir depuis quelques semaines et si les socialistes, Léon Blum en tête, sont fort hésitants quant à leur diagnostic du régime nazi, ils ont cependant pris conscience de l'importance et de la gravité de l'événement. Plus que jamais Déat et ses amis politiques estiment qu'entre le fascisme et le socialisme s'est engagée «une course de vitesse». Mais contrairement à la gauche de la SFIO et de l'IOS, ils pensent qu'en raison de ce contexte nouveau, la solidarité internationale traditionnelle tend de plus en plus à être dépassée; c'est au sein du cadre national qu'il faut maintenant réfléchir aux grandes orientations stratégiques du socialisme. Le rassemblement anticapitaliste avec les classes moyennes prôné par Déat et ses proches doit se situer dans ce cadre. De façon peut-être encore un peu plus tranchée, ces conceptions sont défendues lors du XXXe congrès de la SFIO en juillet 1933 à Paris par M. Déat, B. Montagnon et surtout A. Marquet, maire de Bordeaux qui dans un discours célèbre reposant sur les trois notions «d'ordre, autorité, nation» [45] provoque, comme on le sait, «l'épouvante» de Léon Blum. La scission qui n'était peut-être pas jusqu'alors voulue par Déat devient inévitable: deux mois plus tard, le 5 novembre 1933, Déat, Marquet, 28 députés, six sénateurs et six Fédérations s'organisent en un Parti socialiste de France-Union Jean Jaurès, fort d'une vingtaine de milliers d'adhérents.

Fin 1933, la situation de Déat est donc tout autre que celle de De Man ce qui traduit dans une certaine mesure les orientations et les rapports de force fort différents existant respectivement au sein de la SFIO et du POB. Ce dernier, qui se situe sans doute politiquement plus à droite, a entrepris une démarche novatrice, tant d'un point de vue théorique que stratégique. Rappelé quelques mois auparavant (début 1933) par E. Vandervelde pour préparer «un plan d'action économique, une plate-forme de revendication immédiate et un programme d'action pour le gouvernement», de Man prend la tête d'un «Bureau d'études sociales» chargé de concevoir un tel programme et de le mener à bien. Au nom de cet organisme, il s'exprime en septembre 1933 dans une série d'articles parus dans *Le Peuple*, au moment précis où Déat est engagé dans un processus de scission: on ne peut pas ne pas relever ici la coïncidence des dates. Ce programme est adopté avec enthousiasme par le congrès du POB en décembre 1933 sous le terme générique de Plan du Travail [46] sous lequel il est passé à la postérité. Visant «à une transformation économique et politique du pays», il se propose d'instaurer «un régime d'économie mixte» reposant conjointement sur deux secteurs: l'un privé, l'autre nationalisé (crédit, industries principales); ainsi réorganisée, l'économie se verra soumettre des directives d'intérêt général visant en tout premier lieu à la résorption du chômage. Ce processus s'accompagnera d'un renforcement du pouvoir de l'Etat qui le rendra apte «à créer les bases d'une véritable démocratie économique et sociale». Le Plan vise à grouper contre le capitalisme financier et monopoliste toutes les forces sociales actives. Son originalité réside dans sa volonté d'organiser la lutte contre le fascisme non pas en faisant de l'antifascisme mais en s'en prenant aux causes du fascisme. Vis-à-vis de ce dernier il ne faut plus avoir une attitude défensive mais offensive. A la différence de la gauche socialiste belge et surtout internationale, de Man ne se contente pas de proposer un pacte politique entre différents partis (ce qui dans une certaine mesure se fera durant le Front populaire) mais il innove en jetant les bases d'une possible alliance sociale. Susceptible de créer une dynamique nouvelle autour de la classe ouvrière mais pas seulement avec elle, elle se fera au profit de cette dernière; elle créera les conditions propices au renversement de la tendance générale existant en faveur du fascisme en Europe. Le but essentiel du Plan est de créer cette dynamique et sur ce point les propositions énoncées par de Man en 1933 rejoignent ses analyses de 1927: la question fondamentale — et trop négligée à ses yeux par le mouvement socialiste — reste celle des mobiles, des motifs subjectifs. Le Plan veut créer une mystique.

Adopté chaleureusement par le congrès du POB, le Plan est plus particulièrement encore soutenu par les leaders syndicaux que par les politiques du POB: séduits par ses fondements économiques ils y voient un moyen concret de lutte contre le chômage. L'enthousiasme est également grand parmi les organisations de jeunesse, et d'abord la Jeune garde socialiste ainsi que dans la gauche du Parti qui, toujours autour de Paul-Henri Spaak, publie depuis 1932 *L'Action socialiste*. (Elle a succédé à *La Bataille socialiste*, fondée, rappelons-le, en 1927). Ce soutien qui peut rétrospectivement paraître surprenant, voire paradoxal, permet à de Man de toucher une fraction non négligeable d'opposants parmi les plus actifs dans le Parti. Cette conjonction, ces convergences montrent bien les ambiguïtés qui agitent le socialisme belge et, au delà, le socialisme international à la recherche de solutions nouvelles. Les leaders du POB, Vandervelde en tête, n'ont guère de perspectives stratégiques originales à offrir et c'est pourquoi ils ont fait appel à de Man en dépit du fait qu'il ait remis en cause de la façon la plus explicite qui soit les dogmes du parti. De son côté la gauche résolument antifasciste soutient l'action de celui pour qui l'antifascisme est inutile voire dangereux car il risque de faire manquer la cible principale. Derrière le programme du Plan se côtoient donc des analyses et des stratégies politiques diverses pour ne pas dire opposées: chacun peut interpréter le Plan à sa façon! Cette période d'ambiguïté dure jusqu'en mars 1935, date de l'entrée de De Man et de Spaak dans le gouvernement Van Zeeland. Entre temps le contexte politique a changé depuis 1933 puisque en quelques mois l'Europe a connu la semaine sanglante de Vienne (janvier 1934), les manifestations ouvrières de février 1934 à Paris en réaction à la tentative du coup de force de l'extrême droite, puis dans les mois qui suivent une modification de l'orientation de l'Internationale communiste qui sera définitivement entérinée à l'issue de son VIIe et dernier congrès en juillet 1935. Quelques mois plus tôt de Man est devenu ministre des Travaux publics et de la résorption du chômage puis ministre des Finances après les élections de 1936. A partir de mars 1936, avec le développement de l'extrême droite sous la forme du rexisme en Belgique puis en raison de la guerre d'Espagne, c'est de plus en plus le pacifisme de

De Man qui surdétermine son évolution: il rejoint en cela la droite de l'IOS au sein de laquelle les partis socialistes d'Europe du Nord défendent la neutralité dans la perspective d'un nouveau conflit mondial que tout le monde pressent. A la mort de Vandervelde en 1938, il devient président du POB.

Son émule français Marcel Déat poursuit un parcours d'abord bien différent; ce n'est que plus tard que le pacifisme les rapproche. L'organisation créée par le révisionniste français, le Parti socialiste de France, n'arrive guère à s'imposer, connaît dès 1934 des scissions avec notamment le départ d'A. Marquet et sa demande d'affiliation à l'IOS est rejetée par cette dernière. Après moins d'un an d'existence le néo-socialisme se trouve en crise permanente. Son regroupement avec deux autres petites formations, le Parti socialiste français et le Parti socialiste républicain donne naissance en novembre 1935 à l'Union socialiste républicaine mais cette initiative n'est guère plus couronnée de succès. Tout en continuant à s'inspirer des idées de De Man, — il anime en 1935 un Comité du Plan où se retrouvent des syndicalistes comme Robert Lacoste et des cadres du patronat — Déat apparaît surtout comme un parlementaire réformiste préoccupé de sa carrière personnelle. Ses efforts aboutissent enfin en janvier 1936 où le ministère de l'Air lui est confié dans le gouvernement Sarraut. Il ne semble pas l'avoir marqué d'une empreinte impérissable même si manifestement il s'est réjoui d'une telle responsabilité. Mais les élections du Front populaire voient sa défaite au profit du communiste A. Langumier. Dès lors la trajectoire politique de M. Déat va s'infléchir vers un pacifisme de plus en plus affirmé. Jusqu'à la Seconde Guerre mondiale, il poursuit assidûment son activité de journaliste mais n'a plus rien à voir avec le mouvement socialiste.

En France, c'est principalement dans la CGT que les idées planistes ont leurs partisans. A partir de 1932 la

CGT défend l'idée d'un système économique, mixte, intermédiaire entre le capitalisme et le socialisme. Le Plan de la CGT ne s'inscrit pas dans la perspective d'une transformation socialiste de la société mais représente «un tout indivisible qui établit les bases d'une économie nouvelle par laquelle se résoudra la crise et se résorbera le chômage». Pour la CGT les nationalisations n'ont de sens que dans le contexte plus large du Plan. Ces thèmes qui rencontrent un large écho dans la centrale syndicale au cours des années 1933-1935 se verront bien occultés, voire oubliés, sous le Front populaire: qu'ils soient dans la CGT réunifiée à partir de 1936, ou qu'ils s'expriment indépendamment dans le cadre de leur Parti, les communistes sont opposés à la notion de Plan qu'ils jugent réformiste; ils ne seront acquis à l'idée de nationalisation qu'à partir de février 1937 [47]. Au sein de la SFIO, le petit groupe de *Révolution constructive* constitué, autour de Georges et Emilie Lefranc, de militants tels que Maurice Deixonne, Jean Itard, Claude Lévi-Strauss, Robert Marjolin [48] a publié en 1932 un ouvrage sous le même titre. A l'automne 1933 ce groupe accueille avec enthousiasme le programme du Plan du Travail et jusqu'en février 1934 semble être en mesure de gagner une réelle audience au sein de la SFIO. Mais son orientation anticommuniste le met complètement en porte à faux vis-à-vis des événements à partir de cette date où, à la suite des journées de février, la dynamique unitaire se développe. Dès lors l'heure de *Révolution constructive* est passée dans la SFIO ce qui n'empêche pas G. Lefranc de poursuivre à l'échelle internationale sa défense du planisme en participant aux seconde et troisième conférences des Plans (Genève, 1936 et Pontigny, 1938). Ironie de l'histoire: au moment ou l'unité d'action devient possible entre communistes et socialistes dans certains pays, le Planisme se met complètement à l'écart de cette dynamique en Belgique comme en France.

Contre le fascisme et la guerre: unité d'action ou non avec les communistes (1933-1940)

Tirant sans doute les leçons des événements d'Allemagne puis d'Autriche, poussée par le désir d'unité des masses ouvrières, l'Internationale communiste amorce un vaste tournant stratégique tout au long de l'année 1934. La politique «classe contre classe» dite de la troisième période est progressivement abandonnée, les attaques cessent contre les socialistes et l'unité d'action entre progressivement dans les faits entre les forces ouvrières de certains pays. On le sait, c'est d'abord en France et principalement dans ce pays, que cette politique porte ses fruits même si elle est aussi appliquée en Espagne et en Belgique. Il convient de revenir ici un instant en arrière pour voir comment cette question est traitée à l'échelle internationale au sein de l'IOS. Profondément frappée sans doute par l'arrivée de Hitler au pouvoir, l'IOS a proposé dès le 19 février 1933 à l'IC «de suspendre la lutte fratricide» et de rechercher les moyens d'unir les forces ouvrières pour mener la lutte commune contre le fascisme. Cette réaction «à chaud» représente la plus grande ouverture faite par l'IOS en matière d'unité d'action. Mais elle est très brève: bien vite la tendance s'inverse et le balancier recule. Un mois plus tard l'exécutif de l'IOS réuni les 17/18 mars ordonne à ses partis affiliés de n'entreprendre aucune négociation avec les sections de l'IC avant que n'ait été définie une stratégie d'ensemble. Cette question se trouve ensuite au cœur des débats de la conférence de Paris qui s'achève sur un compromis qui ne résout rien: il est décidé de «n'épargner aucun effort pour réunir les forces dispersées de la classe ouvrière». Jusqu'en mai 1933, Blum, Adler, Bauer et même Vandervelde semble-t-il ont été favorables à la perspective de l'unité d'action mais à partir de l'été 1933 il y a incontestablement un recul dans l'orientation de la majorité de l'IOS à ce sujet. Et de fait, ni les événements de Vienne, ni les journées parisiennes de février 1934, ni la révolte des Asturies d'octobre 1934 en Espagne, ni le VIIe congrès de l'Internationale communiste ne feront à nouveau progresser la cause de l'unité d'action dans l'IOS. C'est plutôt l'inverse qui se produit. Contrairement peut-être à ce qu'une lecture rapide laisserait suggérer, la défaite des socialistes autrichiens favorise une inflexion à droite de l'IOS et entraîne un recul de l'influence des thèses du socialisme révolutionnaire. Pour les courants réformistes du socialisme européen, la débâcle du socialisme autrichien représente le «Waterloo» du socialisme révolutionnaire et des théories insurrectionnelles qui en la circonstance ont révélé toute leur impuissance. S'ils sont d'accord avec la gauche sur la nécessité de combattre le fascisme, ils divergent radicalement de cette dernière sur les méthodes à employer, pensent que le fascisme se nourrit tout particulièrement des craintes de la révolution manifestées par les classes moyennes. Il convient donc de ne pas donner prise à de telles frayeurs et de rester sur le strict terrain de la démocratie, ce qui passe par une rupture complète avec le communisme. Ces thèses ne sont pas nouvelles et ont déjà été énoncées tant au IVe congrès de l'IOS que lors de la Conférence internationale de Paris d'août 1933. Mais elles gagnent en influence en raison de l'évolution des événements. Dans l'IOS elles contribuent à figer deux tendances nettement opposées, en total désaccord sur cette question aussi cardinale qu'urgente; ce qui va empêcher l'Internationale de définir une position commune et bloquer toute initiative de sa part. A partir de cette constatation on peut dater de ces années 1933-1934 les débuts de la crise ultime de l'IOS. Voyons-en le déroulement.

C'est d'abord en France, qu'à la suite des journées de

février 1934 est posée la question de l'unité d'action et que cette politique commence *de facto* à être mise en application; elle sera également pratiquée quelques mois plus tard en Espagne. Réuni en mai 1934, l'exécutif de l'IOS, après avoir débattu de cette question dont l'actualité croît de jour en jour décide de surseoir à toute décision. Cependant bien vite des brèches s'ouvrent et l'unité d'action entre les sections française de l'IOS et de l'IC commence à entrer dans les faits avant même d'être reconnue par un pacte signé entre les deux formations en juillet 1934. Il semble bien que cet accord se soit fait contre la volonté de la majorité de l'IOS au moment où l'importance de la situation en France dépasse le cadre national et tend à devenir le modèle de la lutte contre le fascisme à l'échelle européenne. Afin de justifier leur politique, les représentants français à l'exécutif de l'IOS demandent au Bureau qu'une discussion internationale soit engagée sur cette question mais ils n'obtiennent pas gain de cause. Les socialistes tchèques, scandinaves, hollandais et britanniques sont résolument opposés à cette orientation. Très vite le problème se trouve posé à l'IOS dans les termes suivants: la France représente-t-elle un cas particulier ou bien constitue-t-elle le cadre pionnier d'une nouvelle orientation générale du Komintern?

Quelques semaines plus tard la révolte des Asturies en Espagne vient poser avec plus d'acuité encore la question de l'unité d'action; ce climat politique en pleine évolution rend possible le 15 octobre 1934 une entrevue officielle à Bruxelles entre Cachin et Thorez pour l'IC, Adler et Vandervelde pour l'IOS. Il semble qu'une première rencontre non officielle et destinée à préparer cette reprise de contact ait eu lieu dès septembre 1934 entre Adler et un délégué russe dont on ignore l'identité, mais ce fait reste à confirmer. Les résultats de la réunion de Bruxelles sont assez limités. Marqué sans aucun doute par des réminiscences de la conférence de Berlin de 1922, F. Adler cherche à définir les conditions d'une action commune avec l'IC. Reconnaissance de la part de cette dernière des institutions démocratiques, suspension de ses attaques contre l'IOS constituent selon Adler les préalables indispensables d'une future démarche unitaire. Une question de fond continue à nourrir la perplexité des dirigeants de l'IOS: l'orientation suivie en France par l'IC est-elle valable sur un plan géographique plus général ou non?

Réuni du 13 ou 16 novembre 1934 à Paris, l'exécutif de l'IOS est destiné à «faire le point» après cette rencontre officielle avec l'IC. Les fils viennent d'être renoués après douze ans d'interruption. La discussion s'organise sur la base de deux rapports, le premier de Vandervelde relatant l'entrevue de Bruxelles un mois plus tôt, le second de Léon Blum présentant un premier bilan de l'expérience française en cours. Cette réunion aggrave encore les différences de points de vue entre la droite de l'IOS pour qui l'unité d'action serait purement et simplement une «catastrophe» ainsi qu'un tremplin pour le fascisme dans des pays comme les Pays-Bas et la gauche constituée des sept organisations suivantes: SFIO, PSI, PSOE, Bund polonais, Parti socialiste suisse, s.d. russes et socialistes autrichiens qui se situent dans la continuité de l'appel de février 1933. Exprimant une sensibilité commune, les organisations qui la composent refusent néanmoins de se constituer en tendance pour éviter de courir le risque de provoquer une scission qui, selon elles, ne pourrait qu'être des plus préjudiciables au socialisme international. En face d'elles, les socialistes des pays scandinaves, de la Tchécoslovaquie, des Pays-Bas, de la Belgique, les mencheviks russes et la majorité de la direction du SPD en exil à Prague, le Labour Party enfin — quoique pour ce dernier parti de façon un peu plus nuancée — se résignent à laisser la SFIO poursuivre son expérience à la condition expresse de ne pas engager l'organisation internationale. Au cours de violents débats, Albarda, président du Parti hollandais va jusqu'à menacer de remettre en cause l'unité de l'Internationale à ce sujet. Dans un climat de grande tension, une majorité d'une vingtaine de voix sur un total de 250 repousse toute forme d'unité d'action. En la circonstance, l'exécutif revient sur une décision statutaire capitale prise en 1923 et se résout à rendre leur liberté aux sections nationales. C'est entériner ainsi un état de fait et se résigner à l'existence de forces centrifuges au sein de l'IOS. Dès lors ses sections vont de plus en plus agir en fonction de leurs intérêts nationaux en prenant leur distance vis-à-vis de tout engagement international. Pour l'IOS, l'exécutif de novembre 1934 met un point final au chapitre de l'unité d'action au moment même où se créent dans plusieurs pays européens les conditions nécessaires à sa réalisation [49].

Ni le VIIe congrès de l'IC (été 1935) ni la guerre d'Ethiopie n'inverseront cette tendance. Ils ne feront plutôt que la renforcer. Mais l'incapacité de l'IOS à mener à bien une action internationale coordonnée apparaît de façon plus tragique encore durant la guerre d'Espagne à partir de l'été 1936 [50]. L'importance de cette guerre civile dans l'histoire des relations internationales et dans la marche vers une nouvelle guerre mondiale n'est plus à démontrer aujourd'hui. Pendant ces mois décisifs la politique de l'IOS se caractérise par une formule, la non-intervention alors que l'aide apportée par les régimes fascistes, l'Allemagne hitlérienne, l'Italie mussolinienne va peser d'un poids décisif et permettre en fin de compte la victoire des franquistes espagnols. Pendant toute la guerre, en raison de ses profondes divisions internes, l'IOS s'avère inapte à intervenir comme une Internationale au moment même pourtant où socialistes espagnols et français sont au pouvoir.

Dès le 28 juillet 1936 les bureaux de l'IOS et de la

Fédération syndicale internationale se réunissent à Bruxelles «pour examiner les possibilités de secours à la classe ouvrière espagnole en lutte contre l'agression fasciste». Caractérisant la cause de l'Espagne comme celle de «la démocratie universelle», l'IOS et la FSI se placent tout entières «aux côtés des ouvriers et des paysans espagnols dans leur lutte intrépide pour la démocratie et la République». Elles dénoncent la responsabilité des Etats fascistes qui soutiennent les rebelles espagnols et appellent la classe ouvrière internationale à donner tout «l'appui matériel et moral» dont ont besoin les paysans et les ouvriers espagnols. Cependant cette solidarité est subordonnée à une approche du problème essentiellement diplomatique comme le montre la déclaration suivante:

> «Exiger de tous les Etats démocratiques que conformément aux règles constantes du droit international le gouvernement régulier et légal de l'Espagne puisse obtenir les moyens nécessaires à sa défense» [51].

Mais il n'est nullement précisé la nature de ces moyens et la façon de les obtenir. Cette orientation définie dès le début de la guerre civile, ne variera guère ensuite tout au long des événements. Dans les premiers jours d'août 1936, Louis de Brouckère, le président de l'IOS part pour l'Espagne pour un voyage d'information et de solidarité dont il fait le compte rendu dès son retour dans *Le Populaire* et dans *Le Peuple*. Tout en rappelant la nécessité de la solidarité internationale de la classe ouvrière aux républicains espagnols il conclut en reprenant la teneur du texte du 28 juillet.

Bien entendu les événements d'Espagne sont, dès les premiers jours, suivis avec une extrême attention par le gouvernement du Front populaire dirigé par Léon Blum. Tout d'abord il cherche à aider les républicains espagnols en leur faisant parvenir secrètement des armes. Mais bien vite cette initiative est connue, rendue publique et dès le 23 juillet la presse de droite se déchaîne et entame une violente campagne contre cet appui. Cette agitation rencontre un certain écho mais d'autres pressions plus efficaces encore vont contraindre Léon Blum et son gouvernement à modifier leur position. Une rencontre entre les gouvernements français et britannique (Anthony Eden, Winston Churchill) ne laisse aucun doute à Léon Blum sur la volonté britannique d'une politique de non-intervention en Espagne. C'est également la position adoptée par les ministres radicaux qui au sein du gouvernement français interviennent activement dans le même sens.

Ces pressions conjuguées expliquent que Léon Blum se résolve à proposer aux puissances étrangères un accord de non-ingérence dans l'affaire espagnole. Dès le 9 août il s'exprime en ce sens à l'occasion d'un rassemblement pour la paix qui se tient à Saint-Cloud et insiste sur les risques d'une conflagration généralisée encourue en Europe à partir de tout conflit localisé. Il faut donc tout faire pour circonscrire le danger — «la paix est générale ou elle n'est pas» — et faire en sorte que la guerre d'Espagne reste strictement l'affaire des seuls Espagnols. A partir de telles prémisses, une seule politique, la non-intervention, est alors possible.

Durant le mois d'août les principales puissances européennes se rallient, formellement du moins, à cette orientation. Dès le 8 août la Grande-Bretagne fait connaître publiquement sa position suivie, dans le même sens, deux jours plus tard par l'Union soviétique. Le 17 août c'est le tour de l'Allemagne puis le 21 de l'Italie — elle a donné une adhésion de principe dès le 11. Le Portugal est plus long à se prononcer puisqu'il ne le fait que le 21 septembre. Entre temps l'Espagne a changé de gouvernement: le 4 septembre le socialiste Largo Caballero succède au républicain Giral. Dans le nouveau cabinet siègent pour la première fois des ministres communistes aux côtés des socialistes. Deux jours plus tard lors d'un meeting tenu à Luna Park, Léon Blum justifie à nouveau la politique de non-intervention en rappelant qu'elle est également défendue par l'Union soviétique et qu'elle n'a suscité «aucune objection de la part des autres puissances».

Ce choix, proposé et assumé par le gouvernement français, coïncide parfaitement avec l'orientation de l'Internationale ouvrière socialiste. Le 22 août une nouvelle réunion des secrétaires de l'IOS et de la FSI a lieu à Paris à laquelle assistent de Brouckère, Adler, Citrine, Schevenels, Jouhaux, Mertens, Gillies, Bracke, Zyromski, Delvigne. L'orientation définie le 28 juillet précédent est réaffirmée et confirmée. Le 30 août se tient à Genève une rencontre socialiste internationale à laquelle prennent part des députés du Labour Party. Salomon Grumbach, un des spécialistes des questions de politique étrangère de la SFIO y fait un exposé consacré aux relations franco-allemandes qu'il définit comme reposant d'abord sur «une politique de paix». Au cours de cette réunion il dit notamment:

> «Même avec l'Allemagne hitlérienne la France du Front populaire ne rejette pas une politique de paix à la condition que la démocratie, les amitiés traditionnelles de la France et par-dessus tout les principes de la sécurité collective inclus dans le pacte ne souffrent aucun dommage» [52].

Au même moment l'aide militaire de Hitler et Mussolini à Franco est devenue une réalité quotidienne et tangible qui modifie largement les données de la guerre civile en Espagne.

Une nouvelle réunion des instances dirigeantes de l'IOS et la FSI a lieu à Paris à la fin du mois de septembre. La politique de non-intervention continue d'être alors défendue bien qu'à cette date elle soit visiblement bafouée par l'Allemagne et l'Italie. Cet élément nouveau ne modifie pas pour autant l'orientation de l'IOS et de la FSI qui rappellent que «conformément à leur déclaration du 28 juillet et... aux règles du Droit international, le gouvernement régulier et légal (espagnol) doit obtenir les moyens nécessaires à sa défense». Certes l'IOS prend acte des déclarations faites par le ministre des Affaires étrangères d'Espagne à la SDN «selon lesquelles les généraux rebelles qui se sont soulevés contre le gouvernement légal issu des élections du 16 février ont été ravitaillés en armes, avions, tanks par l'Allemagne et l'Italie, directement ou par l'intermédiaire du Portugal». Aussi appelle-elle les gouvernements à prendre en compte la gravité de ces faits: l'accord de non-intervention ne peut être maintenu qu'«autant qu'il est loyalement observé par tous». La violation de cette convention «doit aboutir à un nouvel examen de la situation par les autres Etats». Mais après avoir réaffirmé le soutien total de l'IOS et de la FSI à la classe ouvrière espagnole, ces deux organisations sont incapables d'avancer le moindre mot d'ordre concret pour faire face à la situation. En dépit de son caractère de plus en plus illusoire, la politique de non-intervention n'est à aucun moment remise en cause même si dans les faits elle en vient à représenter un obstacle à la solidarité vis-à-vis des républicains espagnols: elle les prive du soutien en armes qui leur aurait été indispensable au moment où l'Allemagne et l'Italie contribuent de façon décisive sur ce plan à la victoire du franquisme.

Il y a d'ailleurs une contradiction dans l'affirmation conjointe de la politique de non-intervention et de la «non-neutralité du mouvement ouvrier international vis-à-vis des républicains espagnols». La politique de non-intervention a d'abord été voulue par la Grande-Bretagne qui avec l'appui des radicaux français l'a imposée au gouvernement de Léon Blum. Il est significatif de voir l'IOS soutenir cette orientation: preuve supplémentaire, s'il en était besoin des rapports de force existant alors au sein de cette organisation où le Labour anglais, appuyé par les Belges et les socialistes de l'Europe du Nord donnent la priorité au statu quo sur l'antifascisme. Ne rien faire qui pourrait exciter les puissances fascistes, refuser toute alliance avec les communistes pour ne pas effrayer les classes moyennes et les jeter dans les bras du fascisme: cette analyse est déjà vieille de plusieurs années mais à partir de l'été 1936 ses conséquences internationales sont immédiates et lourdes pour l'avenir. La «non-intervention» de l'IOS en Espagne illustre de façon parfaitement claire les rapports de force qui existent dans ses rangs et cette manifestation d'«internationalisme manqué» est une étape supplémentaire — et de taille — vers sa disparition de la scène politique. Ce choix contribue à augmenter les illusions sur les possibilités d'un système de sécurité collective internationale auquel adhéreraient également l'Allemagne et l'Italie; ceci au moment où leur approbation du principe de non-intervention s'accompagne dans les faits d'une violation de ce principe et d'une pratique rigoureusement inverse à leurs déclarations. Nous avons déjà relevé cet alignement de l'IOS sur la SDN dans la seconde moitié des années Vingt. Rien n'a changé dix ans plus tard si ce n'est que dans un contexte tout autre, l'impuissance tragique de ces deux organisations éclate désormais au grand jour. Cela ne signifie pas que les partis adhérents de l'IOS ne se soient pas mobilisés pour organiser le soutien à l'Espagne républicaine: l'aide matérielle a existé mais la position politique de l'Internationale a contribué à l'isolement des républicains espagnols et donc à leur défaite. De plus le soutien actif à l'Espagne républicaine aurait signifié un rapprochement *de facto* avec le mouvement communiste que continuait de refuser la droite de l'IOS. Les grands «procès de Moscou» (juillet 1936 puis mars 1937) viennent encore aggraver une défiance déjà ancienne et constituer un obstacle de plus à toute possibilité de coopération: ils fournissent un argument supplémentaire à cette «droite» qui, dès la fin de 1934, a menacé de rompre si le moindre rapprochement était esquissé en ce sens. De façon paradoxale ce tragique épisode est minimisé voire occulté par les partis socialistes français et espagnol alors engagés dans la politique de Front populaire: il ne faut rien faire qui puisse remettre en cause l'unité si difficilement obtenue [53]. Ce souci explique la discrétion de la SFIO et du PSOE durant cet épisode. Seul F. Adler, toujours secrétaire de l'IOS mais également membre du Parti socialiste autrichien en exil et donc sans grandes responsabilités à ce niveau, ose dénoncer ces «nouveaux procès en sorcellerie» [54]. Mais il n'est pas suivi et, pas plus que sur la guerre d'Espagne, l'IOS n'est en mesure de définir une position publique et commune au sujet des Procès de Moscou.

Il en va différemment pour le socialisme de gauche qui continue de se renforcer et de se structurer dans le cadre d'un courant international durant les années 1935-1937. Revenons ici un instant en arrière, au lendemain de la conférence de Paris d'août 1933 du Bureau de Paris et de l'IAG qui a favorisé un rapprochement entre ces deux organismes. Leur fusion formelle s'effectue un an et demi plus tard, en février 1935, lors d'une nouvelle conférence internationale réunie à Paris puis le dernier jour à Saint-Denis, dans le fief de J. Doriot alors intéressé pour une brève période par ce courant politique dont les thèses sur l'unité ouvrière sont proches des siennes. Il n'est pas le seul et des représentants de la gauche de l'IOS — Jean Zyromski, des membres du Bund polonais — suivent également ces débats. Bientôt cependant ce thème principal se pose en des termes tout à fait nouveaux. La réorientation stratégique de l'IC, la politique frontiste suivie en Espagne et en France mettent en porte à faux le Bureau de Londres en vidant le contenu du combat pour lequel il milite depuis des années: d'autres forces politiques plus puissantes reprennent à leur compte le thème de l'unité. Aussi se fait-il davantage le défenseur du socialisme révolutionnaire en face du «réformisme» des deux Internationales. De la fusion de l'IAG avec le Bureau de Paris naît en février 1935 une nouvelle organisation, le Bureau international d'unité socialiste révolutionnaire (BIUSR) plus connu sous le nom de Bureau de Londres.

En septembre 1935 le BIUSR bénéficie de deux apports notables: c'est en effet au cours de ces mois que se constituent la Gauche révolutionnaire (GR) de la SFIO et le Parti ouvrier d'unification marxiste (POUM) espagnol. Bien que non affiliée au Bureau de Londres, la GR défend sa politique. Quant au POUM il décide de l'adhésion au Bureau dès sa fondation. A son apogée la GR influence jusqu'à 50 000 militants de la SFIO et en septembre 1936, au même moment, le POUM regroupe quelques 60 000 adhérents. Ces chiffres montrent bien l'implantation nullement négligeable de ces deux organisations et leur force. Dès leur formation ou presque, elles sont confrontées aux problèmes posés par le développement des Fronts populaires et, dans les mois suivants, doivent se définir vis-à-vis de ce processus révolutionnaire qui connaît son terme avec les journées de Barcelone en mai 1937. Dès lors, en Espagne comme en France, le cycle offensif qui caractérisait depuis plusieurs mois l'intervention de la classe ouvrière sur la scène politique se termine, la tendance s'inverse et le prolétariat se trouve de plus en plus acculé à la défensive jusqu'à la Seconde Guerre mondiale. Durant la seconde moitié de l'année 1936, le POUM a une grande influence sur la stratégie du Bureau de Londres dont il représente l'aile gauche (le Bureau de Londres n'est pas politiquement homogène et comme dans l'IOS des lignes contradictoires s'y côtoient). C'est principalement à partir de la situation affrontée par le POUM et dans une moindre mesure la GR que s'organise sa vie politique. Faut-il se situer à l'extrême gauche des Fronts populaires, et de l'intérieur, tout faire pour infléchir leur orientation à partir d'une mobilisation ouvrière, ou doit-on au contraire condamner la «collaboration de classe» à laquelle ils se livrent? Cette question n'a rien de théorique: le 15 janvier 1936, le POUM s'est décidé à signer le pacte de Frente popular avec républicains, socialistes et communistes, tout en précisant bien qu'il ne s'agissait que d'un pacte de circonstance valable pour les seules élections. Quelques mois plus tard la Gauche révolutionnaire se trouve confrontée à un problème relativement analogue à la suite de l'arrivée au pouvoir du Front populaire en France. Léon Blum propose à son principal dirigeant, Marceau Pivert, un poste de responsable au contrôle politique de la presse, de la radio et du cinéma ce qui équivaut à un poste de secrétaire d'Etat à l'information sans le titre. M. Pivert accepte ces responsabilités dans les premiers jours de juin 1936; il démissionnera de ses fonctions le 28 février 1937. Cette décision et celle prise par le POUM le 25 septembre 1936 consistant à déléguer Andres Nin, son leader, au ministère de la Justice en Catalogne reflètent bien la politique du Bureau de Londres pendant ces mois cruciaux: essayer de peser sur l'évolution des Fronts populaires «de l'intérieur», leur apporter un soutien critique, contrairement au mouvement trotskiste qui, avec ses forces des plus réduites dénonce la stratégie frontiste comme contre-révolutionnaire [55].

Durant cette période, le Bureau de Londres s'efforce de regrouper l'extrême gauche européenne en se réclamant d'un socialisme révolutionnaire tout aussi distinct d'une pratique réformiste que du communisme stalinien. Comment intervenir dans les luttes de classe qui se développent alors avec ampleur en France et en Espagne? Ces questions sont longuement débattues lors d'un congrès international [56] organisé du 31 octobre au 2 novembre 1936 à Bruxelles par le Bureau de Londres auquel assiste la quasi-totalité de la gauche socialiste révolutionnaire européenne à l'exception des trotskistes qui le dédaignent et des anarchistes qui l'ignorent. Dans un rapport introductif, Fenner Brockway, secrétaire de l'ILP, met l'accent sur le caractère international de la lutte des classes que connaît alors l'Espagne «première bataille de la guerre de classe qui deviendra européenne». Laisser les fascistes l'emporter, c'est leur donner un avantage considérable «qui pourrait être décisif dans un conflit ultérieur». Brockway critique les deux Internationales ouvrières de ne pas avoir compris cette vérité essentielle. Trois mois ont ainsi été perdus pour venir en aide aux républicains espagnols. Le gouvernement — et les socialistes français — ont préféré l'alliance avec les radicaux et la Grande-Bretagne plutôt que la mobilisation de masse. Leur politique de non-intervention a été entérinée par l'Union soviétique qui, dans le cadre du pacte Laval-Staline, a besoin de l'alliance avec la France. Cependant Brockway relève les signes d'un début de changement de la part de l'Union soviétique qui plus qu'hier vient en aide aux républicains espagnols. Mais comment rattraper le temps perdu?

Toujours selon Brockway, les aspects internationaux de la guerre d'Espagne sont fonction de sa dynamique interne. Contrairement à ce que prétendent l'IOS et le Komintern, ce qui se joue alors en Espagne n'est pas une lutte entre le fascisme et la démocratie mais un combat révolutionnaire dont l'enjeu est le socialisme ou le fascisme. Ce combat concerne le prolétariat mondial dans son ensemble. La poursuite de la guerre, sa victoire future dépendent en fin de compte de l'approfondissement du processus révolutionnaire: guerre et révolution doivent être menées de pair. Cette analyse diverge radicalement de celle que développent communistes et socialistes pour qui les conquêtes démocratiques du prolétariat espagnol sont d'abord fonction de la victoire militaire et pour qui il est totalement erroné de parler de révolution en Espagne. Le congrès se sépare après avoir adopté une résolution affirmant les points suivants:

— solidarité indispensable envers la classe ouvrière espagnole dont l'enjeu de la lutte est international et concerne le prolétariat dans son ensemble.

— condamnation de la politique de «neutralité» suivie par les gouvernements français, britannique et l'Union soviétique «qui crut nécessaire de s'associer à cet accord mensonger de non-intervention».

— nécessité d'une action de classe du prolétariat international pour aider la classe ouvrière espagnole de toutes les façons possibles (politique, matérielle).

— réaffirmation du principe selon lequel «l'antagonisme n'est pas entre la démocratie capitaliste et le fascisme mais entre le socialisme et la fascisme». Ce qui implique pour la Révolution espagnole le développement «d'organes de masse , ouvriers et paysans» ainsi que la lutte «pour la conquête définitive du pouvoir et l'édification d'une société socialiste» [57].

De nombreux militants d'organisations adhérentes au Bureau de Londres partent au front en Espagne, apportant ainsi une solidarité de fait combattue avec violence par le mouvement communiste international, soucieux dans les derniers mois de l'année 1936 puis en 1937-1938 de supprimer — y compris physiquement — toute opposition ou virtualité oppositionnelle révolutionnaire sur sa gauche. L'assassinat d'Andres Nin, de l'Autrichien Kurt Landau qui a adhéré au POUM, de l'anarchiste italien C. Berneri, du trotskiste allemand Rudolf Klement, et de bien d'autres est une des composantes, longtemps occultée de la politique frontiste: celle-ci s'accompagne de la suppression de toute opposition, quelle qu'elle soit, existant «à gauche» [58].

Les divergences d'analyse sur la guerre d'Espagne entre l'IOS et le Bureau de Londres sont profondes et se cristallisent d'abord sur la question de la non-intervention. Jusqu'au début de l'année 1937, certains partis du Bureau de Londres — et parmi eux principalement le POUM — envisagent la création d'une nouvelle Internationale, socialiste et révolutionnaire. En définitive ce projet avorte, tant en raison des divergences qu'il suscite au sein du Bureau (le SAP allemand qui se rallie au Front populaire en janvier 1937 y est violemment opposé) que du changement du contexte politique européen et d'abord du recul de la Révolution espagnole. Les journées de mai 1937 caractérisées par l'écrasement de l'insurrection ouvrière fomentée par les anarchistes à Barcelone marquent un tournant dans la guerre civile en Espagne et plus largement dans la situation du prolétariat européen. Désormais le processus révolutionnaire qui a commencé avec les journées de février 1934 en France s'achève; le prolétariat va subir toujours davantage les événements sur lesquels il perd prise. Ni l'IOS, dès lors ouvertement en crise ni le Bureau de Londres, politiquement plus homogène mais aux forces trop limitées ne sont en mesure d'arrêter cette évolution. En se posant avec une urgence toujours plus accrue, la question de la guerre et de la paix va susciter des divisions nouvelles ou approfondir des clivages déjà anciens.

Dans ce contexte, le poids du pacifisme ne cesse de croître et les stratégies politiques qui en découlent sont conditionnées par lui. La sensibilité pacifiste gagne du terrain dans de nombreux partis où les socialistes traumatisés par les souvenirs de la Première Guerre mondiale ont trop souvent tendance à analyser la situation internationale de la fin des années Trente à travers le prisme de concepts antérieurs à 1914. Rétrospectivement il est facile

155

de montrer comment cette vision des choses a engendré des effets politiques pour le moins surprenants et a entravé la préparation à la lutte contre le fascisme. De plus la question de la guerre divise de nombreux partis nationaux — et pas seulement socialistes — de plus en plus partagés entre «bellicistes», partisans d'une politique de fermeté vis-à-vis du fascisme et «pacifistes» à la recherche de solutions d'accommodement avec lui. A la veille de la Seconde Guerre mondiale, la SFIO est au bord de l'éclatement entre ces deux courants lors de son congrès de Nantes en mai 1939[59]. En la circonstance les grandes lignes de partage antérieures réapparaissent et s'amplifient. A partir de 1938 les partis socialistes de l'Europe du Nord bénéficient du renfort du Parti ouvrier belge acquis à son tour à la politique de neutralité: à la mort de Vandervelde, la même année H. de Man devient président de cette organisation. Le 13 septembre 1938, ces partis regroupés dans le «Pacte d'Oslo» annoncent à la SDN leur volonté de rester neutres en cas de guerre. Ils continuent à manifester une hostilité totale au communisme: toute forme d'action avec lui ne pourrait que «provoquer» les puissances fascistes et précipiter leur intervention. Quelques semaines plus tard, l'exécutif de l'IOS réuni à Bruxelles est incapable de définir une orientation commune pour rédiger un texte condamnant les accords de Munich et doit se contenter d'une prise de position minimale demandant des «garanties démocratiques», omises dans les traités, pour les populations annexées par le Reich. En d'autres termes, l'opposition est irréductible au sein de l'IOS entre «munichois» et «antimunichois»: la SFIO approuve les accords de Munich, le Labour les condamne tandis que les Scandinaves, les Belges, les Hollandais et les Suisses optent pour la neutralité. Une dernière initiative de la SFIO en vue d'une action coordonnée entre les partis français, anglais, hollandais, belge et suisse se voit repoussée par le secrétaire de l'IOS qui se déclare incapable d'organiser la moindre réunion: au sein même de l'Internationale plus personne n'attend le moindre geste internationaliste [60]. Ici la différence est grande en comparaison d'août 1914: les illusions profondes et largement répandues dans la plupart des partis ont complètement disparu pour faire place à un sentiment où se mêlent résignation, impuissance et désabusement. Significativement, Adler et de Brouckère, respectivement secrétaire et président de l'IOS démissionnent de leurs fonctions en mai 1939. Après un court intérim exercé par Albarda, il échoit à C. Huysmans de revenir à la présidence de l'organisation moribonde: son nom qui évoque les échecs de la Première Guerre mondiale associe à cette faillite initiale la seconde catastrophe que tout le monde sent imminente. Il symbolise tragiquement ce nouveau naufrage de l'internationalisme. La dernière réunion du Bureau de l'IOS se tient à Bruxelles le 3 avril 1940. Un programme de «Reconstruction de l'Europe» y est rédigé et un appel pour le Ier mai se terminant par le souhait «d'une paix durable fondée sur la coopération internationale et la compréhension démocratique entre les peuples» y est lancé. Mais ni le nom de Staline ni celui d'Hitler n'y figurent: ce texte conçu trois semaines avant le début véritable de la Seconde Guerre mondiale et l'invasion de la Belgique et de la France reste sans la moindre portée. Quelques semaines plus tard, C. Huysmans quitte la Belgique pour prendre le chemin de l'exil à Londres où, jusqu'en 1945, il essayera de maintenir la fiction d'un organisme international. En vain: l'Internationale est morte en 1940 même si son acte formel de décès date de novembre 1946 à la conférence de Bornemouth.

Sa disparition progressive puis son agonie ont commencé bien avant. On peut les dater avec précision: l'Internationale cesse véritablement d'agir en tant qu'organisme de coordination du socialisme international à partir de 1933. Un indice et un témoignage, des plus autorisés puisqu'il provient de son principal responsable, son secrétaire F. Adler, le montrent. Le dernier congrès international de l'IOS s'est tenu à Vienne en 1931; en août 1933 une conférence — mais pas un congrès — s'est réunie à Paris. Ce sera la dernière manifestation internationale de l'IOS jusqu'à la Seconde Guerre. On ne saurait évidemment retenir la tenue de congrès ou de conférences internationales comme le seul critère d'internationalisme ou de vie réelle d'une organisation internationale. *A contrario* cependant, on doit estimer que l'incapacité de mener à bien une vie organisationnelle internationale normale et régulière est l'expression d'une crise profonde rencontrée par la principale composante politique, numériquement parlant du mouvement ouvrier: ce ne sont pourtant pas les sujets de débats qui ont manqué durant ces sept ans! Au même moment, les successeurs du Bureau de Paris, cette organisation «misérable»[61] comme le disait avec mépris ce même Adler en 1927, sont capables de tenir quatre réunions internationales (en 1935 à Saint-Denis, en 1936 à Bruxelles, en 1938 et 1939 à Paris)[62]. Il y a là un renversement de situation qui est l'indice de problèmes d'une tout autre gravité.

Le témoignage de F. Adler est plus accablant encore. Rédigeant en 1939 et en 1940 deux mémorandums sur l'activité de l'IOS, il y caractérise cette organisation qu'il est bien placé pour connaître comme une force «politiquement morte». Il écrit notamment:

> «Pendant la période la plus mouvementée de son existence (depuis 1931), l'IOS s'est abstenue d'établir en des délibérations politiques et en des discussions libres et approfondies la politique qui en tant que directive de l'Internationale eût dû constituer la ligne politique des partis affiliés. La convocation d'un congrès fut chaque fois rejetée lorsqu'un parti ou un fonctionnaire de l'IOS le suggérat»[63].

Quelles sont les causes d'une telle «mort»? Cette dernière s'explique selon Adler «par les défauts du mouvement ouvrier international» et force est de reconnaître que l'IOS n'a pas su réagir à ces défauts. Plus précisément Adler invoque «la nationalisation du mouvement ouvrier», c'est-à-dire la tendance pour les partis affiliés à l'IOS à privilégier toujours davantage la réalité nationale à laquelle ils ont été confrontés au détriment de leurs obligations internationales. S'il est vrai que dans plusieurs pays — et notamment dans l'Europe du Nord, Belgique, Grande-Bretagne et Hollande comprise — des partis socialistes ont été puissants, de plus en plus ont-ils été enclins à mener leur existence propre, de plus en plus ont-ils choisi, sans en avoir forcément une très claire conscience, de se replier de façon autonome dans le cadre d'une politique nationale. Leur insertion dans la vie publique de leur pays s'est faite au préjudice de la solidarité internationale. Engagé depuis le début du XXe siècle, considérablement accentué durant la Première Guerre mondiale, ce processus ne s'est pas interrompu avec elle mais s'est bien au contraire largement poursuivi ensuite. Entre les deux guerres, trois éléments ont contribué plus fondamentalement encore à miner les fondements de l'internationalisme; au delà des erreurs humaines et des échecs personnels, ils expliquent cette débâcle finale de l'IOS. Tout d'abord l'accession de certains partis socialistes au pouvoir — même pour une période limitée — a puissamment accéléré ce processus d'intégration à la vie nationale et renforcé les forces centrifuges de l'IOS: ce n'est tout de même pas une pure coïncidence si durant ces deux décennies les partis au pouvoir, ou en mesure d'y accéder, se situent la plupart du temps à l'aile droite de l'IOS. (On peut laisser de côté le cas des partis français et espagnol qui accèdent également aux responsabilités gouvernementales mais dans un contexte bien particulier pour chacun d'eux, se caractérisant par une radicalisation ouvrière, inexistante dans le cas des partis socialistes nordiques).

De façon paradoxale un second facteur a pu contribuer à cette «réduction» d'internationalisme: l'apparition d'un mouvement communiste puissant, à certaines époques et dans plusieurs pays au moins, s'adossant au premier Etat socialiste, disposant d'une organisation de lutte extrêmement structurée, la IIIe Internationale, a pu *a contrario* affaiblir l'internationalisme socialiste. L'existence du Komintern a pu susciter un patriotisme d'organisation, renforcer la mystique socialiste internationale mais elle a pu tout autant l'émousser: en réaction à l'internationalisme prolétarien défendu haut et clair par les communistes, bon nombre de socialistes ont pu avoir tendance à se replier et s'insérer avant tout dans leurs sociétés nationales. Par ailleurs, les divergences apparues au sein de l'IOS sur l'opportunité ou non de l'unité d'action avec les communistes ont affabli la communauté de vue idéologique et politique des socialistes et ont joué, une fois encore, en défaveur de l'internationalisme socialiste.

Enfin un troisième élément est intervenu dans la modification de l'équilibre des forces au sein de l'IOS: la montée généralisée du fascisme a contraint de nombreux partis à l'illégalité. Les différences de situation entre un parti vivant dans la clandestinité ou l'exil (c'est le cas des Allemands puis des Autrichiens à partir de 1933) entraînent des divergences dans l'analyse. De plus en plus l'IOS se divise entre des organisations réduites à la clandestinité ou à l'exil et des partis menant une vie démocratique normale. Dans le premier groupe on trouve les socialistes d'Europe centrale (à l'exception de la Tchécoslovaquie jusqu'en 1939) et de l'Europe du Sud (Italie, Yougoslavie, Grèce, Espagne). Dans le second figurent ceux de l'Europe du Nord, Belgique et Grande-Bretagne comprises. Beaucoup moins sensibles que les précédents à la lutte contre le fascisme qui ne représente pas une menace dans leur pays, ils sont par contre très critiques voire profondément hostiles au communisme et souvent de sensibilité plus pacifiste. Au delà du discours socialiste apparemment commun à l'ensemble des organisations de l'IOS, ces différences de situation explicables par des réalités plus tranchées peut-être que celles qui caractérisaient l'Europe d'avant 1914 ont pesé d'un grand poids. Elles déterminent la chute finale de ce colosse aux pieds d'argile qu'est devenue l'IOS.

Ajoutons enfin que l'incapacité à renouveler la théorie et la stratégie a constitué un facteur supplémentaire d'inertie puis de paralysie pour l'ensemble de l'organisation. Elle a condamné le socialisme révisionniste à être, par le biais du pacifisme, finalement happé par ce fascisme qu'il voulait combattre et dont il avait peut-être mieux que d'autres pris conscience de l'originalité au début des années Trente: telles furent les trajectoires de Déat et de Henri de Man mais elles ne se dessinèrent vraiment qu'à la veille de la Seconde Guerre mondiale et pas avant. Cet immobilisme généralisé marginalise les tentatives de renouvellement faites par le socialisme révolutionnaire et les condamne; ses forces nullement négligeables sont cependant trop faibles pour pouvoir revivifier les gros bataillons de l'IOS: la Gauche révolutionnaire de la SFIO et le POUM n'ont guère d'émules en Grande-Bretagne et aucun dans les pays scandinaves. La sensibilité certainement plus internationaliste des socialistes de gauche du Bureau de Londres explique qu'ils aient été en mesure de mener une activité internationale plus soutenue que l'IOS qui disposait pourtant de moyens autrement considérables. Dans les faits, à partir de 1933, c'est beaucoup plus le socialisme de gauche qui joue le rôle d'une Internationale mais ses forces sont trop faibles, les attaques auxquelles il doit faire face trop brutales pour lui permettre de remplir parfaitement ce rôle: ces deux raisons expliquent la faiblesse des résultats obtenus. Il ne suffit pas de réunir des congrès internationaux pour être une véritable Internationale même si cette condition est sans doute nécessaire, il faut également disposer d'une implantation dans de nombreux pays pour se trouver en mesure de «modifier le cours des choses». Dans la réalité européenne de l'entre-deux-guerres il n'y a pas d'espace politique pour une troisième voie du socialisme. Toute la place est occupée par les deux Internationales ouvrières qui condamnent le socialisme de gauche à ne jouer qu'un rôle marginal.

A la veille de la Seconde Guerre, F. Adler est conscient de la faillite théorique et politique de l'IOS. Il souligne le fait que la destruction de plusieurs partis sociaux-démocrates — et en premier lieu le SPD — n'a été suivie en rien d'une réflexion sur les causes de leur défaite . Pour le principal secrétaire de l'IOS, «la plupart des dirigeants de ces partis n'ont rien appris de ces défauts» tout en demeurant à la direction de ces partis. Ce n'est pas tant le fait qu'un grand nombre de partis appartenant à l'IOS aient été contraints à l'illégalité qui explique la crise de l'Internationale mais le fait que les cadres de ces partis aient été incapables «de réfléchir sur les conditions nouvelles où les ont amenées leurs défaites» [64]; placés par le fascisme dans des conditions nouvelles, illégales et clandestines, ils n'ont pas su proposer à la classe ouvrière un programme correspondant aux nécessités de l'heure. Bien plus, certains d'entre eux ont cru pouvoir, par une politique de concessions appropriées, maintenir en survie l'organisation sous un régime fort, voire dans un cadre fasciste: en mars 1933, Otto Wells a démissionné du Bureau et de l'Exécutif de l'IOS pour éviter de donner au régime nazi un quelconque prétexte à la répression. Cette politique de conciliation s'est soldée par un échec total.

Le problème s'est également posé, quoique de façon

différente, dans des pays démocratiques. Plusieurs partis socialistes ont voulu lutter contre le fascisme en privilégiant des alliances avec certaines fractions de leurs bourgeoisies nationales. Ainsi l'IOS s'est trouvée écartelée entre un groupe d'organisations contraintes à l'illégalité et ayant souvent les plus grandes difficultés à s'y adapter et, à l'inverse, d'autres partis beaucoup plus proches des forces politiques bourgeoises existant dans leur pays. De plus en plus tiraillée entre ces deux composantes, l'IOS a rencontré des difficultés croissantes qu'en définitive elle n'a pu surmonter pour agir comme l'Internationale qu'elle prétendait pourtant incarner.

Telle est sans doute la raison principale de son échec final: un trop grand écart entre le discours internationaliste et la pratique nationale de ses sections. Le poids de cette dernière a été déterminant. L'impuissance de l'IOS s'apparente également de façon étroite à celle de la SDN. Leur vision du monde reposant sur l'exaltation de la démocratie et la priorité donnée à la négociation dans le cadre des relations diplomatiques entre Etats est fort proche mais entretient bien des illusions. L'échec de l'IOS va de pair avec la faillite du système de Sécurité collective qu'aucune force politique, qu'aucun Etat n'ont eu les moyens de faire appliquer. Vis-à-vis de l'Europe, les Etats-Unis ont eu une politique par trop isolationniste; tardivement admise dans le concert des nations démocratiques européennes, l'Union soviétique fut constamment suspectée par elles puis mise à l'écart lors des accords de Munich. Ni la France ni l'Angleterre ne surent organiser un rempart politique diplomatique puis militaire contre le fascisme montant. Pour réel qu'il soit, l'échec de l'IOS doit être analysé à l'aune du contexte où il s'est déroulé et qui permet d'en mieux comprendre les causes profondes. Dans le monde radicalement différent qui surgit de la Seconde Guerre mondiale, dans une Europe qui commence à être pensée en tant qu'entité dès 1950 — mais pas par des socialistes — l'organisation du socialisme international qui renaît de ses cendres sera-t-elle mieux en mesure de jouer un rôle à la hauteur de ses aspirations?

LA RECONSTRUCTION
DE L'INTERNATIONALE
(1940-1951)

Les problèmes affrontés par les socialistes européens au lendemain de la Seconde Guerre sont différents sur bien des points de ceux qui ont interpellé l'Internationale ouvrière socialiste: en six ans les rapports de force ont bien changé en Europe, et dans le monde. A l'exception du franquisme en Espagne, tous les régimes fascistes ou inspirés par lui ont été balayés au profit des forces démocratiques. Au congrès de Bruxelles de l'IOS en 1928, Vandervelde avait regretté l'absence d'un développement synchrone de la démocratie en Europe et y avait vu une des principales raisons du retard du socialisme. Il semble que ses vœux soient exhaussés en 1945. Le triomphe sur les forces de l'Axe entraîne dans le plus grand discrédit pour elles la chute des dictatures; la victoire alliée s'accompagne d'une progression réelle de la démocratie en Europe et suscite un formidable espoir dans la construction d'un monde nouveau. Bien vite le cours des choses dissipera de nombreuses illusions et viendra remettre en cause cette vision par trop optimiste mais en cette année 1945 tout semble encore possible.

Dans ce contexte, beaucoup pensent qu'un système de sécurité collective garanti par les grandes puissances victorieuses du nazisme — en premier lieu les Etats-Unis et l'Union soviétique — apportera la paix au monde. La participation de ministres à de nombreux gouvernements en Europe ne peut que conforter de tels espoirs: c'est le cas au Danemark (jusqu'en octobre 1945), en Norvège (de mai à septembre 1945), en Finlande, en Autriche, en Belgique, en France et en Italie pour l'Europe occidentale. En Europe de l'Est la collaboration gouvernementale s'exerce dans le cadre d'une alliance de type Front populaire en Bulgarie, en Hongrie, en Pologne, en Roumanie et en Tchécoslovaquie. Malgré tout cette orientation est refusée dès cette période par les socialistes britanniques et hollandais mais leur position est minoritaire.

Dans ce contexte prometteur, le socialisme international va-t-il pouvoir jouer un rôle à la hauteur de ses espérances, être en mesure de se réorganiser à l'échelle européenne et de reprendre la «longue tradition de coopération directe et de compromis» qui le caractérise [1]? Les circonstances lui semblent favorables. Pourtant bien vite des ombres de plus en plus menaçantes vont noircir ce tableau apparemment fort séduisant mais qui ne rend pas compte de toute la réalité. Plusieurs données sont ici à prendre en compte. Tout d'abord le poids du passé, les manifestations d'«internationalisme manqué» qui ont caractérisé les dernières années de l'IOS vont peser lourd dans la réorganisation du mouvement socialiste à l'issue de la Seconde Guerre mondiale: il lui faudra six ans pour se reconstituer formellement comme une internationale après une période initiale, difficile pour lui, de dépassement de formes assez surprenantes, rétrospectivement parlant, de nationalisme dans ses propres rangs. La fin de cette première étape coïncide et s'explique par la modification du rapport des forces à l'échelle internationale qui pose en des termes nouveaux un problème ancien que l'IOS n'avait pas su résoudre de façon satisfaisante: 1947-1948 et la naissance de la Guerre froide diffèrent évidemment sur bien des points des années 1933-1939 mais dans les deux cas la question communiste représente un discriminant incontournable qui va susciter bien des débats et contribuer à façonner le visage du socialisme européen pour plus d'une décennie. Il faut attendre la fin des années Soixante pour voir changer les choses en profondeur. Dans cet immédiat après-guerre le socialisme reste dans sa majorité un mouvement européen même si assez vite les développements de la décolonisation au Commonwealth puis dans les colonies françaises viennent lui donner une physionomie plus internationale.

Les années difficiles de la guerre

Plus encore que durant la Première Guerre mondiale, il convient d'établir une distinction entre les réalités nationales affrontées par chaque parti et son organisation internationale — ou plutôt ce qu'il en reste. La coupure est à peu près totale entre ces deux entités, plus en tout cas que tout au long de son histoire. A aucun moment l'Internationale n'est véritablement en mesure de donner des directives précises à ses sections nationales et moins encore d'influer sur leur action. Qu'en est-il donc des principales lignes de force du socialisme en Europe durant la Seconde Guerre mondiale?

Aussi bien pour l'Internationale que pour ses partis, cette période est sans doute la plus sombre de toute leur histoire[2]. Depuis le début des années Trente, l'Europe a connu une progression généralisée des régimes totalitaires et dictatoriaux que les socialistes — pas plus que les autres composantes du mouvement ouvrier — n'ont été en mesure d'endiguer. A l'exception momentanée de l'Espagne et de la France en 1936/37, ce processus a semblé irrésistible au travers d'une succession ininterrompue de défaites ouvrières. La Seconde Guerre poursuit cette tendance en l'approfondissant tout en mettant à nu des fractures décisives dont les lézardes étaient apparues au cours de la décennie précédente. A partir de 1940, les contradictions éclatent au grand jour. La quasi-totalité des partis socialistes européens est désormais dissoute, les militants sont contraints à la plus sévère des clandestinités pour poursuivre la lutte contre le fascisme quand ils ne fraient pas d'une manière ou d'une autre avec l'occupant pour tenter de sauver ce qu'ils croient pouvoir l'être [3].

De façon générale, les organisations socialistes se divisent entre tenants de la lutte antifasciste qui participent de façon différenciée suivant la conjoncture nationale à la Résistance et partisans d'une politique d'accommodement avec les vainqueurs qui mènera certains d'entre eux fort loin de leurs idéaux initiaux. Rappelons qu'au début de la guerre, confusion et démoralisation sont à leur apogée au sein du mouvement ouvrier, le pacte germano-soviétique venant encore aggraver une situation déjà fort complexe. Il faudra près de deux ans pour que cet épisode soit relégué par les événements. Néanmoins en dépit de leur engagement commun dans la lutte contre l'occupant, communistes et socialistes demeurent divisés, voire opposés notamment en Europe centrale et orientale où la chute du nazisme et de ses satellites s'effectue largement sous la houlette de l'Armée rouge. Ces oppositions préfigurent pour une part les événements que connaîtront ces pays dans les années 1945-1948.

En 1939, les pays de l'Europe centrale et méditerranéenne sont sous la botte de régimes totalitaires alors que dans l'Europe de l'Ouest et du Nord, des partis socialistes sont encore au pouvoir au Danemark et en Norvège (depuis 1935), ou en mesure d'exercer une activité légale. Aux Pays-Bas, les sociaux-démocrates ont deux représentants au gouvernement à partir d'août 1939; dans le reste des pays scandinaves, en Belgique, en Grande-Bretagne et en France, subsistent des formes variées de démocratie, quelle que soit la nature du régime. Mais là où ils peuvent s'exprimer librement, les partis socialistes sont profondément divisés et particulièrement en France, en Belgique et en Norvège. En France, la SFIO est au bord de l'éclatement lors de son congrès de Nantes (mai 1939) entre pacifistes — principalement représentés par son secrétaire administratif, Paul Faure ainsi que de nombreux cadres et parlementaires du Parti — et les partisans d'une politique de fermeté relativement symbolisée par Léon Blum et de façon plus nette mais plus minoritaire par Jean Zyromski. Cette division se retrouve en Belgique entre le président du POB, H. de Man — pacifiste sous le couvert de la neutralité — et d'autres dirigeants comme Louis de Brouckère, A. Delattre et H. Rollin ainsi que chez les socialistes norvégiens.

Août 1939: le pacte germano-soviétique exacerbe ces contradictions en renforçant encore l'anticommunisme forcené qui pour l'essentiel est celui des socialistes pacifistes et en introduit de nouvelles en particulier au sein de l'émigration socialiste italienne à qui cet élément inattendu vient singulièrement compliquer la tâche. Unanimement antifasciste, cette émigration ne s'en divise pas moins sur l'attitude à adopter vis-à-vis des communistes, certains de ses membres comme Nenni étant malgré tout d'avis de ne pas rompre complètement les ponts avec eux alors que d'autres (Saragat, Tasca) sont d'un avis diamétralement opposé. Dans tous les cas aucun rapprochement — même momentané — ne peut se faire entre les socialistes pacifistes et les communistes qui suivant les directives du Komintern, non sans difficultés parfois, abandonnent la ligne antifasciste antérieure pour défendre une politique pacifiste: la conjonction entre ces deux formes différentes de pacifisme est impossible, l'anticommunisme est le plus fort.

Avec le début véritable de la Seconde Guerre et les victoires éclairs de Hitler en Pologne puis en France, le contexte se trouve évidemment radicalement modifié et l'Europe passe entièrement sous la botte totalitaire. Sauf en Grande-Bretagne qui à partir de juin 1940 reste le seul pays encore libre du Vieux Continent où peuvent se réfugier de nombreux dirigeants socialistes provenant surtout des pays d'Europe centrale et orientale (Pologne, Tchécoslovaquie) ainsi que dans une moindre mesure l'Italie. Une partie des socialistes italiens trouve également refuge en Suisse et s'organise en une Fédération socialiste italienne, violemment anticommuniste, sous la direction d'Ignazio Silone. Durant les années précédentes, des socialistes allemands et autrichiens avaient pu trouver refuge en France et en Grande-Bretagne mais évidemment seul ce dernier pays put leur fournir un accueil à partir de 1940.

Les choix sont bien plus cruciaux pour les socialistes restés dans leurs pays d'origine. Dans un cas très particulier, au Danemark, les sociaux-démocrates restent au pouvoir jusqu'en 1942 et mènent une politique de négociation en s'efforçant de protéger tant bien que mal la population contre l'occupant. Mais cette orientation doit être abandonnée à partir de novembre 1942. Contraint à l'illégalité, le Parti travailliste norvégien opte bientôt pour la Résistance avec la bourgeoisie patriote. Il en va de même aux Pays-Bas où une minorité s'efforce malgré tout durant une brève période d'avoir une existence légale autour du journal *Het Volk;* rapidement l'expérience montre l'inanité d'une telle politique et l'impossibilité d'une existence organisée sans la caution du pouvoir en place ce que les socialistes hollandais dans leur très grande majorité refusent.

Au début de la guerre, des illusions analogues sont également répandues en Belgique par la forte personnalité d'H. de Man qui, le 28 juin 1940, appelle les militants du POB à «entrer dans les cadres d'un mouvement de résurrection nationale...», à se rassembler dans «... un parti unique du peuple belge uni par sa fidélité à son roi et par sa volonté de réaliser la souveraineté du Travail». Comme d'autres intellectuels venus du socialisme — citons parmi eux le Français F. Delaisi — H. de Man voit dans la chute des démocraties occidentales la possibilité d'où «pourra sortir une Europe unifiée par les armes où les frontières économiques auront été nivelées» et d'où émergera un régime «où l'autorité de l'Etat sera assez forte pour saper les privilèges des classes possédantes et remplacer le chômage par l'obligation de travailler». Pourtant en dépit de la personnalité de son signataire, ce Manifeste ne suscite qu'un nombre limité de ralliements: tout en reconnaissant les erreurs commises par le POB dans les années précédentes, dans leur très grande majorité, les socialistes belges ainsi que les Jeunes gardes socialistes entreprennent la lutte contre le nazisme. Il faut tourner la page, remplacer l'ancien POB déconsidéré par l'appel de son président en juin 1940: aussi à la fin de cette même année est constitué le Mouvement socialiste belge transformé en 1942 en Parti socialiste belge qui, engagé dans la Résistance, n'en réfléchit pas moins déjà à ce que pourra être l'après-guerre.

C'est peut-être en France [4] que les tentatives de ralliement à l'ordre nouveau faites par des socialistes iront le plus loin. Avec bien des nuances, de nombreux responsables socialistes feront un bout de chemin avec le régime de Vichy et goûteront aux charmes empoisonnés de la Collaboration. Citons parmi eux Adrien Marquet et Marcel Déat — qui, il est vrai, ont rompu avec la SFIO en 1933. Le premier sera ministre de l'Intérieur du régime de Vichy du 23 juillet au 6 septembre 1940, le second allant beaucoup plus loin puisque principal responsable du Rassemblement national populaire (RNP), il recherchera une collaboration ouverte avec le nazisme et arrivera non sans mal à ses fins, c'est-à-dire au pouvoir mais seulement en mars 1944 en devenant ministre du Travail et de la Solidarité nationale. Paul Faure, Charles Spinasse, Jean-Baptiste Séverac, Ludovic Zoretti, Paul Rives, Compère-Morel, la majorité du groupe parlementaire: autant de socialistes connus que le pacifisme d'avant-guerre conduit à diverses tentatives d'accommodement avec le régime de Vichy à partir de 1940. Certains d'entre eux ont été influencés par H. de Man et parmi eux Marcel Déat, le plus connu sans doute: pourtant ils ne représentent peut-être pas la majorité de ce courant. Pour de nombreux élus, en particulier les édiles municipaux, rester à son poste même sous le régime de Vichy, peut encore servir à défendre au quotidien une population dans un moment particulièrement difficile, ce que n'hésitent pas à faire un André Morizet ou un Henri Sellier. Dans de pareils cas, il est difficile de distinguer entre «l'élu fidèle à ses opinions et celui qui a exposé la Révolution nationale et s'est rallié à une politique de collaboration». Sur un autre plan, de nombreux anciens responsables de la CGT plus ou moins influencés par la SFIO avant la guerre agissent de façon analogue et espèrent, dans un premier temps au moins, trouver des possibilités d'action dans le cadre de la Charte du Travail. Mais ils seront vite déçus et cette tentative tourne court.

En dépit de convergences indiscutables entre ces militants, il serait néanmoins faux de tous les situer sur le même plan: à la suite de son intermède ministériel, Marquet se replie sur sa municipalité de Bordeaux alors que Spinasse s'est voulu le défenseur de certaines valeurs du Front populaire (les congés payés notamment)... jusqu'en 1942 dans *le Rouge et le bleu*, ce qui diffère assez sensiblement des tentatives — avortées — de mise sur pied d'un parti unique, ostensiblement copiées sur le modèle nazi, faites par Marcel Déat. Plus que tout autre peut-être, un militant est au cœur de ces contradictions: l'ancien communiste italien Angelo Tasca, devenu à la fin des années Trente le principal rédacteur de la page de politique étrangère du *Populaire*, vit toute la guerre à Vichy où il occupe des responsabilités officielles ce qui ne l'empêche pas semble-t-il d'avoir également aidé la Résistance. D'autres cas analogues aussi complexes mais moins voyants ont également existé et pour une bonne part d'entre eux, l'histoire reste encore à écrire. Mais il ne fait aucun doute que dans une large mesure de nombreux socialistes ont eu une politique attentiste sinon d'accommodement et de complaisance vis-à-vis de l'Etat français, voire de l'occupant nazi.

Tous le paieront fort cher à la Libération. S'il serait vain en effet de minimiser la crise vécue durant ces années tragiques par le socialisme français, il serait tout aussi faux de ne voir dans cette tendance collaborationniste ou seulement attentiste que sa seule composante: bien des militants et d'abord le principal responsable de la SFIO refusent cette orientation. Emprisonné par le gouvernement de Vichy, Léon Blum se livre à une critique sévère de l'attitude de «contrainte et d'équivoque» de son Parti en estimant qu'il n'a pas été à la hauteur des circonstances. La SFIO n'a pas été dissoute par le gouvernement de Vichy contrairement à ce qu'il en a été pour les syndicats. Pourtant, ses dirigeants l'estimant à juste titre complètement déconsidérée et assimilée à la IIIe République discréditée et défunte, refusent de la maintenir et jugent plus important de se lier aux mouvements de Résistance et de les développer. A partir de mars 1941 est néanmoins mis sur pied un Comité d'action socialiste (CAS) dont la responsabilité pour les deux zones incombera bientôt à un ancien rédacteur du *Populaire*, Daniel

Mayer. Quelques mois plus tard, en décembre le CAS fait paraître une feuille clandestine, *Socialisme et liberté*. D'autres militants, souvent moins en vue avant la Seconde Guerre, agissent dans le même sens, qu'il s'agisse de Jean Texcier qui publie sous le manteau ses *Conseils à l'occupé*, de l'ancien ministre du Travail, Jean Lebas, qui organise un réseau dans le Nord, fait paraître en octobre 1940 *l'Homme libre* et noue des contacts avec des Résistants belges. Au même moment Christian Pineau commence à organiser le mouvement Libération-Nord avec l'aide de Robert Lacoste et de nombreux militants socialistes et syndicalistes. Des groupes se forment également à Lyon et à Toulouse notamment à partir d'anciens militants provenant d'une dissidence de la SFIO à la vie bien éphémère de 1938 à 1940, le Parti socialiste ouvrier et paysan (PSOP). Si les rapports changent radicalement avec les communistes à partir de juin 1941, et de leur engagement massif dans la Résistance — il avait néanmoins commencé auparavant pour bon nombre d'entre eux — tout n'est pas résolu pour autant: afin de ne pas laisser au Parti communiste le monopole de l'action en ce domaine, le Parti socialiste se reconstitue officiellement en 1943 et, en décembre, précise son programme d'action tout en restant naturellement dans la clandestinité. Ce programme est mal accueilli par les communistes qui lui reprochent son caractère trop vague et imprécis. A partir de mai 1943 la SFIO propose la création d'un Comité d'entente chargé d'étudier les problèmes de l'unité ouvrière avec le Parti communiste mais les discussions poursuivies avec ce dernier durant un an ne donneront aucun résultat précis. La lutte contre le nazisme et la victoire qui semble se dessiner à partir de 1943 ne font pas oublier pour ses responsables la nécessité d'une profonde rénovation comme l'affirment aussi bien D. Mayer en France que Vincent Auriol à Alger ce qui, une nouvelle fois, pose le problème du rapport avec les communistes. Mais sur ce plan-là, en dépit de la lutte commune contre le nazisme, les divergences restent irréductibles: au sein du Conseil national de la Résistance (CNR) les heurts entre les représentants des deux partis sont bien réels.

En Italie, c'est d'abord dans le Nord qu'un regroupement des forces antifascistes est possible, à Milan et à Gênes. Multiples sont alors les composantes du socialisme italien, la plus importante d'entre elles étant sans doute le Parti d'action formé en juillet 1942 de plusieurs groupes antifascistes démocratiques et libéraux. Certains proviennent de mouvements d'exilés plus anciens comme Giuztizia e Liberta, d'autres se sont d'abord implantés chez les intellectuels. A partir de janvier 1943, le Parti d'action fait paraître un journal clandestin, *Italia libera*, réclamant l'instauration de la République, le rétablissement des libertés publiques, la séparation de l'Eglise et de l'Etat et la socialisation d'un certain nombre d'activités économiques. Mais cette organisation qui joue un rôle capital dans la Résistance connaît bientôt des divergences entre une aile socialisante (E. Lussu) et une autre avant tout libérale et démocratique (La Malfa).

Par ailleurs à partir de 1943, la majorité des forces socialistes provenant de l'émigration et de la Résistance est réorganisée au sein du Parti socialiste italien d'unité prolétarienne (PSIUP) dirigé par P. Nenni et qui publie *l'Avanti* à 20 000 exemplaires. Pourtant ce regroupement réussi du socialisme italien arrive difficilement à faire pièce au Parti communiste italien, mieux implanté pour l'essentiel. Des divergences susbsistent entre les deux organisations et en particulier sur la forme future du gouvernement, les socialistes se prononçant sans ambages pour une République alors que pour les communistes cette question reste subalterne.

Tout autre est la situation pour les socialistes provenant des pays d'Europe centrale et orientale: la plupart des réfugiés allemands qui ont quitté leur pays en 1933 sont d'abord venus en France mais son effondrement en juin 1940 les contraint à partir pour l'Angleterre où ils se structurent en plusieurs groupes. Il en va de même chez les socialistes autrichiens, également réfugiés à Londres quand ils ne sont pas partis aux Etats-Unis. Cependant des groupes clandestins aux forces limitées et en butte à une sévère répression subsistent dans ces deux pays et dans le cadre de la lutte clandestine contre le nazisme, un certain nombre de contacts voire d'actions communes ont lieu avec les communistes: en octobre 1943 des représentants de toutes les forces de la Résistance en Autriche constituent un Front de la Résistance où les socialistes sont fort actifs. La situation est tout aussi dramatique en Pologne partiellement occupée par les Soviétiques qui suppriment toutes les organisations socialistes et arrêtent leurs militants: ainsi les deux dirigeants du Bund polonais, H. Ehrlich et V. Alter, réfugiés en Europe orientale en 1939 qui ont accepté, à la demande du gouvernement soviétique de former un Comité polonais de lutte antifasciste, sont arrêtés puis emmenés en URSS où ils sont condamnés à mort et exécutés en 1943. Quant à la partie de la Pologne occupée par les nazis, son cas est pire encore, notamment pour les Juifs comme on le sait. Les militants ouvriers ou appartenant simplement à des organisations démocratiques y sont impitoyablement pourchassés. En dépit de cette double répression, les socialistes, forts d'environ une vingtaine de milliers de membres poursuivent la lutte clandestine sur la base d'un *Programme pour la population polonaise* élaboré dès 1941. Au contraire, la social-démocratie tchécoslovaque est en pleine crise depuis Munich entre ses dirigeants les plus anciens souvent tentés par la pactisation avec les nazis et ses jeunesses fortement attirées par l'extrême gauche et la Résistance. Certains d'entre eux, en Bohème-Moravie notamment, s'intègreront dans un Front national aux côtés de membres du Parti communiste tchèque. Comme dans d'autres pays, des possibilités d'unification des organisations ouvrières font l'objet de discussions. Le problème se pose dans des termes différents en Hongrie et en Roumanie, du moins aux débuts de la guerre, dans la mesure où les forces communistes y ont été jusqu'alors insignifiantes, contrairement à la Bulgarie où le Parti communiste a connu une certaine implantation. Enfin en Yougoslavie si les socialistes ont été en mesure d'influencer des syndicats, le rôle politique de la social-démocratie y a toujours été faible.

De façon générale, les forces du socialisme sont relativement limitées en Europe centrale et orientale alors qu'en Europe et l'Ouest, en dépit des difficultés que connaissent certains de ces partis, les sections d'une IOS qui n'existe plus que sur le papier, se reconstituent rapidement. Elles le font en participant aux combats de la Résistance puis en procédant dans un assez grand nombre de cas à des épurations afin de se débarrasser des éléments conciliateurs ou attentistes vis-à-vis de l'occupant. De telles opérations ne se sont pas toujours faites dans la facilité, notamment en France où la réorganisation de la SFIO se fit avec une rigueur exemplaire qui n'eut d'équivalent dans aucun autre parti français. Dans toute cette partie de l'Europe, avant même la Libération, les partis socialistes sont rapidement en mesure de jouer un rôle important dans leur pays. Mais contrairement aux communistes, ils ne disposent pas d'organisation ni de structuration internationale capable d'unifier leur intervention et en regard de leurs grands rivaux au sein du mouvement ouvrier, ils apparaissent plus avoir joué un rôle d'inspirateur que de meneur en dépit de leur action de premier plan au sein des forces de la Résistance. Non sans mal ils ont su se séparer de ceux qui, dans leurs rangs, ont opté pour la collaboration par pacifisme et par anticommunisme. Leur action contre le nazisme a été primordiale dans les pays de l'Europe de l'Ouest, en France, en Belgique, aux Pays-Bas, au Danemark et en Norvège ainsi qu'en Italie. Elle les a contraints à une révision fondamentale d'un certain nombre de dogmes tout en les engageant dans la voie d'un socialisme plus humaniste. Cependant les partis socialistes doivent faire face à la concurrence acharnée d'un Parti communiste principalement en Belgique, en France et en Italie et ne savent pas comment répondre à cette situation: ils hésitent entre l'action unitaire pouvant éventuellement aller jusqu'à une organisation unique avec ces derniers et un programme de réformes sociales et démocratiques, également défendu par les communistes ainsi que l'aile gauche de la démocratie chrétienne.

Le problème se pose en des termes différents en Europe orientale où les partis socialistes, faibles pour la plupart, ne seront pas en mesure de résister à la progression des partis communistes. Ceux-ci étant également fort limités au début de la Seconde Guerre mondiale, leur structuration beaucoup plus solide, puis leur engagement dans la Résistance et enfin l'aide de l'Armée rouge à partir de 1943/1944 expliquent leur essor rapide dans cette zone géopolitique de l'Europe où ils apparaissent, en Yougoslavie et en Albanie notamment comme des libérateurs. Dans les pays voisins, ils ont conquis des positions de force bien différentes de celles qui étaient les leurs en 1939 où un parti communiste puissant existait seulement en Tchécoslovaquie. Tout ce processus dont on verra les conséquences dans les années 1945-1948 se fait au détriment des socialistes. Ces derniers ne sont-ils pas handicapés en effet par l'absence d'une organisation internationale? Il faut bien reconnaître en effet que durant ces quatre années, le rôle de l'IOS est plus effacé encore — si cela est possible — que durant la Première Guerre mondiale.

Courant juin 1940, C. Huysmans, président de l'Internationale ouvrière socialiste depuis les démissions d'Adler et de De Brouckère en mai 1939, arrive à Londres animé de la volonté de poursuivre le maintien d'un minimum de liens socialistes internationaux à travers un secrétariat, de façon peut-être analogue à ce qu'il s'était efforcé de faire un quart de siècle auparavant. Mais bien vite il se rend compte de l'irréalisme d'un tel vœu. Tout d'abord parce qu'il manque des moyens les plus élémentaires pour travailler: le Labour Party refuse de lui attribuer un secrétaire administratif. Au delà de son caractère anecdotique, cet épisode est significatif du peu de cas que les Britanniques font du responsable de l'IOS. Bien vite, Huysmans se heurte à la méfiance du Labour Party qui siégeant depuis mai 1940 dans un gouvernement engagé dans une politique de guerre à outrance, ne veut rien faire qui puisse gêner cette orientation et entend fermement imposer son contrôle à toute activité socialiste étrangère. Selon les termes mêmes de Huysmans, toute discussion relative à la conduite de la guerre entreprise par des socialistes étrangers aurait été considérée comme une «atteinte grave à la prééminence du Labour Party». La seule concession à laquelle il aboutit, non sans peine, est la création d'un Comité consultatif international qu'il préside. En contrepartie il se voit imposer au secrétariat de cet organisme la présence du secrétaire du Labour chargé des questions internationales, William Gillies. Au sein de ce Comité les deux hommes défendent des orientations divergentes: alors que Huysmans veut maintenir ne serait-ce que de façon réduite l'activité de l'IOS, Gillies conçoit sa tâche tout autrement. Il s'agit pour lui de canaliser les activités des socialistes en exil au seul profit politique du Labour Party et d'œuvrer en sorte que ces derniers ne puissent rien faire qui soit susceptible d'entraver l'effort de guerre britannique. Les deux hommes sont cependant d'accord sur un point essentiel: écarter du dialogue les «socialistes des pays ennemis», c'est-à-dire les Allemands et les Autrichiens, par ailleurs assez nombreux à Londres. Cette discrimination perçue comme une insulte par les intéressés prend tout son effet à partir du milieu de l'année 1943 où toute relation officielle est rompue entre le Labour Party et les directions en exil du SPD ainsi que du SPÖ. Ce simple fait montre les extrêmes limites de l'internationalisme socialiste si ce n'est sa disparition *de facto*: dans le contexte de la guerre les sentiments nationalistes sont largement dominants. Cet état d'esprit fut amèrement reproché en 1945 par certains socialistes allemands à Camille Huysmans pour qui cet ostracisme «presque compréhensible» de la part d'un citoyen belge était «inacceptable» venant de la part du président de l'IOS [5].

Cette volonté de contrôle du Labour de toute activité socialiste internationale, cette impossibilité de maintien d'un internationalisme minimal apparaît non moins clairement à l'occasion d'un autre épisode. A l'initiative de l'Autrichien Braunthal est publié, au moment de l'invasion nazie en URSS à partir de la fin juin 1941, un bulletin d'informations internationales: *International socialist forum*. Le petit groupe réuni autour de Braunthal est sans conteste animé d'un esprit plus internationaliste que Gillies ou même Huysmans. On y trouve des Français (Louis Levy), des Autrichiens (Oskar Pollak), des Polonais, des Allemands et des membres de la gauche du Labour Party comme Harold Laski. Mais cette initiative incontrôlée n'est pas du goût du Labour qui décide de publier concurremment son propre bulletin d'informations internationales, destiné aux socialistes des seuls pays alliés. Dans ces conditions les activités de l'*International socialist forum* tournent court, se trouvent complètement marginalisées et demeurent sans aucune incidence. Enfin ce bref tableau de la vie socialiste internationale durant la Seconde Guerre serait incomplet si n'était mentionnée l'existence du Groupe de Stockholm.

Composé de socialistes allemands, suédois et norvégiens il entend «contribuer à la réactivation d'une coopération socialiste internationale». Il plaide pour le soutien du mouvement socialiste international aux pays vaincus, en faveur d'une Internationale réellement européenne et dépassant même ce cadre géographique: la future organisation doit s'ouvrir «aussi bien aux blancs qu'aux hommes de couleur». Mais l'activité de ce groupe reste fort réduite et ses résultats des plus limités. La faiblesse de ces initiatives ne fait que mieux ressortir la cassure totale, aussi bien politique qu'organisationnelle, qui est celle du mouvement socialiste dans les années 1940-1944. Sa faillite est plus grande encore que durant la Première Guerre mondiale ce qui s'explique par l'irrémédiable agonie de l'IOS tout au long des années Trente et le caractère peut-être encore plus acharné du conflit.

Nous avons déjà relevé en quoi l'histoire de l'IOS a dans une large mesure été surdéterminée par la progression du Labour Party en son sein. Cette tendance s'effectue au détriment des socialismes allemand et autrichien. La Seconde Guerre renforce encore cette orientation et en 1945 la réorganisation du mouvement socialiste en Europe dépend largement de cette donnée: la reconstitution de l'Internationale est en premier lieu tributaire de la volonté du Labour d'y parvenir. Seule cette organisation a l'autorité politique nécessaire et les moyens pour le faire. Avant même que la Guerre ne soit terminée, elle commence à agir. Du 3 au 5 mars 1945 se tient à son initiative à Londres une conférence où les partis de Belgique, France, Italie, Islande, Grande-Bretagne, Norvège, Suède, Palestine, Espagne, Pologne, Tchécoslovaquie ainsi que le Bund sont représentés. Mais les socialistes allemands et autrichiens ne sont pas invités et se voient tenus à l'écart. Le Labour pèse de tout son poids politique durant cette réunion au cours de laquelle des désaccords importants se révèlent avec la SFIO quant à la finalité des buts envisagés: alors qu'il s'agit pour les Français de définir «une doctrine préalable et des moyens d'action concrets», les Britanniques sont beaucoup plus réservés et ne veulent voir dans cette première initiative qu'une «conférence préparatoire» n'engageant pas les organisations présentes. Les Français pensent en terme de partis socialistes autonomes, indépendants, susceptibles de faire pression sur leurs gouvernements respectifs dans le cadre d'une stratégie d'ensemble alors que pour les Britanniques, le mouvement socialiste doit échanger des informations et coopérer avec les gouvernements sociaux-démocrates de façon beaucoup plus empirique, non coordonnée, au gré des circonstances et des possibilités.

Dans une certaine mesure, cette divergence profonde rappelle les conceptions défendues antérieurement par le Labour dans l'IOS et son pragmatisme foncier. Sur certains points un accord est néanmoins possible: un texte commun signé par tous les participants réaffirme la valeur de la démocratie «sous sa triple forme, politique économique et sociale». En matière internationale, la Conférence proclame également son soutien à la trilogie de l'arbitrage, de la sécurité et du désarmement. Elle se réjouit de l'accord réalisé par toutes les nations engagées dans la lutte pour la liberté — en particulier les Etats-Unis et l'Union soviétique — et «la recherche de la Sécurité collective». Au delà de l'énoncé de ces grands principes qui se situent dans la plus pure tradition de l'IOS tout en prenant une signification bien différente et beaucoup plus actuelle en cette fin de la Seconde Guerre et sur lesquels tout le monde ne peut qu'être d'accord, des divergences subsistent sur des problèmes plus immédiats: alors que le Labour appuyé par d'autres partis, notamment les socialistes polonais, insiste sur la culpabilité collective du peuple allemand, se déclare partisan du démembrement de l'Allemagne et de la rectification de ses frontières, les délégués de la SFIO sont nettement plus modérés dans leur condamnation et se prononcent en faveur de la création d'une zone de sécurité dans la Ruhr, la Rhénanie et la Sarre. Les différences d'appréciation sont bien réelles et pour les socialistes français qui ont pris les positions les plus «en pointe» en faveur d'une réorganisation de l'Internationale, le bilan est bien maigre en fin de compte. La remise sur pied de l'organisation n'a pas été évoquée et aucune décision n'a été prise au sujet de l'IOS formellement toujours en vie — elle ne sera dissoute qu'en 1946, la même année symboliquement que la SDN. Pour Vincent Auriol, l'un des représentants de la SFIO à Londres, cette conférence marque «un recul sensible et progressif de l'idée internationale». La grande prudence du Labour a pu imposer que les délégués se séparent sans avoir défini le moindre projet d'ensemble ni adopté la moindre résolution; au grand regret des «internationalistes» pas le moindre calendrier préparatoire à des conférences futures n'a été ébauché [6]. Quelques mois plus tard, en juillet 1945 le succès historique du Labour qui enlève 393 sièges contre 163 aux conservateurs lors des élections législatives accroît encore son poids dans les affaires du socialisme européen. Détenant à lui seul le pouvoir, se trouvant investi de l'importante responsabilité de reconstruire la Grande-Bretagne, le Labour va davantage encore privilégier l'action concrète au détriment de la théorie et se distancier de la mentalité «d'oppositionniste» qui selon lui caractérise encore trop de partis socialistes européens. Son peu d'intérêt pour l'idéologie internationale s'en trouve encore renforcé comme il va le montrer par toute son attitude dans les six années qui suivent. De façon plus générale, la modification du contexte international va assez vite influer sur la restructuration du mouvement socialiste.

De la fin de la Seconde Guerre
à la Guerre froide

Le climat euphorique dans lequel s'achève le second conflit mondial ne tarde guère en effet à se gâter et à s'assombrir. La capitulation du Troisième Reich à Berlin le 8 mai 1945 est suivie quelques semaines plus tard de la signature de la Charte des Nations Unies le 25 juin 1945. Ces deux événements ouvrent-ils une période de progrès pour la démocratie, représentent-ils le début d'un système de sécurité collective assurant au monde une paix généralisée jusqu'alors inconnue? C'est oublier que la Seconde Guerre n'est pas terminée: l'écrasement du Japon en août 1945 révèle les immenses possibilités de l'arme nucléaire récemment mise au point aux USA. Cette donnée inquiétante va poser les problèmes diplomatiques et stratégiques de façon toute nouvelle. Des lézardes encore discrètes mais déjà bien réelles se multiplient ensuite en moins d'un an: lors de la conférence internationale de Potsdam en juillet-août 1945 les exigences de garanties dans la démocratisation des pays d'Europe de l'Est, tombés depuis peu sous l'influence de l'Union soviétique, restent lettre morte auprès de Staline. En septembre 1945 les demandes de réparations adressées à l'URSS par la Bulgarie, la Hongrie et la Roumanie se heurtent à une fin de non-recevoir. Au même moment, les prétentions soviétiques sur la Méditerranée inquiètent le gouvernement britannique, dirigé par le Labour depuis quelques mois. En avril 1946 des désaccords surgissent entre Bevin et Molotov au sujet des anciennes possessions italiennes en Afrique du Nord; au même moment communistes et socialistes fusionnent dans la zone d'occupation soviétique en Allemagne. Enfin en Grèce, la guerre civile est loin d'être terminée et va ouvertement reprendre en septembre.

C'est dans ce climat déjà passablement alourdi que se tient, toujours en Grande-Bretagne, une seconde conférence socialiste internationale à Clayton-on-Sea, du 17 au 20 mai 1946[7]. La guerre est maintenant terminée depuis un an et les partis socialistes ont pu légalement reprendre leur activité dans une Europe fort différente de celle de 1939. Trois critères principaux permettent de mieux définir ces organisations. Tout d'abord leur idéologie. Certaines d'entre elles se réclament du marxisme le plus orthodoxe. C'est le cas de la SFIO, du PSI et de la majorité des partis socialistes des pays de l'Est, adeptes d'une politique dirigiste et volontariste de rupture avec le capitalisme. On ne s'étonnera guère de voir cette orientation défendue par la SFIO: après s'être, à la Libération, largement épurée de ses éléments collaborationnistes ou suspects de complaisance vis-à-vis du régime de Vichy, elle reprend le discours socialiste traditionnel, encore fortement imprégné du guesdisme qui était le sien avant 1939. Dès son congrès national extraordinaire des cadres des Fédérations socialistes reconstituées dans la Résistance, tenu du 9 au 12 novembre 1944, elle s'est prononcée pour «la reprise des relations au sein de l'Internationale dont l'activité est indispensable en vue de l'organisation de la paix par l'union des travailleurs de tous les pays». Dans les mois qui suivent la SFIO est avec le Parti socialiste belge parmi les défenseurs les plus ardents d'une reconstitution de l'Internationale. Engagé dans la lutte contre le fascisme depuis 1922, le Parti socialiste italien a conservé à travers cette expérience puis celle de la Résistance une relative pureté doctrinale qu'aucun passage au pouvoir n'a pu encore altérer. Mais comme son homologue français il doit tenir compte de l'existence d'un Parti communiste tout puissant qui n'est pas sans influer sur ses choix stratégiques. Enfin les partis socialistes des pays d'Europe de l'Est après s'être également débarrassés de leurs éléments compromis durant la

185

guerre sont engagés dans un processus de collaboration directe avec les partis communistes au sein duquel ils veulent œuvrer à un type de «démocratie nouvelle», rompant avec la capitalisme. Cette orientation suscite néanmoins des divergences dans les rangs des socialistes polonais.

Un second ensemble manifeste une beaucoup plus grande désinvolture vis-à-vis de la théorie: il pense pouvoir, à travers une politique de réformes économiques et sociales, mener à bien une adaptation du système capitaliste. Outre le Labour Party et les partis scandinaves, se rattache à ce groupe le Parti socialiste belge (PSB), nouveau nom pris par les socialistes de ce pays durant la Résistance à la suite de la dissolution en juin 1940 du POB par H. de Man appelant à collaborer avec le nazisme ainsi que les socialistes autrichiens. On retrouve ici une des lignes de force de l'IOS où ces mêmes partis figuraient à la droite de cette organisation. Ici la continuité, manifeste, intègre toutefois un élément nouveau, la présence des socialistes autrichiens qui appartenaient auparavant à la gauche de l'IOS. Cette rencontre s'explique tant par les réminiscences de l'austro-marxisme (la possibilité d'une «révolution lente», d'une transformation graduelle de la société) que par l'accès au pouvoir de ce parti à la Libération après 11 ans de dictature, depuis 1934. Pour les socialistes autrichiens, réunifiés dès la libération de Vienne par la fusion entre les socialistes-révolutionnaires et les sociaux-démocrates, les conditions politiques ont changé du tout au tout. Aux antagonismes violents existant avant 1939 avec les chrétiens-sociaux a succédé une nouvelle approche, toute faite d'équilibre entre des «partenaires sociaux» qui collaborent dans un premier temps sous la forme d'un gouvernement tripartite (populistes, socialistes, communistes) puis différemment ensuite dans le cadre d'une «démocratie négociée». Ce système fonctionnera sans difficultés jusqu'en 1966. En Grande-Bretagne, le Labour dispose d'une large majorité qui lui permet d'entreprendre de vastes réformes: nationalisations de la Banque d'Angleterre, des charbonnages, du gaz, de l'électricité, etc. Ces réalisations vont de pair avec la mise en route d'un ambitieux système de protection sociale inspiré par le plan Beveridge: instauration en 1946 du National Assurance Act qui couvre les risques les plus étendus, accompagné du National Assistance Act organisant l'assurance contre les accidents du travail ainsi que du National Health Service fournissant la gratuité des soins médicaux et dentaires et plaçant les médecins sous le contrôle de l'Etat [8]. Un ample programme de reconstruction, une réorganisation plus démocratique de la fiscalité viennent compléter cet ensemble qui représente en quelque sorte le «modèle» du réformisme mis en œuvre par le socialisme démocratique en Europe de l'Ouest. Prospérité et égalité par la redistribution des revenus, ainsi qu'un système de protection sociale de qualité caractérisent également l'action des socialistes suédois.

Troisième critère: la politique extérieure où les positions les plus diverses sont défendues. Pour certains socialistes comme ceux des pays de l'Est leur sympathie vis-à-vis de l'URSS est explicite. D'autres voient dans le socialisme européen la possibilité d'édification d'une troisième voie originale entre les deux blocs en cours de formation et de rigidification: c'est en Europe que pourra se développer un socialisme démocratique et original tout aussi autonome vis-à-vis de l'Union soviétique que des USA. Cette analyse est défendue par la SFIO et le PSB. D'autres partis enfin, les plus nombreux et sans doute les plus puissants manifestent un atlantisme affiché, certains d'entre eux allant jusqu'à affirmer que c'est aux Etats-Unis que sont menées alors les transformations sociales les plus grandes. On le voit, les positions sont d'une grande variété et ne coïncident pas forcément en politique intérieure et extérieure: c'est surtout l'extrême diversité théorique, politique et organisationnelle qui est de règle au sein de ce qui est encore alors un mouvement socialiste international en cours de reconstitution.

La situation très différente de ces organisations dans leurs pays respectifs accroît encore ce manque de cohésion. Même si les composantes du mouvement socialiste se structurent dans un contexte nouveau on retrouve ici une donnée qui a pesé lourd dans la vie de l'IOS. Certains partis très puissants sont seuls au pouvoir, l'exemple le plus typique étant celui du Labour Party; en aucun cas les faibles forces du Parti communiste britannique ne peuvent lui faire une sérieuse concurrence. D'autres organisations participent à un gouvernement de coalition: c'est ce que font les socialistes d'Europe orientale (polonais, tchèques, roumains, hongrois, bulgares) engagés dans une alliance reposant sur le modèle de Front populaire avec les communistes ainsi que des groupements libéraux et paysans. Cette orientation n'est d'ailleurs pas unanimement acceptée et provoque des scissions ou au moins des tendances à l'intérieur de ces formations, notamment en Pologne. D'autres partis sont dans l'opposition qu'ils ont la possibilité d'exercer de façon démocratique comme les Hollandais ou les Danois; quelques uns d'entre eux sont aux prises avec la dictature comme les socialistes grecs ainsi que les deux factions du socialisme espagnol, clandestine autour de Negrin ou en exil avec Llopis, qui divergent sur l'attitude à adopter vis-à-vis des communistes. Enfin dans une dernière catégorie beaucoup plus restreinte, on trouve des socialistes luttant contre l'occupation étrangère de leur pays: tel est le cas des socialistes palestiniens.

Au delà des situations immédiates résultant de l'action résistante menée durant la Seconde Guerre ainsi que du rapport des forces à la Libération, l'influence politique de chaque parti est également tributaire de son histoire, de son implantation antérieure, de son insertion dans son pays ainsi que de l'expérience des affaires et parfois du pouvoir qu'il a pu acquérir auparavant. Le rapport plus ou moins étroit avec les mouvements syndicaux et mutualistes, la force ou la faiblesse, également très variable des partis communistes doit aussi être prise en compte: fortement implantés depuis plusieurs décennies les socialistes anglais, scandinaves, belges et dans une moindre mesure hollandais sont en bien meilleure posture que les socialistes français et italiens tous deux en concurrence avec des partis communistes extrêmement puissants et auréolés du rôle essentiel qu'ils ont su acquérir durant la Résistance. En dépit d'une relative progression du communisme en Belgique et aux Pays-Bas dans les années 1945-1950, le socialisme reste largement majoritaire au sein du mouvement ouvrier dans ces deux pays. Les Tchèques se rattachent à ce deuxième groupe ce qui s'explique, partiellement du moins, par la puissance du Parti communiste tchécoslovaque, dès le début des années Vingt: jusqu'à Munich, le PCT est le troisième d'Europe. Enfin les socialistes polonais, roumains et bulgares dont l'enracinement est toujours resté fragmentaire en raison des particularités historiques des classes ouvrières de leurs pays, en raison également du fait que les formes de dictature qui y ont existé durant l'entre-deux-guerres n'ont pas permis le développement d'un parti socialiste important, sont en position beaucoup plus fragile. Bien vite ils s'avéreront incapables de résister à la pression communiste et seront absorbés puis éliminés de la scène politique de l'Europe orientale pour quatre décennies [9].

Ce bref rappel montre l'extrême diversité qui est celle du socialisme européen au lendemain de la Seconde Guerre, diversité qui provient elle-même de plusieurs facteurs. Elle découle pour une bonne part de l'action menée par les socialistes durant les années 1939-1944, de leur engagement dans la lutte contre le fascisme ainsi que des rapports de forces existant dans leurs pays. Cependant le poids du passé ne doit point non plus être oublié et la physionomie des organisations socialistes européenne en résulte également. La Seconde Guerre représente bien une rupture, la fin d'un monde et le début d'une ère différente mais pour l'histoire du socialisme européen comme pour tout événement historique de longue durée, il ne suffit pas d'examiner les ruptures, les cassures même si celles-ci sont les plus immédiatement visibles: il n'importe pas moins de relever les éléments de continuité qui contribuent à façonner la physionomie d'un groupement, d'un parti. Moins spectaculaire, plus difficile sans doute à cerner, ce paramètre doit également être pris en considération en 1946. A partir des grandes lignes de force qui ont jalonné l'histoire de l'IOS, il convient de définir les caractéristiques principales qui sont celles du socialisme européen en 1945. Deux données essentielles sont à retenir ici: la montée en puissance du socialisme de droite, réformiste qu'est celui du Labour et des pays scandinaves, initiée dans les années Trente se poursuit et s'amplifie. Elle permet de suivre et de comprendre les péripéties de la reconstruction d'une organisation socialiste internationale à un moment où le socialisme allemand ne pèse alors que de fort peu de poids. Par ailleurs, très vite l'attitude à prendre vis-à-vis du communisme et de l'Union soviétique va, en politique intérieure comme extérieure, interpeller la plupart des partis socialistes européens.

Ces problèmes et les contradictions qui en découlent sont au cœur des débats de la seconde conférence socialiste internationale tenue à Clayton-on-Sea — toujours en Grande-Bretagne! — en mai 1946. Dix-neuf partis socialistes dont ceux de l'Europe centrale, Bulgarie exceptée, y sont représentés. Toujours à l'instigation du Labour, puissance invitante et organisatrice, il est bien spécifié qu'il ne s'agit en aucun cas de ressusciter la moribonde IOS. La conférence a pour seul but de «rétablir les contacts rompus durant la guerre pour échanger des informations et dégager si possible des politiques communes sur des problèmes communs ou d'intérêt actuel». On peut noter un assouplissement général vis-à-vis des socialistes des pays vaincus puisque les Autrichiens ont été réintégrés dans la communauté internationale. Deux grandes questions sont au cœur des débats. Vis-à-vis de l'Union soviétique, tous les participants reconnaissent que «l'amitié avec (elle) est la clef de la paix dans le futur». Cette prise de position toute diplomatique se signifie pas pour autant que la collaboration avec les communistes dans les différents pays européens soit un fait acquis: Hongrois, Polonais, Roumains et Italiens y sont favorables alors que Britanniques et Suédois y sont opposés. Un point de vue intermédiaire est défendu par les Belges, les Finlandais et les Français: sans se départir d'une certaine méfiance, ces derniers sont prêts à coopérer à certaines conditions. Cependant la perspective d'une fusion organique entre les courants communiste et socialiste — qui a été l'objet de discussions publiques dans plusieurs pays, notamment en France — est formellement repoussée.

Mais ce sont surtout le problème de l'Allemagne et le devenir du socialisme allemand qui sont abordés à Clayton-on-Sea. La conférence se tient en effet moins d'un mois après la fusion des organisations communiste et socialiste (le 22 avril 1946) dans la zone allemande contrôlée par les Soviétiques. Ce fait pose de façon toute nouvelle la question de la réinsertion du SPD au sein du mouvement socialiste international. Sous la pression des événements, le Labour Party qui, il y a un an encore, avait mis en quarantaine les socialistes allemands commence à infléchir sa position. De plus en plus l'exacerbation des tensions entre les pays vainqueurs va amener les socialistes britanniques à ne plus considérer leurs homologues allemands comme des ennemis mais comme des alliés potentiels contre l'Union soviétique. Ce tournant s'esquisse dès mai 1946: il faut attendre encore un an et demi pour en voir entérinées toutes les conséquences.

Une fois de plus cette réunion est marquée sous le sceau de l'empirisme du Labour qui refuse de mettre sur pied tout organisme qui pourrait sembler vouloir succéder à l'IOS. Tenue à huis clos, la conférence se termine sans qu'aucune résolution politique commune n'ait été adoptée. Néanmoins, il est mis sur pied un bureau d'information (Socialist international liaison office, SILO), dépourvu de toute autonomie politique et à caractère purement administratif: sa tâche se limite à faire circuler l'information et organiser matériellement les conférences futures. Faut-il y voir comme l'affirment les Français un premier pas dans «l'œuvre difficile de reconstruction de l'Internationale»? C'est aller ici un peu vite en besogne et vouloir franchir une étape que les partis dans leur ensemble ne sont pas encore prêts à aborder. La mise sur pied de ce bureau peut aussi être considérée comme un moyen de ne pas aller plus loin dans la voie de la reconstitution de l'Internationale. Au terme de cette rencontre la question la plus importante qui se pose désormais au mouvement socialiste est la réintégration en ses rangs du SPD. Elle va mobiliser une grande part de ses énergies et sera finalement résolue au terme de trois nouvelles réunions internationales tenues en dix-huit mois.

Plusieurs événements de portée internationale allant tous dans le même sens contribuent à faire évoluer les socialistes anglais et favorisent la réinsertion du SPD. Le durcissement de la politique soviétique en zone occupée entraîne un raidissement de l'attitude américaine vis-à-vis de l'Union soviétique et renforce l'atlantisme du Labour. Dès la conférence de Bornemouth en novembre 1946 la question du SPD est posée de façon nouvelle par la bouche du secrétaire général du Labour, Morgan

Phillips dans les termes suivants: «Aider les socialistes allemands dans toute la mesure du possible de façon à ce qu'ils puissent être intégrés dans la civilisation occidentale et non au bloc de l'Est». Phillips est soutenu par les socialistes autrichiens, belges, danois, néerlandais et suédois. Les Suisses et les Tchèques ne manifestent aucun enthousiasme pour cette perspective à laquelle les Polonais sont carrément hostiles dans la mesure où un tel acte représenterait selon eux «une offense à l'Union soviétique». Afin d'éviter que ne se multiplient les dissensions, les Britanniques décident de surseoir à l'admission immédiate du SPD dans la communauté socialiste internationale et de l'inviter à exposer sa politique lors de la prochaine conférence internationale prévue à Zurich.

Cette dernière s'ouvre en juin 1947. En six mois les événements se sont précipités. Le monde marche maintenant à grands pas vers la Guerre froide. Depuis le mois de mars, les USA font pression sur leurs alliés pour qu'ils abandonnent toute forme de coopération avec les communistes. Cette politique porte ses fruits et entraîne la rupture des alliances qui existaient encore dans plusieurs pays européens entre communistes et socialistes: en mars 1947, en Belgique et au Luxembourg; en mai 1947, en France et le mois suivant en Italie. Bientôt la France et la Grande-Bretagne vont accepter le plan Marshall, le 17 juin 1947. Le 6 juin, jour de l'ouverture de la réunion de Zurich, coïncide avec la rupture entre les deux zones allemandes: désormais la constitution de deux Allemagnes, appartenant chacune à un bloc différent est inévitable [10]. Devant les représentants du socialisme européen, Kurt Schumacher vient exposer la politique de son parti en concluant de la sorte:

«La question pour les socialismes du monde est ainsi posée: veulent-ils qu'un socialisme antitotalitaire existe ou préfèrent-ils nous laisser seuls?» [11]

En dépit d'une opposition véhémente des Polonais reprochant au SPD son «agitation furieuse et effrénée menée pour la révision des frontières occidentales de la Pologne», en dépit également de l'intervention du délégué palestinien expliquant en quoi l'admission du SPD représente pour son parti «un cas de conscience», les socialistes allemands marquent des points politiques importants à Zurich. Ils doivent néanmoins tenir compte de l'opposition plus modérée des Tchèques, des Roumains, des Italiens et des Grecs; de plus leur cas ne fait pas l'unanimité au sein des partis belge et suisse où des divergences se révèlent à leur égard. Ces réserves expliquent qu'en définitive la question soit renvoyée à la prochaine conférence. Mais pour la dernière fois. Dans l'immédiat est créé un Comité de liaison avec le SPD. Cet attentisme de façade ne peut guère masquer le fait que, au sein de la communauté socialiste, c'est de plus en plus l'attitude vis-à-vis du communisme qui devient déterminante. Pour un groupe de partis minoritaires — et au premier rang, la SFIO — tout espoir de relations entre l'Est et l'Ouest n'est pas encore perdu: la réinsertion du SPD dans les rangs du mouvement socialiste est à ses yeux susceptible de jeter un «pont» entre l'Est et l'Ouest. Mais la division du monde en deux blocs de plus en plus hostiles continue de s'approfondir dans les mois qui suivent: la répression en Europe de l'Est — le dirigeant bulgare Petkov arrêté en juin est pendu en novembre — et surtout cet événement de première importance qu'est la création du Kominform [12] le 27 septembre à l'issue de la conférence internationale des partis communistes de Slarska-Poreba, rendent désormais caduque toute perspective de collaboration entre les deux composantes politiques du mouvement ouvrier. Comme le dit de Brouckère, il devient impossible d'abandonner le socialisme allemand «alors que le communisme allemand est soutenu par tous les partis communistes du monde». La boucle est bouclée et en novembre 1947 à la conférence d'Anvers, le SPD est admis, par 12 voix contre 4, comme membre à part entière des conférences socialistes internationales. Les socialistes de Hongrie, de Tchécoslovaquie, de Palestine et de Pologne ont voté contre, le Bund et le Parti socialiste italien se sont abstenus. En deux ans et demi on est passé d'une «logique de ressentiment à une logique politique» surdéterminée par la rupture avec les communistes. C'est bien d'un tournant dont il s'agit et on ne peut pas ne pas relever ici la coïncidence chronologique entre la création du Kominform et la réadmission du SPD au sein du mouvement socialiste. Une étape importante vers la reconstitution d'une Internationale socialiste vient d'être franchie. Elle s'accomplit au même moment que la rupture avec le mouvement communiste engagé dans un processus de réorganisation avec la constitution du Kominform. La séparation est irrémédiable trois mois plus tard, au lendemain du Coup de Prague [13]. La rupture à l'intérieur du mouvement ouvrier entre communistes et socialistes «s'accompagne d'une rupture à l'intérieur du mouvement socialiste entre les partis socialistes de l'Ouest et de l'Est ou plus précisément ce qu'il restait encore de ces partis».

Elément essentiel dans le processus de reconstruction de l'Internationale socialiste, la dynamique de la Guerre froide ne suffit cependant pas à l'expliquer. A Anvers est également décidée la mise sur pied d'un Comité international des conférences socialistes (COMISCO): c'est un pas supplémentaire dans la structuration du mouvement socialiste et l'affirmation d'une volonté de renforcement des liens existants. Cependant la reconstitution d'une Internationale par trop contraignante est encore écartée même si cette nouvelle initiative est suivie en juillet 1949 du recrutement d'un secrétaire administratif permanent en la personne d'un vieux militant du mouvement socialiste: il s'agit de Julius Braunthal qui a milité depuis longtemps avant guerre dans les rangs du socialisme autrichien. Néanmoins au delà des analogies, il faut noter les différences: pas plus que le Kominform ne peut être assimilé au Komintern, le COMISCO ne se substitue à l'IOS. Destiné à «organiser l'échange des expériences et en cas de nécessité la coordination de l'activité des partis communistes sur la base d'un libre consentement», le Kominform aura une influence bien moindre que son devancier sur les différents partis communistes européens et ne survivra pas au choc de l'année terrible — 1956. Il disparaît sans bruit dès cette date. Durant les mêmes années, le COMISCO puis l'Internationale socialiste vont surtout servir de lieu d'information, d'échange entre les partis socialistes mais seront bien incapables de définir et de leur faire appliquer une politique commune, contrairement à ce que prétendait vouloir mener à bien l'IOS. Ce serait plutôt l'inverse qui serait vrai: de façon bien plus nette encore que pour l'IOS, les positions adoptées par l'Internationale socialiste sont étroitement tributaires des rapports de force existants entre les partis qui lui sont rattachés [14].

L'unanimité est encore loin d'être de règle chez les socialistes et en particulier sur le principal problème discuté à Anvers: la question de la paix et de la reconstruction économique qui détermine l'attitude à adopter vis-à-vis du plan Marshall. Pour un premier groupe constitué des sociaux-démocrates d'Europe du Nord, (britanniques, socialistes des pays scandinaves, belges et hollandais) ainsi que des français, le Plan est susceptible de représenter «un pas vers l'indépendance européenne pourvu que les USA n'imposent pas de conditions». Les socialistes de gauche (pays d'Europe de l'Est et Italie) sont beaucoup plus critiques à son sujet et l'associent à la doctrine Truman dans une logique de bloc à laquelle ils veulent échapper. Italiens et Polonais refusent la division du monde qui risque de déclencher «une guerre contre les forces de progrès et de paix», stigmatisent «l'intervention capitaliste réactionnaire en Grèce» et dénoncent «le nationalisme et le révisionnisme allemands». En fin de compte un document commun peut être adopté: il condamne la division du monde en deux blocs, apprécie favorablement l'aide américaine à l'Europe tout en approuvant la coopération économique des pays de l'Europe de l'Est [15]. Il s'agit bien d'un texte de compromis, nécessairement ambigu, dont la rédaction témoigne du refus de se laisser enfermer dans la logique de la guerre froide: dans leur ensemble les socialistes n'ont pas encore abandonné tout espoir d'une coopération Est/Ouest. Bien vite les événements vont se charger de démontrer l'inanité d'une telle position: toute possibilité de compromis à l'échelle internationale est définitivement exclue trois mois plus tard. Avec le Coup de Prague en février 1948 débute véritablement la Guerre froide ce qui place les socialistes européens dans une situation nouvelle et leur impose des choix originaux.

Dès le 15 mars est mise sur pied une Union des partis socialistes indépendants pour la liberté de l'Est européen composée de représentants des partis exilés de Hongrie, de Pologne, de Roumanie et de Yougoslavie [16]. Quatre jours plus tard le COMISCO réuni à Londres dénonce «cette caricature de démocratie hypocritement appelée 'démocratie populaire'». Il constate que les partis socialistes roumain, bulgare et hongrois «intégrés au mouvement communiste par des décisions arbitraires de leurs dirigeants... se sont par là exclus du COMISCO», dénie à la direction du parti tchèque le droit de représenter le socialisme dans son pays et met les Polonais et les Italiens en demeure de choisir «entre l'assujettissement au Kominform et la libre coopération socialiste [17]. Cette résolution consacre l'échec de toute perspective de coopération internationale souhaitée par le mouvement socialiste depuis la victoire alliée. La période d'euphorie qui met fin à la Seconde Guerre mondiale est maintenant dépassée. De plus, mars 1948 déséquilibre gravement le mouvement socialiste international dans la mesure où tous les partis socialistes de l'Europe de l'Est sont maintenant réduits à n'être que des groupes très minoritaires d'exilés avec lesquels des liens sont maintenus mais qui ne sont même plus directement affiliés au mouvement. Aussi s'effectue-t-il un rééquilibrage qui bénéficie très largement aux tenants du socialisme démocratique, en premier lieu britanniques et scandinaves. Ce processus entraîne d'ailleurs des remous au sein du COMISCO: mis en demeure de rompre le pacte d'action qui le lie avec le Parti communiste, le Parti socialiste italien est relégué au rang de membre observateur puis expulsé du COMISCO lors de la conférence de Baarn aux Pays-Bas en mai 1949. Ce dernier accueille en contrepartie l'Unité socialiste, alliance électorale composée de deux dissidences du PSI, le Parti socialiste des travailleurs italiens (PSLI) de Saragat et l'Union des socialistes indépendants (USI) d'I. Silone. Cependant le socialisme italien reste divisé entre les tenants d'une politique étrangère de Troisième force, plus à gauche et les «atlantistes» de la majorité du PSLI. Les deux fractions du socialisme espagnol — celle de Negrin et celle de Llopis — sont également partagées sur l'appréciation qu'elles portent d'une possibilité de coopération avec les communistes. Jugé trop sympathisant vis-à-vis d'eux, Negrin se voit rejeté par le COMISCO au profit du groupe de Llopis dont l'affiliation est définitivement reconnue lors de la conférence de Vienne du 3 au 7 juin 1948 en dépit des protestations de la fraction rivale. Dans le contexte de la guerre civile en Grèce, des questions mal résolues se posent également au socialisme grec.

Dès les lendemains du coup de Prague le mouvement infléchit sa stratégie en l'élargissant. Dans ses rangs certains réfléchissent bientôt en termes «d'entente socialiste mondiale». C'est dans cette perspective que s'ouvre la phase ultime de la reconstruction de l'Internationale: en cherchant à sortir du cadre européen les socialistes s'efforcent de dépasser la logique des blocs, désormais inévitable en Europe. Il y a à la fois réflexion sur l'Europe et volonté de dépassement du cadre par trop étroit de cette dernière. A partir de la conférence socialiste de Seldson Park (mars 1948), la SFIO prend des positions en pointe dans cette orientation en proposant «de fixer les lignes générales, doctrinales et politiques pour tout le mouvement socialiste sur les problèmes de l'Europe» et en demandant aux pays concernés par le plan Marshall «d'élaborer une stratégie commune pour la création des Etats-Unis démocratiques d'Europe». C'est avancer de façon plus ou moins explicite l'idée d'une Fédération européenne et d'un Mouvement pour les Etats-Unis socialistes d'Europe. Mais cette orientation reste minoritaire au sein de la conférence où elle est repoussée par les Britanniques et les Hollandais qui admettent que le plan Marshall puisse servir à faire progresser la coordination des économies européennes mais refusent toute l'idée de fédération européenne. La conférence confirme son attachement au plan Marshall en soulignant l'attitude positive manifestée par l'administration américaine qui laisse les gouvernements européens mener la politique économique et sociale de leurs choix. Elle regrette mais en pure perte le refus de l'URSS et des pays de l'Europe de l'Est «sous son contrôle» de s'y associer. Ce soutien au plan Marshall ne signifie pas que la conférence se résigne à la division du monde en deux blocs. Dès cette époque apparaissent pour les socialistes les premières difficultés à définir une politique européenne commune en raison notamment de la diplomatie plus nationaliste qu'internationaliste du Labour.

Dans les mois qui suivent, les initiatives prises en matière de construction économique européenne suscitent de nouveaux débats au sein du mouvement socialiste. Les conséquences de la création du Conseil de l'Europe et de l'Assemblée consultative de Strasbourg (janvier 1949) sont discutées lors de la conférence de Baarn en mai 1949: celle-ci révèle de profonds désaccords sur l'Union européenne. Belges, Français et Hollandais interviennent en faveur d'un renforcement du mouvement socialiste européen et proposent même l'organisation d'un groupe parlementaire socialiste commun dans le cadre de l'Assemblée de Strasbourg. Ils défendent un point de vue fédéraliste, sont partisans d'un mouvement européen, les Hollandais allant même jusqu'à évoquer «un grand Commonwealth européen dans l'intérêt de tous les pays». En face d'eux Scandinaves, Suisses et surtout Britanniques ont une optique bien différente. Sans nier l'intérêt de la perspective de la construction européenne, D. Healey, représentant du Labour, estime que l'avenir de l'Europe dépend tout autant de la Communauté atlantique et du futur du Commonwealth que de son union politique. L'intégration européenne doit se limiter «à une approche fonctionnelle à travers la coopération intergouvernementale». Mais il est hors de question pour ce parti de vouloir réaliser l'Union européenne par le biais d'une organisation fédérative qui aboutirait à un abandon de la souveraineté britannique.

Nous avons déjà relevé le poids du travaillisme britannique dans le socialisme européen depuis les débuts de la Seconde Guerre mondiale. Cette tendance a même commencé avant et n'a cessé de se développer depuis 1933 au détriment des socialismes allemand et autrichien au sein de l'IOS. Déjà ancienne elle se renforce ensuite en raison de la situation spécifique de la Grande-Bretagne, seule puissance européenne restée à partir de l'été 1940 aux prises avec le nazisme. En se conjuguant, ces deux facteurs donnent au Labour Party, au pouvoir à partir de juillet 1945, un poids encore accru au sein de la communauté socialiste: on en a déjà vu les effets jusqu'en 1948.

A partir de cette date et du début de la Guerre froide, ce sont d'autres présupposés qui sous-tendent la position particulièrement solide des socialistes britanniques [18]. Elles ont été définies de façon fort cohérente par D. Healey, directeur du Bureau international du Labour de 1947 à 1952. Dans un document paru au milieu de l'année 1947 [19], ce responsable présente une analyse géopolitique d'ensemble permettant de situer la position du Labour à travers les grandes lignes de force de la politique internationale. Refusant la division trop communément admise du globe en deux blocs, — l'URSS et les USA — il voit le monde constitué non en deux mais en trois ensembles. Adossée à son Empire, la Grande-Bretagne représente une force considérable dépassant largement le cadre européen et qui est en mesure de rivaliser à l'échelle mondiale avec les Etats-Unis et l'Union soviétique. Mais le Commonwealth impose des obligations à la Grande-Bretagne, qu'il s'agisse de la décolonisation aux Indes, ou de l'aide au développement de certaines colonies. Un autre élément et de taille doit être pris en compte par le gouvernement britannique: l'expansionnisme soviétique ne concerne pas seulement l'Est de l'Europe mais constitue également une menace pour des zones géopolitiques visant directement la Grande-Bretagne, en premier lieu au Moyen-Orient. Aussi doit-elle coopérer avec les Etats-Unis pour limiter militairement et économiquement cet expansionnisme. Coopérer et non pas se voir réduite à n'être qu'un simple satellite des USA: avec son empire colonial la Grande-Bretagne estime pouvoir se situer sur un pied d'égalité avec les Américains. D'où un «atlantisme» très net du Labour, un accueil des plus favorables au plan Marshall et aux Etats-Unis en général qui ira jusqu'à faire dire à certains responsables travaillistes qu'en politique intérieure, l'administration américaine se rapproche très étroitement de leurs conceptions et de leurs réalisations.

Cette vision planétaire du monde surdétermine les options prises par les socialistes britanniques sur la question européenne. Ils les développent en 1950 dans un document, *European Unity*, qui répond point par point au plan Schuman sur la CECA. Le Labour admet la possibilité d'une coopération plus étroite des pays européens sur les plans politiques et économiques; mais ceci dans une optique tout empirique et sur la base du programme le plus minimaliste qui soit. Par contre il est farouchement opposé — et les débats ultérieurs sur la construction de l'Europe le montreront à l'évidence — à tout plan d'organisation politique et économique européenne qu'il va s'efforcer de torpiller durant deux décennies. Toute idée de Fédération européenne, d'organisation continentale lui est odieuse dans la mesure où elle risque de remettre en cause le statut et l'équilibre du Commonwealth comme le dit d'ailleurs avec la plus grande netteté D. Healey dans son exposé:

> «La Grande-Bretagne n'est pas qu'une petite île surpeuplée au large de l'Europe. Elle est le centre nerveux du Commonwealth mondial qui s'étend sur chaque continent. Sur tous les plans (sauf celui de la distance) nous autres Anglais, nous sommes plus proches de nos parents en Australie ou en Nouvelle Zélande que des Européens... Les économies des pays du Commonwealth sont complémentaires de celle de l'Angleterre à un point inconcevable pour l'Europe occidentale» [20].

A partir d'une telle analyse les positions du Labour en politique étrangère durant cette période sont faciles à comprendre. Deux notions clés, lourdes de conséquences, doivent ici être retenues: l'impérialisme et l'atlantisme. Après avoir fait montre d'une grande prudence dans la réorganisation du mouvement socialiste international qu'ils ont freinée plus qu'encouragée, les socialistes britanniques accueillent avec les plus expresses réserves toute initiative en matière de construction européenne quand elles commencent à se poser en cette extrême fin des années Quarante. Bien entendu ces analyses ne sont pas aussi brutalement développées au sein du COMISCO. Elles conditionnent néanmoins, et de façon directe, l'argumentation du Labour vis-à-vis des autres partis socialistes européens; à partir de tels postulats il développe également une vision très particulière à leur sujet, concluant à la grande difficulté, voire à l'impossibilité d'un travail en commun entre les différentes composantes du socialisme. Une fois encore, laissons ici la parole à Healey qui en 1950 s'exprime à ce sujet [21]. Il relève et avec force détails les obstacles qui représentent une entrave à la collaboration entre les partis socialistes européens. Les cultures politiques différentes existant entre les pays de l'Europe du Nord et du Sud constituent à ses yeux un obstacle historique presque insurmontable qui n'est pas sans avoir profondément imprégné les organisations socialistes. Cette distinction entre Europe méridionale et septentrionale est au cœur de son argumentation. Sans même parler de son dédain pour le marxisme, le socialisme de l'Europe du Nord ne manifeste qu'un intérêt bien limité pour la théorie; il se caractérise par son pragmatisme et son sens du concret, fort étrangers aux socialistes de l'Europe du Sud. Autant la droite des pays de l'Europe du Nord est consensuelle et non réactionnaire, autant la droite des pays de l'Europe méridionale est idéologique, antidémocratique, hostile à toute réforme. Ces particularités explicables par l'histoire entraînent des comportements opposés dans ces deux zones géopolitiques. L'alternance est possible dans l'Europe du Nord, beaucoup plus difficile dans celle du Sud, incapable de goûter aux avantages de la vie démocratique. A partir de tels postulats, Healey refuse toute immixtion étrangère dans les affaires du Labour. L'ingérence serait inévitable dans le cadre d'un mouvement international où les partis socialistes de l'Europe du Sud et de l'Est, les plus nombreux, dicteraient leur orientation au Labour. Pour un Britannique, même socialiste, il ne saurait en être question.

Ce n'est pas ici le lieu de réfuter cette vision par trop sommaire des choses tant dans l'analyse qu'elle fait de la vie politique européenne que dans la présentation caricaturale qu'elle offre des rapports de force existant au sein de la communauté socialiste. Les débats idéologiques tranchés n'ont pas été le seul apanage des pays de l'Europe du Sud et le mouvement ouvrier britannique a également connu des luttes politiques violentes. De même, les classes politiques dirigeantes de l'Europe méridionale n'ont pas eu le monopole d'une politique consensuelle: que l'on se souvienne de la situation en Grande-Bretagne au XIXe siècle ou plus récemment de l'Allemagne à partir de 1933... Mais, même si cette analyse contient peut-être quelques grains de vérité, elle ne doit évidemment pas être prise comme un modèle de réflexion politologique mais bien plus comme un document idéologique sur lequel repose l'orientation du Labour Party et qui explique les limites incontestables de son internationalisme.

De telles motivations vont peser d'un grand poids sur l'Internationale à sa naissance. Les Britanniques continuent de tout faire pour réduire son rôle à celui d'un organisme se bornant à l'échange d'informations et de points de vue n'engageant pas, ou fort peu ses affiliés. L'aversion du Labour pour la théorie, son pragmatisme irréductible sont mis au service de sa politique nationaliste et impériale. Dans la période 1949-1950 marquée, comme l'a dit Jean Monnet, par «une extraordinaire effervescence intellectuelle autour de l'idée européenne» cette attitude va à l'encontre des désirs et des illusions des socialistes belge, français et hollandais. Le Labour Party se prononce rapidement de la façon la plus claire qui soit vis-à-vis du plan Schuman: il repousse «toute forme d'autorité supranationale» en rappelant la place privilégiée du Commonwealth dans la stratégie générale de la Grande-Bretagne. Bientôt les débuts de la guerre de Corée vont éloigner encore un peu plus ses préoccupations du cadre européen. En octobre 1950, lors de son 49e congrès, il rejette officiellement le plan Schuman. Tout d'abord la déception est grande chez les socialistes continentaux mais bientôt les développements internationaux de la guerre de Corée, la nécessité de la «défense du monde libre» permettent de dépasser ce débat et d'accélérer la reconstruction de l'Internationale.

Au sein du socialisme européen des leaders prestigieux comme Blum ou de Brouckère bien conscients de la faillite de l'IOS et convaincus de la nécessité d'un renouvellement des méthodes d'action continuent à défendre les valeurs de l'internationalisme [22]. L'échec de l'IOS ne signifie pas pour autant celui de cette notion essentielle: aussi reprennent-ils à leur compte l'idée d'une «fédération de partis autonomes» s'engageant à se soumettre aux décisions de l'instance internationale. Bien éloignées de celles du Labour, ces conceptions socialistes orthodoxes font apparaître une divergence grave quant à la définition du rôle du mouvement socialiste. Doit-il avoir un caractère contraignant et exiger de ses affiliés une discipline commune librement consentie ou faut-il au contraire laisser à chaque parti la plus grande autonomie possible? Vieux débat qui s'est posé dans la Seconde Internationale, puis dans l'Internationale ouvrière socialiste et qui inévitablement ressurgit alors. Cette question n'a rien de théorique, elle a des conséquences politiques importantes et immédiates. Elle sera tranchée par le rapport de forces existant alors au sein du mouvement socialiste même si dans l'immédiat elle se règle par un compromis qui laisse planer bien des ambiguïtés.

La création du COMISCO lors de la conférence d'Anvers en 1948 a été un premier pas. Mais devant la nécessité de sortir le mouvement de l'impasse où il se trouve, devant les initiatives menées à bien en matière de construction européenne, il devient urgent de rechercher les bases d'une «entente socialiste mondiale». Dès la fin 1949 une réflexion collective est engagée sur ce point. Une première synthèse faite par G. Mollet à la conférence socialiste de Copenhague en juin 1950 recherche la possibilité d'un compromis entre «la sensibilité chrétienne des Néerlandais, l'anticléricalisme des Allemands et des Français et le rejet de la référence marxiste des Britanniques et des Scandinaves». Ce texte sert de base à la rédaction du point 11 du document ultérieurement adopté sous le nom de Charte de Francfort comme base de programme de la nouvelle Internationale alors reconstituée:

> «Le socialisme est un mouvement international qui n'exige pas une rigide conformité de conception. Que les socialistes fondent leurs convictions sur le marxisme ou d'autres méthodes d'analyse de la société, qu'ils soient inspirés par des principes religieux ou humanitaires, ils luttent tous pour un même but, un système de justice sociale, de vie meilleure, de liberté et de paix» [23].

Cette formulation qui ne satisfait d'ailleurs pas pleinement les socialistes belge et français définit, aujourd'hui encore, les principes fondamentaux de l'Internationale socialiste. Ils se situent très nettement dans la filiation de ceux de la Seconde Internationale puis de ceux de l'IOS qui n'ont cessé de mettre l'accent sur la primauté que représente pour elles la démocratie. La réaffirmation de ce grand principe se fait dans le contexte issu de la Seconde Guerre: les socialistes proclament leur attachement absolu aux principes de la démocratie politique dans l'esprit de la Déclaration universelle des droits de l'homme adoptée peu de temps auparavant, en 1948 et des constitutions de la plupart des pays de l'Europe de l'Ouest. Mais beaucoup plus encore que cela n'était le cas pour l'IOS, ces principes sont énoncés dans le cadre d'un solide pragmatisme: l'influence du Labour est ici manifeste. Si le capitalisme et le communisme sont condamnés dans une même formulation, ils ne sont pourtant pas mis sur le même plan: la démocratie politique peut exister dans un système capitaliste occidental ce qui ne peut être le cas pour le socialisme de type soviétique. Autant la réalisation du socialisme démocratique est envisageable dans une société capitaliste, autant elle est exclue dans un système soviétique.

Par ailleurs, l'IS innove: elle rompt avec le messianisme schématique par trop optimiste qui avait caractérisé tout autant la Seconde Internationale que l'IOS dans leurs discours et se résigne à admettre que «la réalisation du socialisme n'est pas inévitable». Pour les Internationales précédentes, les contradictions internes inhérentes au capitalisme devaient nécessairement entraîner sa perte selon les canons du marxisme le plus orthodoxe. On a vu les conséquences d'un tel discours qui, partiellement du moins, fut à l'origine des deux crises révisionnistes des années 1896/1907 et 1930. Les faits ont également montré en quoi de telles affirmations n'avaient souvent qu'un lointain rapport avec la réalité et s'avéraient insuffisantes pour déterminer une stratégie d'action pour le mouvement. Instruits peut-être par l'expérience, les fondateurs de l'Internationale socialiste sont beaucoup plus prudents dans leur expression quand ils écrivent que la faillite vraisemblable du capitalisme, son incapacité d'une gestion rationnelle de la société permettront au socialisme de s'imposer toujours davantage aux yeux des masses. Ces probabilités autorisent les plus grands espoirs mais rien n'est cependant acquis par avance. Sur un autre plan, le changement est également net en comparaison de l'IOS: dès sa constitution la nouvelle Internationale cherche à déborder le cadre européen et à gagner en influence dans les pays récemment décolonisés d'Asie du Sud-Est, dans le but explicite d'enrayer la poussée du communisme international, «instrument d'un nouvel impérialisme». L'IS se pose en remplaçante du capitalisme européen déconsidéré par sa politique coloniale: même si ces conceptions optimistes ne sont pas immédiatement suivies d'effet, il faut y voir le début d'un approfondissement de la question coloniale qui n'a pas été abordée par les socialistes depuis 1928 [24]. Resté alors sur un plan théorique, le débat n'avait été suivi d'aucun effet. A partir du début des années Cinquante, les choses vont être assez différentes dans la mesure où la décolonisation, l'émergence des pays du Tiers-Monde comme force politique autonome, donneront une grande actualité à cette réflexion.

Un compromis a pu être trouvé sur les principes de la nouvelle organisation. Au même moment, en ce début de l'année 1951, le débat sur la construction européenne semble avoir quelque peu perdu de son acuité. Après avoir obtenu du Parti socialiste belge et de la SFIO qu'ils renoncent à leurs conceptions internationalistes trop affirmées à son goût, le Labour accepte enfin la reconstruction officielle de l'Internationale où à Francfort, du 30 juin au 3 juillet 1951, les socialistes européens réunis en conférence se proclament le premier congrès de l'Internationale socialiste [25]. Moins de trois mois auparavant l'accord entérinant la création de la Communauté européenne du charbon et de l'acier (CECA) a été signé à Paris le 18 avril 1951 même si dès juin 1950, la Grande-Bretagne a refusé de prendre part à sa création [26]. Il entre en vigueur le 26 mai 1952 et provoque immédiatement l'opposition véhémente du SPD et particulièrement de son président, Kurt Schumacher, qui y voit une répétition «de la politique française depuis 1918»[27]. Au contraire, les socialistes belge, français et hollandais ratifient immédiatement cet accord. C'est dans ce climat peu internationaliste que le Ier congrès de l'Internationale socialiste adopte à l'unanimité le texte sur les buts et les tâches du socialisme démocratique; ses statuts la définissent comme «l'association des partis qui luttent pour la réalisation du socialisme démocratique». Ses structures sont étroitement calquées sur celles du COMISCO. Les conférences sont remplacées par des conseils, un Bureau est nommé et le secrétariat administratif reste aux mains de J. Braunthal. Mais si l'Internationale est maintenant reconstituée, dans sa conception, elle reste en retrait de sa devancière quant au pouvoir contraignant qu'elle peut exercer sur ses membres: elle apparaît plus «comme l'officialisation d'un forum socialiste international dont la base politique commune est moins une synthèse que le plus petit dénominateur commun des différentes doctrines»[28]. Et de fait pendant les deux décennies suivantes, l'action de la nouvelle Internationale qui compte pourtant de nombreux partis affiliés au pouvoir, sera des plus modestes tant sur le plan de la recherche théorique que de l'action politique: il faut attendre le début des années Soixante-dix pour voir l'Internationale socialiste jouer un rôle plus actif et agir comme une véritable internationale. Dans l'intervalle, la Guerre froide, les débuts d'abord timides de la déstalinisation, les problèmes posés par la décolonisation des anciennes possessions françaises et britanniques et toujours la construction de l'Europe vont mobiliser l'énergie des socialistes européens.

LA TRAVERSÉE DU DÉSERT
(1951-1972)

Six ans après la fin de la Seconde Guerre mondiale, la reconstitution d'une organisation internationale du socialisme va-t-elle favoriser une nouvelle progression de ce courant? S'effectue-t-elle au terme d'un processus d'homogénéisation et de revitalisation d'un mouvement qui depuis près de deux décennies a accumulé difficultés, échecs et défaites? On ne peut que répondre de façon nuancée à ces questions: l'accession aux responsabilités gouvernementales, le passage au pouvoir de partis socialistes dans un certain nombre de pays européens a permis la mise en œuvre, de façon incomplète mais effective d'une partie de leurs idéaux vers une société plus démocratique, plus juste et moins dure aux plus démunis. C'est peut-être en Grande-Bretagne que les succès sont les plus remarquables: l'instauration d'un système national de santé contribue à modifier la société britannique dans un sens incontestablement plus égalitaire. En France la mise en place de la Sécurité sociale, fortement inspirée du plan Beveridge va dans le même sens, même si elle n'est pas seulement — et de loin — l'œuvre des seuls socialistes:

le Parti communiste et la CGT s'investissent puissamment dans le nouveau projet qu'ils contribuent à faire aboutir [1]. Des réformes assez analogues sont aussi entreprises à l'initiative des socialistes dans les pays de l'Europe du Nord. En Suède, les années 1940-1950 sont consacrées à la poursuite de l'établissement de l'«Etat-Providence», initié dès les années Trente: priorité est donnée aux réformes sociales qui permettent de jeter les fondements des transformations économiques et d'assurer aux travailleurs une protection sociale élevée.

Cependant ces succès indiscutables s'accompagnent de revers assez graves pour le mouvement socialiste, bientôt contraint de renoncer à toute forme d'action et même d'expression politique dans les pays d'Europe de l'Est: de la naissance de la Guerre froide à une période dont la durée est alors imprévisible — elle se prolongera jusqu'à la fin de l'année 1989 — l'histoire du socialisme en Europe orientale se caractérise sinon par le néant, du moins par un rôle des plus limités, le plus souvent clandestin ou de pure forme sans la moindre emprise sur les événements. Alors que le mouvement socialiste poursuit sa route en Europe de l'Ouest, il disparaît complètement de l'échiquier des forces politiques sur près de la moitié du Vieux Continent et ceci pour quatre décennies. Ainsi se produit à l'échelle européenne un grave déséquilibre pour le mouvement socialiste, introduit par un élément totalement imprévu et fort lourd de conséquences dont les effets se feront sentir sur une longue période. Dans le prolongement de la grande division survenue au sein du mouvement ouvrier depuis 1920, la naissance de la Guerre froide semble s'accompagner d'une nouvelle progression du communisme au détriment du socialisme démocratique sans possibilité de retour en arrière; ce dernier se voit littéralement exclu de toute une zone géopolitique de l'Europe par son rival qui l'y supplante. Cette situation inédite va obliger les socialistes à penser plus qu'auparavant en termes planétaires et les contraindre à dépasser le cadre européen où ils s'étaient principalement cantonnés jusqu'alors. Elle explique leurs efforts pour gagner en audience sur les autres continents: des tentatives seront entreprises dès le début des années Cinquante en particulier en direction du monde asiatique mais ne seront dans un premier temps guère couronnées de succès [2]. De ce point de vue, la constitution de l'Internationale socialiste au pire moment de la Guerre froide marque une nouvelle étape de l'histoire du socialisme qui, depuis ses origines, s'est essentiellement caractérisée par son idéologie et son implantation européennes. Jusqu'en ce début des années Cinquante, l'histoire du socialisme international s'est d'abord située dans cette partie du monde mais avec la reconstitution de l'Internationale socialiste cet état de choses tend désormais à être dépassé.

Et ceci d'autant plus que, comme l'évolution des années précédentes l'a déjà montré, ce n'est pas l'Internationale socialiste en tant que telle qui est à l'initiative de la construction européenne. Assurément, certains de ses membres se prononcent ouvertement dans un premier temps pour cette perspective. Mais ils ne sont qu'une minorité et dans son ensemble le mouvement continue d'être divisé sur cette question importante: quelles que soient les positions de ses dirigeants, l'Internationale n'est pas ici à l'initiative. Se trouvant sur la défensive vis-à-vis du communisme, cherchant à dépasser le cadre géopolitique européen — ce qui représente une démarche justifiée par le cours des choses mais qui ne peut se solder immédiatement par des succès éclatants —, en désaccord enfin sur la construction européenne, les socialistes des pays de l'Europe occidentale vont, en dépit de certains succès, se heurter à de graves difficultés. Ils ne seront pas toujours en mesure de les surmonter, loin de là; aussi à la fin de la décennie suivante, plusieurs partis socialistes se trouvent en situation précaire devant la progression de certains partis communistes et de ces nouvelles formes d'extrême gauche qui se développent à leur périphérie: moins que jamais le socialisme semble être en mesure d'être présent aux rendez-vous de l'histoire en 1968. Et ceci, pas seulement en France. Pourtant après ces deux décennies de «traversée du désert», le mouvement socialiste saura entreprendre une grande œuvre de rénovation dans ses rangs qui lui permettra de jouer un rôle plus dynamique et plus en prise avec les événements tout au long des années 1970 et 1980 avant la divine surprise que constitue pour lui l'implosion des systèmes se revendiquant du communisme en 1989.

Quelles sont les forces de la nouvelle Internationale? Comparativement à l'IOS, le nombre de ses partis adhérents a diminué puisque l'on passe de 36 partis en 1928 [3] à 31 en 1951 [4]. Dans une large mesure le sort des partis socialistes des pays de l'Europe de l'Est explique ici cette réduction puisqu'au sein de l'Internationale socialiste ils sont relégués au rang d'observateur; ce statut particulier est révélateur des problèmes politiques ressentis par l'IOS vis-à-vis du monde communiste, comme on verra plus loin. Sur ces 31 partis, 24 sont membres à part entière, 5 sont admis à titre consultatif et 2 enfin à titre d'observateur. La plupart d'entre eux — 24 — sont implantés dans des pays européens et seules 5 organisations militent en Amérique (surtout latine) et 2 en Asie. Dans la décennie des années 1950 cet équilibre va être modifié et, pour la première fois de son histoire, le socialisme va véritablement sortir de son cadre européen pour gagner en influence en Afrique, en Asie et en Amérique latine selon un processus qui ne peut être évoqué dans le cadre de ce livre consacré au socialisme européen.

Les 106 délégués réunis à Francfort représentent une force numériquement imposante, largement supérieure à celle de l'Internationale ouvrière socialiste, puisqu'ils peuvent revendiquer 9 783 000 membres et 43 534 000 électeurs [5]. Comparativement au nombre de membres de l'IOS, l'augmentation est d'environ un tiers puisque cette organisation regroupait quelque 6 200 000 adhérents [6]. Si on évalue le nombre des électeurs, la progression est plus spectaculaire encore puisque l'on est passé de 26 millions [7] de voix à 43,5 millions [8]. Tant par le nombre de ses adhérents que par l'influence qu'ils exercent, le renforcement numérique du socialisme est donc indiscutable alors que dans le contexte de la Guerre froide, ses forces ont à peu près complètement disparu sur une moitié de l'Europe: il a bien fallu compenser ces pertes par des gains en Europe de l'Ouest. Permettent-ils de laisser entrevoir de nouveaux succès pour le mouvement après cette difficile période de réorganisation?

La reconstruction de l'organisation internationale du socialisme s'est effectuée après de longs débats et d'indispensables compromis. Dans ses premières années l'Internationale socialiste n'est pas en mesure de surmonter les désaccords survenus entre ses différents partis membres: ils portent tout autant sur les problèmes européens que vis-à-vis du communisme et révèlent des positions parfois fort éloignées. Cette situation explique, que dans une certaine mesure au moins, le socialisme international se détourne de telles difficultés et préfère mobiliser une grande part de ses énergies pour commencer à s'implanter, d'abord en Asie puis en Afrique. Entreprise dès le début des années Cinquante cette démarche donnera ses premiers résultats à la fin de la décennie suivante. Durant la même période, les nombreuses initiatives prises en matière de construction européenne par des forces politiques autres que celles relevant du socialisme vont susciter dans ses rangs de nombreux débats et provoquer bien des polémiques: force est de reconnaître qu'en ce domaine l'Internationale socialiste n'est pas en mesure d'être à l'origine d'événements qu'elle subit plus qu'elle ne les maîtrise.

Divergences de fond sur l'Europe avant et après l'échec de la CED (1951-1964)

Depuis 1945, la SFIO a pris des positions en pointe en faveur d'un modèle d'organisation socialiste internationale assez analogue à celui de l'IOS dans ses plus belles années [9]. Jusqu'à la constitution de l'Internationale, les socialistes français militent ardemment pour que cette dernière ait des statuts nettement contraignants afin de pouvoir jouer un véritable rôle d'Internationale. Sur cette question importante ils n'obtiennent pas gain de cause, pas plus qu'ils ne l'emportent sur la définition des bases du programme de l'organisation: le discours marxiste orthodoxe des socialistes français est tout aussi inacceptable pour les membres du Labour que pour les socialistes des pays de l'Europe du Nord. Dans la Charte de Francfort, c'est d'abord l'éclectisme qui l'emporte. Depuis la Libération, la SFIO a participé à tous les gouvernements, d'abord avec les communistes jusqu'en mai 1947 puis sans eux après leur exclusion par Paul Ramadier à partir de cette date. Cependant l'évolution toujours plus nette de la vie politique française vers la droite rend la SFIO de plus en plus réticente à participer aux responsabilités gouvernementales qu'elle abandonne finalement en 1951. Malgré tout elle reste encore une force avec qui il faut compter: aux élections de 1951 ce sont 106 députés socialistes qui sont élus et sont en mesure de faire pression sur les différents gouvernements de droite qui se succèdent. Se trouvant amenée à faire «une cure d'opposition», la SFIO est en mesure de tenir sous la houlette de son secrétaire général depuis 1946, Guy Mollet [10], un discours marxiste des plus orthodoxes qui la situe apparemment beaucoup plus à gauche dans l'Internationale socialiste que les partis allemand ou britannique.

Cependant, au delà du rappel des positions doctrinales, c'est bien plus sur le problème de la construction européenne que la SFIO va engager la lutte au sein de l'Internationale. En ce début des années Cinquante les socialistes français espèrent voir la France jouer un rôle de premier plan dans la construction européenne et vont s'efforcer de gagner à leurs vues la majorité des partis européens. Pourquoi sont-ils si séduits par ce projet? Plusieurs raisons convergent ici et s'additionnent. Tout d'abord la crainte de la renaissance du militarisme allemand pèse d'un grand poids chez les socialistes français, pour qui il représente une menace plus grave encore que le péril soviétique. En intégrant l'Allemagne de l'Ouest à un vaste ensemble européen, les dirigeants de la SFIO estiment pouvoir la neutraliser, la surveiller et briser dans l'œuf tout espoir de renouveau du nationalisme allemand. La construction européenne se justifie d'abord par cette raison même si elle n'est pas la seule. La légitimation de cette démarche ne se fonde pas uniquement sur des raisons défensives, elle repose également sur la base d'une analyse internationale, fort différente de celle développée au même moment par le Labour Party. La réalisation d'une Europe unie, économiquement et militairement solide, favorisera l'émergence d'une nouvelle force géopolitique susceptible de traiter d'égal à égal avec les deux superpuissances et de briser la division qui est alors celle du monde en deux blocs. La possibilité d'une troisième voie, ni capitaliste ni communiste, existe où les socialistes joueraient un rôle moteur tant sur le plan politique qu'économique. Politique, dans la mesure où cette Europe unie représenterait diplomatiquement et militairement une force apte à rivaliser aussi bien avec les Etats-Unis que l'Union soviétique. Economique, car la mise sur pied d'un vaste marché de consommateurs faciliterait la relance de l'économie des différents pays européens gravement atteints pour la plupart d'entre eux durant la guerre et permettrait une amélioration générale du niveau de vie. Les conditions seraient ainsi réunies pour entreprendre un vaste programme de réformes sociales. L'approfondissement d'une telle politique socialiste «couperait l'herbe sous le pied» des communistes et les empêcherait de profiter ou de susciter des troubles en raison d'un contexte socio-économique difficile.

Cette stratégie souffre néanmoins d'une faiblesse difficile à esquiver: pour aboutir à des résultats tangibles, cette politique a besoin du concours des deux autres «grands» partis socialistes européens. Sans l'accord ou du moins le soutien des partis socialistes anglais et allemand, la construction de l'Europe reste difficilement envisageable. Pour mener à bien sa politique, la SFIO a besoin de l'aide du Labour Party et du SPD. Or à cette date, ni l'un ni l'autre ne sont, c'est le moins qu'on puisse dire, des partisans convaincus de l'unité européenne. Nous avons déjà montré en quoi l'analyse du Labour Party, mondiale avant d'être européenne, reposait sur la reconnaissance de la primauté de l'Empire britannique. Tout comme les conservateurs de leur pays, les socialistes anglais sont très réservés quant à la construction de l'Europe et de ce côté la SFIO a peu à attendre. Pour de tout autres raisons où, de façon qui peut sembler bizarre aujourd'hui mais qui se comprend fort bien eu égard au contexte d'alors, les réminiscences historiques pèsent d'un grand poids, il en va de même avec le SPD. Avant même la signature de l'accord créant la CECA en avril 1951, deux mois seulement avant la constitution de l'Internationale socialiste, la majorité des socialistes allemands s'oppose ouvertement à l'œuvre de R. Schuman. En la circonstance, le président du SPD, Kurt Schumacher, prend des positions particulièrement tranchées et sait gagner à ses vues la majorité de son parti même si des hommes comme Ernst Reuter ou Willy Brandt auraient sans doute défendu une politique plus nuancée. Mais leur influence reste alors limitée.

L'argumentation principale de Schumacher contre la CECA peut se résumer ainsi: cette forme d'organisation, d'abord économique puis politique, ne représente rien d'autre que «l'accomplissement de la volonté des vainqueurs». Elle doit être combattue comme une nouvelle formule de la politique des réparations imposée par les puissances alliées, France et Grande-Bretagne en tout premier lieu, en 1918 au lendemain de la Première Guerre mondiale. Pour Schumacher, la CECA a pour premier objectif la mainmise française et britannique sur le charbon et le coke de la Ruhr. Les Français n'ont pas changé et sont restés ce qu'ils ont toujours été: des adversaires résolus et irréconciliables de l'Allemagne. La CECA est une machine de guerre qu'ils ont conçue pour asseoir leur suprématie, favoriser leur prééminence en Europe et «détourner la force économique allemande à leur profit». Si les termes ont changé dans leur formulation depuis 1918, l'orientation générale est identique: au lieu de parler d'intérêts «français» on évoque aujourd'hui la réalité «européenne» mais sur le fond la démarche est la même et n'a que pour seul but de vassaliser l'Allemagne au profit de la France et de la Grande-Bretagne. Il est faux de voir en la CECA le cadre d'une future coopération européenne: soutenir le plan Schuman en revient à couvrir «l'importation frauduleuse en Allemagne de la lutte des classes entre grandes puissances». Il est également erroné de croire que le plan Schuman puisse faire progresser en quoi que ce soit l'unification européenne: bien au contraire, il ne fait que la reculer en excluant la Grande-Bretagne et la Scandinavie d'un continent déjà coupé en deux par la Guerre froide. Il ne concerne d'ailleurs que six pays caractérisés, selon Schumacher, par les «4 C»: conservateurs, cléricaux, capitalistes et cartellistes. Tout en s'affirmant favorables à la construction de l'Europe, Schumacher et le SPD qu'il entraîne s'opposent avec la dernière des énergies au plan Schuman qui selon eux, ne peut que retarder sa construction, d'un point de vue socialiste.

On est frappé à la lecture d'une telle argumentation par le poids des fantasmes historiques qu'elle révèle ainsi que par le nationalisme exacerbé développé alors par le leader du SPD. Rétrospectivement un tel discours peut apparaître des plus surprenants dans la bouche d'un dirigeant socialiste mais il ne suffit pas de s'étonner et il ne sert à rien de s'indigner, il faut surtout chercher à comprendre les mécanismes intellectuels et psychologiques qui en ce début des années Cinquante déterminent une telle analyse. Elle trouve ses fondements dans des réminiscences bien anciennes mais toujours fort vivaces, existant de façon largement répandue dans l'ensemble des forces politiques en ces années qui suivent la Seconde Guerre: la rivalité franco-allemande pour ne pas dire la haine demeurant entre de larges franges des citoyens de ces deux pays est une réalité qui imprègne encore profondément les mentalités d'un côté comme de l'autre du Rhin. Six ans seulement après l'armistice, cet état d'esprit n'a pas de quoi surprendre même si on peut être quelque peu étonné de voir une fois encore l'internationalisme, cette valeur principielle fondamentale du socialisme, être à nouveau supplantée par le nationalisme au sein même de ses rangs. A l'intérieur même du mouvement socialiste bien des blessures mettront du temps à se cicatriser [11].

Ce nationalisme du dirigeant socialiste allemand ne peut que conforter l'isolationnisme développé alors par le Labour Party: pour des raisons certes différentes, les deux principaux partis socialistes européens sont profondément hostiles ou du moins des plus réservés sur la construction de l'Europe. Sur le premier problème politique d'importance que la nouvelle organisation récemment constituée doit aborder, elle ne peut que prendre acte des désaccords de ses partis adhérents. La proclamation de l'Internationale socialiste en juillet 1951 a été précédée deux mois plus tôt d'un événement de mauvais augure pour elle: alors que les socialistes anglais et allemands refusent de soutenir l'accord du 18 avril 1951 instituant la CECA, les socialistes français, hollandais et belges y sont favorables. Il est assez significatif de voir la Charte de Francfort rester muette la CECA alors que la constitution de l'Internationale socialiste suit de si peu cette dernière. Ce silence témoigne de l'incapacité de définir une position commune vis-à-vis de l'unité européenne: les divergences sont telles qu'on préfère ignorer purement et simplement cette question. En tant qu'organisation, l'Internationale n'est pas capable de répondre au premier problème politique d'envergure qui se pose à elle. On ne peut ici que constater cette impuissance. Les discussions qui se sont engagées auparavant au sein du COMISCO ont délimité deux camps, celui des partisans — minoritaires — du plan Schuman et celui de ses adversaires. Français, Belges et Hollandais se prononcent en faveur d'une Europe fédérative alors que Anglais, Allemands, Scandinaves, Autrichiens ainsi que l'ensemble des socialistes d'Europe orientale y sont opposés. Les arguments développés en la circonstance font apparaître des conceptions différentes en politique étrangère en particulier en ce qui concerne le rôle des Etats-Unis vis-à-vis de l'Europe: pour les Britanniques, toute coopération gouvernementale est uniquement envisageable dans le cadre de l'Alliance atlantique au sein de laquelle ils escomptent bien que la Grande-Bretagne soit reconnue comme partenaire privilégié vis-à-vis des Etats-Unis. Jusqu'en 1951, date de la chute des travaillistes et de leur remplacement par les conservateurs, l'intégration européenne représente selon les dirigeants du Labour une menace pour le gouvernement travailliste britannique dans la mesure où elle risque de lui lier les mains et de faire la part trop belle à un ensemble de gouvernements dominés par les conservateurs européens.

Dans les derniers mois d'existence du COMISCO, le débat se poursuit lors de plusieurs réunions sans véritablement progresser. Une nouvelle assemblée tenue un mois après la constitution de l'Internationale socialiste se borne à enregistrer les graves divergences existant sur cette question. Ainsi, dès sa naissance, l'organisation internationale du socialisme se trouve aux prises avec une situation quelque peu analogue à celle qui a miné l'Internationale ouvrière socialiste: un désaccord de fond entraîne la paralysie de l'organisation en lui interdisant toute action politique. Il est difficile de trouver une solution à cette situation. Lors de son second congrès tenu en octobre 1952 à Milan, l'Internationale socialiste se révèle tout aussi incapable d'élaborer une position commune: avec l'appui des socialistes scandinaves, les Britanniques et les Allemands rejettent toute notion d'Europe des Six alors que pour le Belge P.-H. Spaak le choix, fort simple, se résume entre «la petite Europe et rien». Spaak n'est véritablement soutenu que par les Néerlandais alors que la SFIO recherche un compromis en prônant «une intime association entre toute communauté spécialisée et les nations du Conseil de l'Europe qui ne font pas partie de cette communauté». Ce texte qui représente le plus petit dénominateur commun acceptable par tous est surtout révélateur du manque d'unité qui existe alors au sein du mouvement socialiste sur la question européenne. Les discussions tenues lors du IIIe congrès de l'Internationale à Stockholm (juillet 1953) confirment cet état de choses: aucun accord politique de fond n'est possible et il faut se contenter de la création d'un Comité européen de l'IS présidé par Guy Mollet [12]. A ses débuts cet organisme fait preuve d'une efficacité bien réduite même s'il est en mesure d'organiser une première conférence des partis socialistes européens à

Bruxelles en février 1954. Cette initiative témoigne de la volonté de mise en place d'une structure coordonnant l'activité des différents partis. Mais le problème est qu'il y a fort peu à coordonner.

Et de fait, en raison de l'intransigeance du SPD — plus tranchée encore que celle du Labour — le débat européen s'engage dans les plus mauvaises conditions qui soient pour la toute jeune Internationale durant une période initiale de trois ans: en portant un coup très grave à la construction de l'Europe, l'échec de la tentative de Communauté européenne de défense (CED) en août 1954 retardera cette dernière et mettra fin à ce premier épisode. Dès lors en raison d'un cheminement bien plus long et autrement complexe, le problème se posera désormais en d'autres termes et en fonction de rapports de force différents au sein de l'Internationale dans les décennies à venir.

La création de la CECA ne représente pas une démarche isolée. Elle s'inscrit dans un contexte plus général marqué par la prise d'autres initiatives. Avec le début de la guerre de Corée le 25 juin 1950 et le renforcement de la Guerre froide en Europe le problème du réarmement de l'Allemagne devient impossible à éluder. Pour les Etats-Unis il s'agit d'un processus appelé à s'effectuer dans le cadre de l'Organisation du traité de l'Atlantique Nord (OTAN), créée le 4 avril 1950. Cette analyse s'oppose à la thèse développée par le gouvernement français qui par la bouche de son président du Conseil, René Pleven, propose dès le 24 octobre 1950 la constitution d'une armée européenne. Dans ce projet la future armée allemande s'intégrerait à une armée européenne placée sous le commandement d'un ministère européen de la Défense. Le plan Pleven d'automne 1950 complète dans une large mesure le plan Schuman en donnant une dimension politique supplémentaire à ce dernier. A la suite de nouvelles négociations entraînées par le plan Pleven, est signé à Paris le 27 mai 1952 un traité instituant une Communauté européenne de défense (CED), c'est-à-dire un projet d'armée européenne [13]. Mais si jusqu'alors les socialistes français se sont montrés favorables au plan Schuman, ils vont profondément se diviser au sujet du plan Pleven et se trouver en désaccord sur la perspective d'un réarmement éventuel de l'Allemagne. Au sein de la SFIO une opposition conduite par J. Moch et D. Mayer milite contre la CED et se fait entendre aux congrès nationaux de 1952 et 1953. Pourtant en mai 1954 un congrès extraordinaire de la SFIO se prononce en faveur de la CED tout en exigeant une discipline de vote des députés socialistes. Secrétaire général du parti depuis 1948 et son dirigeant incontesté depuis la mort de Léon Blum en 1950, Guy Mollet s'est tardivement mais farouchement révélé un partisan de l'intégration politique européenne. Il ne demande même pas que cette dernière ait un contenu socialiste préalable: nous sommes en pleine Guerre froide et ce facteur l'emporte sur tous les autres.

Cependant en dépit des décisions de ce congrès extraordinaire, le vote sur la CED provoque au sein de la SFIO sa plus grave crise depuis 1948 dans la mesure où la majorité du groupe parlementaire se prononce en définitive contre ce projet, obtenant ainsi son rejet. Il est généralement admis aujourd'hui que l'échec de la CED a porté un coup très grave à la cause européenne ce qui fait que le 30 août 1954 est considéré par les partisans de l'Europe comme une des dates les plus «sombres» de l'histoire de l'Europe contemporaine. La disparition de la CED entraîne avec elle celle de la Communauté politique européenne, votée le 10 mai 1953 à Strasbourg; elle anéantit toute perspective de construction européenne rapide pour plus d'une décennie. 1954 marque un tournant dans son histoire et la fin des espoirs d'une prompte réalisation de l'unité de l'Europe: après une phase que certains ont espérée des plus courtes, elle va se poursuivre selon des processus infiniment plus longs et complexes dans un monde qui aura bien changé. Le IVe congrès de l'Internationale socialiste tenu à Londres en 1955 se borne à prendre acte de cette impasse.

Dans l'immédiat, cet épisode a une première conséquence sur la SFIO: à partir de cette date elle abandonne son militantisme en faveur de l'Europe. Bien vite les aléas de la politique intérieure française vont la faire passer d'un internationalisme apparemment intransigeant à un nationalisme des plus exacerbés. Une telle évolution ne peut que faire reculer les notions d'internationalisme au sein de l'Internationale socialiste: la SFIO qui avait jusqu'alors représenté sa «gauche» se situe maintenant à la droite de l'Internationale. A la suite des élections de janvier 1956 qui voient la victoire du Front républicain, Guy Mollet accède à la présidence du Conseil. Son gouvernement, un des plus longs de la IVe République déjà fortement affaiblie par les guerres coloniales, va complètement s'enliser dans la guerre d'Algérie, se montrer d'une totale incapacité à y mettre fin et pratiquer une politique parfaitement acceptable pour la droite française. Caractérisée par la guerre à outrance avec les nationalistes algériens ainsi que la «couverture» de nombreuses exactions de l'armée française (tortures, «ratissages»), cette orientation n'a plus rien à voir avec le programme sur lequel la SFIO s'est présentée aux élections. Dans l'esprit de certains socialistes ultras, partisans de l'Algérie française comme Max Lejeune ou Robert Lacoste, le gaz et le pétrole du Sahara permettront la relance de l'économie nationale qui constituera les fondements d'une politique de grandeur française tout particulièrement en Afrique et dans le bassin méditerranéen. Indépendamment du fiasco par lequel elle s'achève, l'expédition de Suez en 1956, constitue le second volet de cette politique nationaliste de la SFIO [14] qui rêve de faire de la France une grande puissance. Ces deux volets d'une même orientation sont tous les deux condamnés par l'Internationale. En France cette politique de la SFIO cristallise dans ses rangs à partir de 1957 une opposition qui refusera ensuite l'acception par le parti du retour du général de Gaulle en 1958. Elle se constituera en septembre 1958 en Parti socialiste autonome (PSA) qui, début 1960, sera avec l'Union de la gauche socialiste et le groupe Tribune du communisme une des trois composantes du Parti socialiste unifié (PSU) dont Edouard Depreux sera le premier secrétaire.

1956 est en effet une année charnière, dans le monde communiste bien évidemment, mais pas seulement. Le 26 juillet le colonel Nasser nationalise le canal de Suez ce qui provoque le 31 octobre l'intervention militaire de la France et de la Grande-Bretagne. A la suite d'un avertissement de l'Union soviétique puis des pressions conjuguées des Etats-Unis et de l'Union soviétique, les troupes françaises et britanniques sont contraintes d'évacuer Suez quelques semaines plus tard, au mois de décembre. Cette équipée qui se termine par un échec retentissant a été immédiatement condamnée par le conseil de l'Internationale socialiste qui déplore dans un communiqué:

«Le récent recours à la force armée dans le Moyen-Orient et en particulier l'invasion de l'Egypte par la Grande-Bretagne et la France en violation de la Charte des Nations Unies».

Elle réclame:

«en particulier un retrait inconditionnel des forces britanniques, françaises et israéliennes du territoire égyptien» [15].

Ce à quoi G. Mollet répondra lors du 51e Congrès national de la SFIO que l'expédition de Suez se situe «dans un esprit internationaliste» et représente un exemple de solidarité socialiste. Selon le secrétaire général de la SFIO, en intervenant ainsi, la France et la Grande-Bretagne ont sauvé Israël, «un petit pays qui marche vers le socialisme», menacé par la dictature de Nasser que G. Mollet n'hésite pas, en la circonstance, à comparer à Staline et à Hitler [16].

Cependant c'est surtout la politique algérienne de la SFIO qui préoccupe l'Internationale. A tel point que lors de son congrès de Vienne (2-6 juillet 1957) elle se sent tenue d'effectuer une mise en garde à ce sujet et de rappeler à la SFIO qu'elle a voté la déclaration de principes sur les «buts et les tâches du socialisme» lors du congrès de fondation de l'Internationale à Francfort six ans plus tôt. La SFIO réplique à cette déclaration en proposant l'envoi d'une mission d'information en Algérie. Cette proposition est retenue par le Congrès et les objectifs de cette mission sont définis lors d'une réunion ultérieure à Londres en octobre. La mission se rend en Algérie et envoie ses conclusions dès le début février 1958. Cet épisode est l'occasion d'une violente polémique entre la SFIO et le Labour: selon Guy Mollet, le Labour Party est l'instigateur de toute cette affaire qui constitue pour lui un moyen d'attaquer le gouvernement et les socialistes français tout en se dédouanant de ses responsabilités dans l'affaire de Suez. Remettre en cause le gouvernement français sur sa politique algérienne permet ainsi au Labour de se rapprocher des partis arabes.

A partir de mai 1958 le retour du général de Gaulle aux affaires va faire passer au second plan cette controverse sans la supprimer complètement: le conseil de l'Internationale socialiste condamne officiellement «tous les actes de torture, de terrorisme, d'intimidation et de suppression des libertés civiques en Algérie»; il demande également «que soit mis un terme au conflit en Algérie au moyen de négociations pacifiques et sur la base d'une garantie des libertés démocratiques». Fort logiquement la SFIO s'oppose violemment à ce texte: elle n'a cessé de nier l'existence d'actes de torture en Algérie tout le temps qu'elle a été au pouvoir. En juin 1958 la majorité de la SFIO prend position en faveur du général de Gaulle: il lui est d'autant plus difficile d'accepter tout ce qui pourrait ressembler à une ingérence extérieure dans la politique française. Quand bien même cette ingérence viendrait de l'Internationale... Cette phase nationaliste de la SFIO commence à s'estomper à partir du moment où, deux ans plus tard, elle retourne dans l'opposition au général de Gaulle. A partir de 1962, elle esquisse un début timide de rapprochement avec le Parti communiste ce qui n'empêche pas la poursuite inexorable de son déclin jusqu'en 1971 au congrès d'Epinay qui marque son acte de décès et les débuts de la construction d'un parti socialiste bien différent par ses méthodes et surtout les hommes qui le dirigent.

Entre temps à la suite de l'échec de la CED, des négociations se sont engagées entre les ministres des Affaires étrangères des Six pour la conclusion d'accords instituant la Communauté économique européenne (CEE ou Marché Commun) ainsi que la Communauté européenne de l'énergie atomique (CEEA ou EURATOM). Cette démarche aboutit le 25 mars 1957 à Rome à la signature des Traités instituant ces deux organismes. Elle relance de façon très nette la construction européenne et va entraîner de nouveaux reclassements chez les socialistes européens [17]: tout en aggravant les différends entre certains d'entre eux, elle est néanmoins soutenue maintenant par le SPD, en particulier grâce à l'action de son vice-président F. Erler. Selon ce nouveau cours du SPD, la CEE n'obère en rien l'avenir de l'Allemagne et ne constitue pas forcément un obstacle à sa réunification future. Mieux, vis-à-vis du monde communiste elle tend à substituer la concurrence économique à la compétition militaire, évolution jugée positive vis-à-vis du SPD. Mais, au delà de ce changement des socialistes allemands, la création de la CEE accroît encore les divergences au sein du mouvement socialiste à tel point qu'aucun débat n'est possible à son sujet lors du Ve congrès de l'IS (Londres, juillet 1955), ceci au grand regret des socialistes des pays communautaires. Bientôt l'opposition se cristallise essentiellement entre les socialistes des six pays communautaires et ceux des pays de la future Association européenne de libre-échange (AELE) formellement créée en janvier 1960 à Stockholm, mais déjà en voie de gestation. Les débats se sont déjà engagés lors de la conférence tenue par l'ensemble des partis socialistes européens en décembre 1958 qui a représenté pour les adversaires de la CEE dans le mouvement socialiste l'occasion de dénoncer cette dernière. Suédois et dans une moindre mesure Autrichiens sont fortement opposés au Marché commun alors que les Britanniques hésitent entre le repli sur le Commonwealth et la création d'une petite zone de libre-échange composée de l'Autriche, la Scandinavie et la Suisse. Chaque parti se détermine bien plus en fonction de ses intérêts nationaux propres que d'une conception véritablement internationaliste: Scandinaves et Allemands, adversaires de la supranationalité, défendent une orientation qui coïncide avec les intérêts politiques de leur pays cependant que les Français et les socialistes du Benelux pensent davantage aux avantages économiques que peut fournir le Marché commun dans leur cadre national. Dans les deux cas, on le voit, les arguments relevant directement d'une idéologie socialiste sont bien limités même si chaque parti en tient compte dans son argumentation: pour ceux qui défendent la CEE, cette dernière favorisera la progression du socialisme alors que ses détracteurs affirment vouloir avant tout préserver le socialisme des influences conservatrices et capitalistes d'Europe occidentale. Selon certains socialistes en effet, la CEE est incapable de procurer le moindre avantage nouveau: la Grande-Bretagne a ses débouchés principaux dans le Commonwealth et les Scandinaves ont un intérêt prioritaire à la création d'un marché nordique. Suédois, Autrichiens et Suisses veulent conserver leur «neutralité». Au contraire, pour les Etats à la recherche de débouchés et d'aides économiques susceptibles de stimuler leur développement, la CEE offre une perspective séduisante: c'est ce que pensent les socialistes du Benelux, de la France et de l'Italie. Dans ces deux derniers pays les partis socialistes sont plus faibles et soumis à l'instabilité des coalitions gouvernementales.

Toutes ces raisons expliquent qu'en définitive, ce soit un texte de compromis qui soit adopté: la Conférence «admet que l'unité d'action de la CEE doit être préservée mais au sein d'une grande association européenne de libre-échange». De la sorte, les négociations ne sont pas interrompues mais par l'imprécision qui est la sienne cette résolution témoigne de la persistance des divisions du socialisme européen en cette fin des années Cinquante. Un seul résultat concret en ressort: la création d'un Comité de contact entre les socialistes des pays membres de la CEE et les autres partis socialistes européens. Cette instance ne fonctionne véritablement qu'après la constitution de l'AELE en janvier 1960 et sert à gérer la coexistence conflictuelle entre les deux ensembles désormais concurrents; toujours en 1960 elle prend acte du fait que la «division économique de l'Europe en deux groupes» est devenue une réalité, sans pouvoir avancer de propositions plus précises. Cette situation de blocage politique est officiellement enterinée au VIIe congrès de l'Internationale socialiste tenu à Rome en octobre 1961.

Entre temps, tout du long des années Cinquante, de graves événements se sont produits dans le monde communiste. Même si dans un premier temps ils n'ont eu qu'une influence réduite sur le mouvement socialiste, ils sont à long terme porteurs de grands changements: c'est pourquoi il faut les évoquer maintenant.

L'Internationale socialiste et la question communiste

Toute l'histoire du mouvement socialiste dans l'entre-deux-guerres et son échec final s'expliquent en grande partie par les dissensions provoquées en son sein quant à l'attitude à adopter vis-à-vis du communisme. Dans les rangs de l'IOS, partisans et adversaires de l'unité d'action avec les sections de la Troisième Internationale n'ont cessé de se heurter violemment [18]. Le problème se pose en des termes profondément différents en ce début des années Cinquante [19]: dans le contexte de la Guerre froide le monde est d'abord organisé en deux blocs rivaux et le mouvement socialiste, toujours interdit d'existence en Union soviétique, se voit maintenant refuser toute possibilité d'action en Europe orientale. Beaucoup plus nettement encore que cela n'avait été le cas pour l'IOS, les organisations adhérentes de l'Internationale socialiste s'intègrent à ce que l'on appelle alors le «monde libre» dont elles se sentent partie prenante face à un bloc communiste jugé menaçant, hostile et offensif. Cependant on ne saurait assimiler le Kominform au Komintern même si cette comparaison a pu être faite — à tort — aux plus beaux jours de la Guerre froide. Les fondements de la pensée socialiste définis à Francfort résident en premier lieu dans la consécration de la démocratie politique, condition indispensable à la réalisation du socialisme; ce postulat de base s'accompagne du jugement le plus critique qui soit sur le communisme et ceci pour trois raisons:

— Le communisme est destructeur de la liberté; il anéantit toute chance d'y parvenir alors qu'au contraire les socialistes «veulent assurer la liberté» la plus grande, sans laquelle aucun progrès vers le socialisme démocratique n'est possible. L'antagonisme est complet entre ces deux systèmes politiques; il rejaillit d'ailleurs dans les formes organisationnelles qu'ils se donnent: au centralisme démocratique prôné par les communistes s'oppose la totale liberté de discussion qui est de règle dans l'Internationale socialiste et ses partis adhérents.

— Structuré au sein d'un mouvement international représenté maintenant par le Kominform, le communisme n'est rien d'autre qu'un «nouvel impérialisme» dont le but ultime est la déstabilisation et la destruction des régimes de démocratie parlementaire au profit du système installé par la force dans les pays de l'Europe de l'Est. Il représente donc un ennemi mortel qu'il faut combattre sans merci. Il constitue beaucoup plus qu'une déviation du socialisme: c'est un danger des plus périlleux auquel il faut s'opposer de toutes ses forces.

— Enfin le communisme est d'autant plus nocif pour l'ensemble du mouvement ouvrier, qu'en se réclamant des «traditions socialistes», il peut séduire et duper de nombreux travailleurs en le gagnant à ses vues. Il est donc d'autant plus urgent de bien mettre en lumière, et de la façon la plus nette qui soit, la différence radicale existant entre socialisme démocratique et communisme.

De cette analyse générale découle une double démarche qui sera celle de l'Internationale jusqu'à ce que les effets de la détente aient profondément changé le contexte à partir du milieu des années Soixante: le mouvement socialiste s'affirme ouvertement comme le rival et se confronte idéologiquement au communisme dans la mesure où ce dernier se prétend être l'expression du «socialisme réel». Toute possibilité d'alliance entre des organisations socialistes et des partis communistes est alors exclue, à tel point que l'affiliation à l'Internationale socialiste est subordonnée à cette dernière condition. Les partis socialistes qui ont collaboré avec les communistes en 1948 se sont par-là même exclus du mouvement. Cette offensive idéologique parfaitement claire va de pair avec une stratégie politique, tout aussi anticommuniste dans son expression. Cependant si durant cette période l'anticommunisme constitue une des dimensions essentielles de l'Internationale, un examen plus détaillé de la réalité montre qu'à partir de ce substrat commun à tous ses membres, bien des nuances se révèlent en ses rangs; bientôt l'IS se partage entre «idéologues», particulièrement fermes sur les principes et «diplomates» qui, tout en faisant également preuve d'anticommunisme, vont peu à peu établir une distinction de plus en plus nette entre l'idéologie communiste, inspiratrice d'un système et la politique des dirigeants communistes, en premier lieu bien sûr ceux d'Union soviétique. En ce qui concerne cette dernière, les premières inflexions apparues au lendemain de la mort de Staline sont relevées par les dirigeants de l'IS. Dans les mois qui vont suivre ils sont amenés à se poser la question dans les termes suivants: faut-il encourager les signes de libéralisation de l'Union soviétique pour favoriser la détente et la paix ou doit-on au contraire n'y voir que changements de façade et continuer à refuser toute discussion avec cette forme de dictature? Au fur et à mesure que s'estompent les facteurs de tension les plus aigus de la Guerre froide et que l'on se dirige peu à peu vers ce que l'on n'appelle pas encore la coexistence pacifique, ces questions se posent avec toujours plus d'acuité.

La naissance de la Guerre froide a un peu plus encore contribué à former du bloc communiste un ensemble rigide. Dans ce monde, tout se décide et s'organise à Moscou et aucune remise en cause n'est apparemment possible. Pourtant ce monolithe imposant que constitue l'univers communiste ne tarde guère à révéler des fissures. Dès 1948, le communisme au pouvoir connaît un premier schisme. En voulant conserver une relative autonomie vis-à-vis de l'Union soviétique, Tito s'attire les foudres de Staline et provoque une rupture dont les signes avant-coureurs apparaissent dès le mois de mai. Le cours des choses se précipite et la condamnation publique de Tito ainsi que de l'ensemble des communistes yougoslaves est prononcée le 28 juin 1948 par le Kominform. La lutte contre le titisme devient un passage obligé pour toute organisation communiste, elle ne laisse pas indifférents les militants se réclamant du socialisme. L'ensemble des partis socialistes suit cet épisode avec le plus grand intérêt et certains d'entre eux ne se contentent pas du rôle de spectateur: ils s'y impliquent davantage. Pour le British Labour Party, l'expérience yougoslave, si elle se consolidait, pourrait servir «d'exemple» à d'autres pays qui refusent tout à la fois «le parlementarisme occidental et sont hostiles au stalinisme». Se souvenant peut-être de certaines des inclinations qu'il a manifestées pour la gauche durant l'entre-deux-guerres, le Parti ouvrier norvégien va jusqu'à établir des contacts avec l'organisation des communistes yougoslaves tout en affirmant que cette expérience «doit être observée par l'ensemble du mouvement socialiste avec sympathie». Le MAPAI d'Israël, le Parti socialiste de Suisse nouent également des liens avec les communistes yougoslaves. Cependant le Comité exécutif du COMISCO se refuse à aller plus loin comme l'aurait voulu le Parti socialiste suédois et s'interdit d'établir toute liaison officielle avec le Parti communiste yougoslave; malgré tout il laisse aux partis qui lui sont affiliés toute latitude en cette affaire: pour le COMISCO le fait que le PCY conserve le monopole du pouvoir et interdise toute autre forme d'expression politique justifie ce refus et les choses n'iront pas plus loin. Il faudra attendre la visite à Belgrade de Khrouchtchev en mai 1955 pour mettre un terme définitif à cette affaire. Entre temps bien des choses ont commencé à changer dans le monde communiste à la suite de la mort de Staline survenue moins de deux ans seulement après la constitution de l'Internationale au congrès de Francfort.

Quelques semaines à la suite de la disparition du «petit père des peuples», l'amnistie générale en URSS le 28 mars 1953 puis un mois plus tard l'armistice en Corée le 27 juillet, peuvent être interprétés comme les deux premiers signes d'un timide dégel. Bien qu'encore limités, ils sont néanmoins perçus, sinon par l'ensemble de l'IS, du moins par certains de ses leaders comme A. Bevan, qui expliquent ces changements par des raisons de politique intérieure: la nécessité d'une modernisation des structures économiques de l'Union soviétique implique une relative libéralisation de son gouvernement sur le plan intérieur allant de pair avec un assouplissement de ses positions en politique extérieure. Dans un premier temps la majorité des dirigeants de l'Internationale reste très méfiante vis-à-vis de ces signes et fondamentalement la stratégie vis-à-vis du communisme demeure inchangée, même si bonne note a été prise de ces «frémissements». La révolte des travailleurs berlinois et la répression qui s'ensuit à leur égard à partir du 16 juin 1953 ne peuvent que renforcer cette méfiance et cette attitude toute faite d'expectative et d'hésitation qui bloque toute évolution de l'IS. Pourtant assez vite des divergences d'analyse sur les conséquences qui peuvent être tirées de tels événements se font jour dans ses rangs. Pour le SPD les journées de Berlin sont une première «victoire décisive» de la démocratie sur l'URSS et mettent à l'ordre du jour le développement de la détente par le règlement de la question allemande. L'aile gauche du Parti socialiste japonais soutient le SPD sur ce point en évoquant les possibilités offertes par «le changement apparent de l'attitude communiste». Au contraire les Hollandais appuyés par les représentants des partis socialistes exilés des pays de l'Est critiquent la faiblesse des réactions de l'IS vis-à-vis de la révolte de Berlin et la timidité de son soutien aux insurgés. Ils réclament en conséquence une attitude plus ferme de l'organisation socialiste internationale vis-à-vis de l'URSS. Faut-il mettre l'accent sur «l'expansionnisme soviétique» ou privilégier au contraire les possibilités nouvelles de négociation qui sont peut-être en train de s'esquisser?

Le compromis élaboré au congrès de Stockholm (juillet 1953) sur cette question rend compte de ces discussions dans une certaine mesure sans être exempt de contradictions quand il affirme que «la paix menacée en premier lieu par l'expansionnisme soviétique ne peut résulter que de négociations tenacement poursuivies»: si «expansionnisme soviétique» il y a, il faut y résister par la force, ce qui est contradictoire avec ce qui précède. En fait il semble bien que l'attitude de l'IS se caractérise par un examen attentif de tout geste de l'URSS s'accompagnant du désir mal dissimulé de saisir toute occasion, si minime soit-elle, de négociation avec elle: dès les premiers signes du dégel, l'Internationale est prête à s'engager bien davantage et si l'idéologie communiste est toujours condamnée avec la plus grande vigueur, diplomatiquement le mouvement socialiste est déjà disposé à ne négliger aucun effort de négociation pour faire avancer la cause de la paix. Au fur et à mesure que les signes de détente se multiplient dans le monde (évacuation des troupes soviétiques de l'Etat autrichien, propositions soviétiques sur le désarmement), les deux analyses vont se diversifier, se préciser tout en continuant d'être conjointement énoncées: tout rapprochement avec une idéologie par trop contraire aux idéaux sociaux-démocrates ne cesse alors d'être explicitement repoussé. Cependant, sur le plan diplomatique l'IS renforce sa pression en faveur de la négociation et sa recherche de «concessions raisonnables» comme elle le dit dans sa résolution du congrès de Londres en juillet 1955. De plus en plus, anticommunisme et antisoviétisme vont se différencier dans la bouche des dirigeants de l'IS.

1956, date du rapport Khrouchtchev [20] dénonçant les crimes de Staline, constitue une étape décisive dans l'histoire du mouvement communiste international: désormais plus rien ne sera comme auparavant. A long terme, cette situation nouvelle aura de profondes répercussions sur les choix de l'IS. Dans l'immédiat elle donne une forte impulsion au processus engagé depuis mars 1953. Bientôt les événements de Pologne et de Hongrie survenus seulement quelques mois plus tard provoquent une émotion considérable — mais somme toute assez momentanée — dans le mouvement socialiste comme dans le reste du monde: passée la vague de réprobation condamnant l'entrée des troupes soviétiques en Hongrie, 1956 cristallise encore un peu plus au sein de l'Internationale les deux positions en présence: recherche d'un compromis diplomatique avec l'URSS dans le cadre de l'élaboration d'une paix négociée ou confrontation sans compromis possible avec le monde et l'idéologie communiste? Dès mars 1956 les révélations du rapport Khrouchtchev ont été discutées lors d'un conseil exécutif de l'IS tenu à Zurich puis le mois suivant lors d'une réunion de son bureau. Aux deux formes de coopération idéologique et diplomatique qui lui sont proposées par le rapport Khrouchtchev, l'IS établit une très nette distinction entre la coopération idéologique qu'elle refuse et la coopération diplomatique à laquelle elle s'affirme favorable. La remise en cause du stalinisme ne change pas fondamentalement la nature du régime qui reste avant tout une dictature. En prenant acte des «récents changements de la tactique communiste», l'Internationale socialiste continue de rejeter «tout front uni ou toute forme de coopération politique avec les partis de la dictature» [21]. Cependant sur le plan diplomatique, elle accueille de façon positive toute possibilité de coopération entre les gouvernements afin de travailler au renforcement de la paix. L'IS engage donc l'URSS à montrer sa volonté de détente par de nouveaux signes de détente plus concrets encore: arrêt des ventes d'armes aux pays arabes, suspension des «campagnes de propagande virulente» vis-à-vis des pays démocratiques et enfin instauration de la liberté de circulation des informations et des opinions dans les pays de l'Europe orientale. Trois ans auparavant encore elle réclamait le «retrait» des forces militaires soviétiques de cette zone géopolitique: en un si bref laps de temps elle a donc réduit ses exigences. De plus en plus l'IS établit une distinction entre propagande et diplomatie, idéologie et action politique, rappelant un peu en cela l'IOS, sa devancière, qui dès son congrès de fondation en 1923, avait pris position en faveur de la reconnaissance *de jure* du gouvernement soviétique tout en condamnant avec la plus grande netteté les méthodes d'action bolcheviques.

La répression de l'insurrection hongroise provoque dans l'immédiat l'indignation du mouvement socialiste dans toute l'Europe; pourtant cette réaction surtout émotionnelle ne dure guère. Dès l'année suivante, l'Internationale renonce à exiger le retrait des troupes soviétiques des pays de l'Europe de l'Est en se bornant à demander:

> «comme condition minimale d'une possibilité réelle de coexistence, le rétablissement et la liberté des mouvements travaillistes et socialistes démocratiques partout où ils ont existé dans le passé, et la libération de tous les prisonniers incarcérés en raison de leurs convictions politiques» [22].

La modération dans les termes s'explique par la volonté explicite de rechercher des possibilités d'utilisation des voies diplomatiques, ceci au détriment d'un abandon — relatif — des positions idéologiques. Si l'anticommunisme n'est pas abandonné, l'antisoviétisme perd en intensité et cette distinction entre ces deux notions témoigne d'une attention accrue aux problèmes de la coopération internationale au moment où la Guerre froide est indiscutablement sur le déclin.

Cette approche plus diplomatique et moins idéologique, vis-à-vis de la question communiste est tout aussi nette dans l'attitude de l'Internationale vis-à-vis des socialistes des pays de l'Est [23]. Le soutien d'une organisation internationale à des socialistes exilés est une constante dans l'histoire du mouvement socialiste. Il s'est posé mais de façon somme toute limitée dans la Seconde Internationale avant la Première Guerre mondiale. Sans doute ce furent alors principalement les socialistes russes qui eurent à affronter une telle situation. Durant l'entre-deux-guerres, les problèmes posés par l'émigration politique ont pris une dimension considérable tout au long de l'histoire de l'Internationale ouvrière socialiste: elle a dû apporter son soutien à de nombreux partis affiliés obligés de fuir la répression dans leur pays [24]. Ironie du sort, ce mouvement qui commence en Union soviétique en 1921 avec l'interdiction de toute autre organisation que le Parti bolchevique contraint les mencheviques ainsi que les socialistes-révolutionnaires à l'exil; il s'étend aux territoires passés progressivement sous le contrôle du gouvernement soviétique, la Géorgie et l'Ukraine. Il se poursuit en Hongrie, en Italie (1922), en Yougoslavie (1926), en Pologne (1926), au Portugal (1926) en Allemagne (1933), en Grèce (1936), en Tchécoslovaquie et en Espagne (1939) ainsi que dans les trois Etats baltes: Lituanie, Estonie, Lettonie [25].

Dans les années qui suivent la fin de la Seconde Guerre mondiale, en raison de la chute des dictatures inspirées par le fascisme et le nazisme, les émigrés appartenant au mouvement socialiste sont numériquement beaucoup plus réduits. On en trouve dans les rangs d'un seul parti affilié au COMISCO, le Parti socialiste ouvrier espagnol (PSOE) qui s'organise en exil. Pourtant ce caractère limité de l'émigration socialiste ne dure guère: bien vite les problèmes suscités par l'émigration politique se posent à nouveau. A la suite de l'instauration du communisme dans l'ensemble des pays de l'Europe orientale, de nombreux socialistes doivent à nouveau prendre le chemin de l'exil. Dès le mois de mars 1948, le COMISCO reçoit une demande d'affiliation des partis hongrois, polonais, roumain et yougoslave. Cette requête n'est pas formellement repoussée par cette instance qui suggère néanmoins à tous ces partis ainsi qu'à ceux de Bulgarie et de Tchécoslovaquie de se regrouper au sein d'une organisation spécifique; cette dernière aurait toute liberté pour s'associer avec les exilés des territoires administrés par l'Union soviétique et intégrés à elle, le COMISCO précisant bien que ces derniers ne devraient pas lui être «directement associés». Répétée et définie dans ses modalités, cette proposition contraint les intéressés à constituer les 4 et 5 juillet 1949 à Londres, l'Union socialiste d'Europe centrale et orientale (USECO) initialement composée des partis socialistes en exil de Bulgarie, Hongrie, Pologne, Tchécoslovaquie et Yougoslavie [26]. Le congrès de Francfort codifie les droits et les devoirs de l'USECO au sein de l'Internationale: elle peut être présente à ses congrès et y prendre la parole mais elle n'y dispose pas du droit de vote. Quatre de ses représentants ont également la possibilité de participer aux réunions du Conseil de l'Internationale mais seulement avec voix consultative. Ces dispositions discriminatoires provoquent la déception des membres de l'USECO qui auraient évidemment voulu appartenir à l'Internationale comme membres à part entière. Cette «distanciation» indéniable de l'Internationale vis-à-vis des socialistes de l'Europe de l'Est est compréhensible pour plusieurs raisons.

En premier lieu par le refus de l'IS de se laisser entraîner dans les difficultés internes rencontrées par ces partis comme il arrive souvent dans une organisation contrainte à l'émigration, largement coupée du réel et pour qui l'action tend à se limiter à d'interminables discussions dégénérant fréquemment en des polémiques byzantines. Ces travers inévitables s'expliquent en grande partie par le caractère restreint de l'organisation, le monde quelque peu artificiel dans lequel elle évolue où les questions de personnes prennent une importance disproportionnée eu égard aux enjeux. Le manque d'insertion dans la réalité multiplie les discussions oiseuses qu'aucune pratique véritable ne peut sanctionner et nourrit des conflits incessants. Tout comme le PSOE les partis de l'USECO connaissent des divisions internes, de nombreux conflits politiques quasiment insolubles et interminables. Ne prenons qu'un exemple pour illustrer ce propos: en 1949 les socialistes roumains sont divisés en deux groupes, les uns ayant décliné toute forme de coopération avec les communistes, les autres ayant participé au gouvernement avec ces derniers mais s'étant refusés à toute fusion avec eux. En dépit des bons offices de la SFIO qui s'efforce de rétablir de meilleures relations entre eux, il faut attendre 1961 pour assister à la réunification des faibles forces du socialisme roumain en exil. Les socialistes suisses se trouvent aux prises avec des difficultés analogues entre les diverses factions socialistes hongroises.

Des partis sans influence mais générateurs de difficultés incessantes: ainsi apparaissent les membres de l'USECO à l'Internationale qui préfère les cantonner dans une organisation spécifique faisant quelque peu écran vis-à-vis d'elle, jouant un rôle de filtre à leur égard et les tenant plus ou moins à l'écart. L'USECO permet de la sorte à l'Internationale socialiste d'être peu impliquée dans les problèmes spécifiques de l'émigration socialiste de l'Europe orientale, problèmes inhérents à toute émigration politique et dont il est impossible de prévoir la fin.

A cette première raison d'ordre fonctionnel s'en ajoute une seconde, plus politique celle-là. En décembre 1949, l'USECO obtient l'autorisation d'élargir ses rangs aux partis socialistes exilés de Lituanie, d'Estonie et d'Ukraine sans que ceux-ci puissent toutefois appartenir au COMISCO. Ce problème va faire l'objet de longs et complexes débats au sein de l'Internationale socialiste jusqu'en 1953 au moins. Il serait fastidieux d'en relater tous les détails. Retenons seulement qu'en la circonstance on retrouve la distinction qui est en train de s'établir au même moment dans l'IS entre «idéologues» et «diplomates», ceci d'ailleurs selon des critères qui ne recoupent nullement les notions traditionnelles de droite ou de gauche que nous avons pu rencontrer tout au long de cette histoire. Pour les «idéologues» qui associent étroitement anticommunisme et antisoviétisme, ces trois partis ne représentant pas des nations mais «des mouvements socialistes», il n'y a donc pas lieu de les rejeter. Pour les «diplomates» parmi lesquels SFIO et Labour Party sont les représentants les plus influents, admettre de telles organisations qui n'ont qu'une influence limitée pour ne pas dire dérisoire, serait une faute politique dans la mesure où ce geste pourrait apparaître non seulement comme une manifestation d'anticommunisme mais aussi d'antisoviétisme. Un tel choix ne pourrait que créer des obstacles supplémentaires à toute recherche d'une approche diplomatique efficace vis-à-vis de l'Union soviétique. A partir de 1951, cette position des socialistes anglais et français se renforce lentement au sein de l'Internationale. A la suite d'innombrables débats, les propositions faites sur cette question par le président de l'Internationale, Morgan Phillips sont adoptées au congrès de Stockholm (1953) et peuvent se résumer ainsi:

242

— représentation de deux délégués de l'USECO aux congrès de l'IS avec droit de parole mais sans droit de vote pour les partis bulgare, hongrois, polonais, tchèque et yougoslave.

— admission dans les mêmes conditions du parti roumain lorsqu'il sera réunifié.

— admission aux mêmes conditions des partis letton estonien et lituanien.

— représentation de l'USECO (qui aura droit à quatre membres) aux conférences du Conseil de l'IS.

On remarquera la situation particulière faite aux partis des territoires annexés à l'URSS — les pays baltes — au lendemain du pacte germano-soviétique alors que nulle mention n'est faite de leurs homologues arménien, géorgien et ukrainien; la SFIO critique ce distinguo justifié au contraire selon les socialistes suédois «par le rôle joué par les différents partis dans leur pays dans un passé plus ou moins récent». Il est assez piquant de voir l'Internationale socialiste tâtonner sur une question qui se posera dans un contexte évidemment tout différent à partir du printemps 1990, date de la proclamation par les pays baltes de leur indépendance: l'histoire récente de ces pays, vieille d'un demi-siècle seulement, devient en la circonstance un enjeu politique brûlant. Si l'histoire ne se répète jamais exactement dans les mêmes termes, il est malgré tout frappant de voir la récurrence de certains problèmes ainsi que de l'utilisation du passé qui peut en être faite pour justifier ou combattre des choix politiques actuels. Les débats de l'IS concernant les petits groupes socialistes émigrés des pays baltes et surtout les questions soulevées par ces derniers ont un petit côté prémonitoire de la situation rencontrée en 1990. L'embarras éprouvé par les gouvernements occidentaux en la circonstance, la volonté de ne rien faire qui puisse alors gêner Gorbatchev rappellent la réserve de l'Internationale socialiste au début des années Cinquante. Cela ne signifie nullement que l'orientation actuelle des pays baltes ait à voir avec le socialisme! Mais n'anticipons pas…

En définitive ce sont surtout des raisons diplomatiques et de Realpolitik qui déterminent les choix politiques de l'Internationale vis-à-vis du socialisme d'émigration d'Europe orientale. Si l'anticommunisme continue d'être érigé en principe de base, il ne peut malgré tout empêcher qu'en la circonstance le réalisme tout britannique du président de l'IS pèse d'un grand poids sur les décisions prises. Elles s'apparentent davantage à une recherche de la coexistence pacifique avant la lettre puisque les débats sont clos en 1955. Ce processus se poursuit après 1956 pour aboutir à une date importante dans l'histoire des relations entre socialisme et communisme depuis la Seconde Guerre mondiale: en 1962 un des grands partis de l'Internationale, la SFIO accepte le principe d'une alliance électorale avec le PCF ce qui constitue la révision du principe de base énoncé dès 1948 interdisant toute forme d'alliance ou de coopération entre une organisation socialiste et communiste. Pourtant cette révision n'encourra aucune condamnation de l'Internationale. Bien plus, elle sera suivie peu de temps après, en 1966, de la constitution en Finlande d'un gouvernement de coalition entre sociaux-démocrates et communistes que l'IS laisse également faire en dépit du profond changement d'orientation que cette politique signifie. Le laisser-faire manifesté alors par l'IS s'explique par deux raisons complémentaires qui toutes les deux ont joué mais de façon différente:

— Les structures — faibles — et le mode de fonctionnement de l'IS lui interdisent toute mesure contraignante vis-à-vis de ses membres, tant sur le plan politique qu'organisationnel. Si désaccord il y a, il est enregistré sans toutefois provoquer nécessairement la rupture. Le poids organisationnel et politique de l'Internationale est trop faible pour pouvoir imposer la moindre décision d'envergure à l'un de ses membres.

— Le contexte international nouveau dans lequel intervient l'IS rend de plus en plus dépassées les attitudes héritées de la Guerre froide: la détente qui progresse, bientôt la reprise de la construction de l'Europe, peu à peu la fin de la vieille génération militante favorisent un «polycentrisme» de l'IS — comme du monde communiste — en jetant les bases d'une rénovation possible qui commence vraiment à partir de 1969. On entre dans une phase de décantation où se dilue l'anticommunisme virulent des années Cinquante; elle porte en germe les évolutions futures dont on verra tous les effets tant en Allemagne à partir de 1969 qu'en France trois ans plus tard. Cependant en cette période de redistribution et de redélimitation, c'est la confusion ainsi que l'impuissance qui l'emportent encore et le bilan de l'IS semble alors bien maigre: ainsi, 1968 en Europe lui échappera à peu près complètement. Cette faiblesse ne s'explique pas seulement par des incertitudes politiques: elle provient aussi de carences organisationnelles et du peu de rayonnement des dirigeants de l'Internationale durant toute cette période.

Fonctionnement et dirigeants de l'Internationale

La construction de l'Europe et plus encore la lutte sans merci contre le communisme: tels sont les deux axes d'intervention principaux du socialisme européen durant les deux décennies qui suivent sa reconstitution en un mouvement structuré. Un rapide examen du mode de fonctionnement de son organisme international ainsi que des personnes qui en ont la charge facilitera une meilleure approche de la réalité du socialisme européen dans ce qui, au delà des caractéristiques nationales spécifiques à chaque parti, contribue malgré tout à lui donner un minimum d'homogénéité. Le mode de structuration d'une organisation est souvent révélateur de bien des traits d'un courant politique, et laisse beaucoup entrevoir sur ses finalités. Il permet également de mieux saisir les intentions réelles de ses protagonistes dans les combats politiques qu'ils mènent ainsi qu'à travers les rapports de force et les compromis qu'ils doivent généralement passer entre eux. A plus forte raison quand il s'agit du mouvement socialiste où la négociation, quasi permanente, érigée en principe, est une règle d'action constante tant vis-à-vis de l'intervention de chaque parti socialiste dans son pays que dans la régulation de ses rapports avec les autres partis de l'Internationale: nous sommes ici aux antipodes du «centralisme démocratique» régissant les organisations affiliées au Komintern puis au Kominform. L'ensemble des partis communistes a connu et vit encore sur un mode de fonctionnement diamétralement opposé qui commencera à évoluer lentement, en premier lieu en Italie, à la suite de 1956 et du rapport Khrouchtchev. De telles questions ne relèvent pas du seul domaine fonctionnel et organisationnel mais traduisent aussi des conceptions politiques précises: l'affirmation du caractère fondamental de la démocratie par l'Internationale socialiste contribue de façon manifeste à privilégier la négociation entre ses membres.

Constituant avant tout une structure de concertation, l'Internationale dispose cependant d'un pouvoir contraignant sur ses partis affiliés même s'il reste bien limité; elle leur impose en effet un ensemble minimal de règles qu'ils doivent accepter et qui régit l'ensemble de leurs relations. Ce mode de fonctionnement est-il foncièrement différent de celui de ses devancières? Peut-on dire qu'il y ait rupture ou faut-il au contraire mettre l'accent sur la continuité existant entre les formes d'organisation de l'IOS et de l'IS? Et si changements il y a, ont-ils une signification et des conséquences politiques?

En dépit de divers aménagements effectués dans son organisation et de nombreux projets de rationalisation suggérés par ses membres de 1951 à 1976, l'Internationale socialiste n'a connu que de faibles modifications dans sa structure et son fonctionnement durant ce quart de siècle [27]. Organisation essentiellement européenne à l'origine, elle s'est progressivement ouverte par la suite à des pays appartenant à d'autres continents mais ses méthodes de travail internes originelles n'en ont guère été véritablement modifiées durant toutes ces années; cette stabilité a pu renforcer les soupçons «d'européocentrisme», relativement justifiés au moins dans un premier temps, portés à son égard. Dans l'Internationale constituée à Francfort, les Européens détiennent l'écrasante majorité des voix et du pouvoir: cette caractéristique n'a pas pu ne pas rejaillir sur le plan organisationnel.

Comme cela avait été le cas pour la Seconde Internationale puis pour l'IOS, le congrès représente l'instance suprême. Théoriquement réuni en présence de tous les membres de l'IS, il permet l'intervention de ses partis membres qui peuvent s'y exprimer et y ont droit de vote. On a vu dans le cas des socialistes des pays de l'Europe de l'Est en quoi le refus d'un tel droit pouvait constituer un enjeu politique. Le congrès représente donc le moment politique le plus important de l'organisation. Cependant au delà de cette caractéristique commune à toute forme d'organisation se réunissant avec une certaine régularité, des différences notables existent avec l'IOS où une répartition proportionnelle au prorata du nombre de voix, et tenant compte de l'importance de chaque parti, figurait dans les statuts et fut effectivement de règle; une telle disposition eut d'importantes conséquences sur les rapports de forces internes au sein de l'IOS et contribua largement à y assurer la prééminence du Labour Party.

Au contraire, dans l'Internationale socialiste chaque organisation ne dispose que d'une seule voix au congrès, ce qui simplifie très largement les débats. Cette mesure statutaire est significative de la volonté de recherche d'un consentement général sur l'ensemble des grandes questions. Le congrès décide des principales orientations politiques, de l'affiliation ou de l'expulsion des membres et, aux deux tiers de ses votes, du changement des statuts. Initialement il est prévu qu'il se tienne annuellement, ce qui présuppose une vie organisationnelle intense. En fait les congrès de l'IS iront en s'espaçant puisqu'ils se tiendront d'abord tous les deux puis ensuite tous les trois ans: il apparaît bientôt que le congrès n'est pas l'instance la mieux appropriée pour répondre aux besoins de concertation des socialistes européens. De plus en plus, le congrès va être amené à jouer un rôle de représentation du mouvement plutôt qu'être un lieu d'élaboration et de décision de ses grandes orientations politiques. Il est davantage destiné à l'extérieur et au public que l'on espère toucher par les journalistes. Lors des congrès sont solennellement adoptées des décisions discutées et prises antérieurement: cette manifestation devient une sorte de rituel symbolique, important pour l'image publique que veut se donner le mouvement mais non pour le travail effectif qui peut se faire en son sein. Assez vite les congrès s'avèrent incapables de dynamiser l'organisation, aussi se confinent-ils davantage dans cette fonction représentative, médiatique comme on dirait de nos jours. Mais la vie politique réelle de l'organisation se situe ailleurs.

Le Conseil de l'IS — qui succède à celui du COMISCO — rappelle aussi celui de l'ancienne IOS, compte tenu également du fait que là encore, chaque parti n'y dispose que d'une seule voix: ici aussi la représentation proportionnellement numérique de chaque organisation nationale a été abandonnée. Chargé de «suivre les questions politiques courantes» le Conseil se trouve néanmoins dans une situation quelque peu bâtarde. Sa fonction n'est pas exactement définie et se confond tantôt avec celle du Bureau et parfois avec celle du congrès: lors d'une année «sans congrès», le Conseil est presque amené à remplir le rôle d'un congrès de substitution. Dans le cas inverse, lors d'une année de congrès, ses fonctions s'apparentent plus à celles du Bureau. Mais, ne disposant ni du prestige du congrès ni de la fréquence du Bureau, son statut reste assez flou et imprécis.

C'est surtout le Bureau qui représente l'organe politique de premier plan. Se réunissant en moyenne tous les trimestres, il est le mieux à même d'assurer la continuité politique, de suivre avec attention les grands problèmes du moment à partir de l'information que lui fournissent tant le secrétariat — dirigé par un vieux militant socialiste, Julius Braunthal — que les partis membres. C'est également en son sein que se déroulent, de façon feutrée mais réelle, les véritables combats politiques. Enjeu de pouvoir, le Bureau grossit peu à peu en importance et en influence puisqu'il passe de 10 membres en 1951 à 23, 25 ans plus tard au congrès de Genève. Son poids politique ne cesse de se renforcer durant cette période, à tel point qu'il n'hésite pas à se doter d'un président, distinct du président de l'Internationale socialiste. Considéré comme le «centre nerveux» du mouvement il s'agit donc d'une instance politique essentielle bien qu'il ne dispose pas de pouvoirs aussi contraignants sur les partis affiliés que son prédécesseur à la tête de l'IOS.

Congrès, Conseil, Bureau: ces instances qui rappellent celles des précédentes Internationales diffèrent au moins sur un point — leur composition — de leurs devancières: la non-proportionnalité des partis représentés est l'expression sous-jacente d'une conception politique et organisationnelle autre que celle de l'Internationale ouvrière socialiste. Anodine en apparence, cette disposition a des conséquences réelles tant sur la vie politique de l'organisation que sur son mode de fonctionnement. Alors que, l'histoire de la Seconde Internationale et de l'IOS ont été dans une certaine mesure surdéterminées par l'hégémonie des socialismes allemand puis britannique au lendemain de la Première Guerre, on ne peut en dire autant pour l'Internationale socialiste où les rapports de force se construisent différemment. A partir du début des années Vingt, en raison du déclin relatif mais réel du socialisme allemand ainsi que de la montée en puissance du Labour, l'équilibre politique des forces au sein du mouvement socialiste international s'est trouvé modifié: cette évolution est une des clés de la compréhension de l'histoire de ce mouvement jusqu'en 1940 voire même 1950[28]. A partir de 1951 au contraire, le mouvement socialiste qui affronte de nouveaux débats politiques en son sein, les gère assez différemment. Il est sans doute plus difficile pour les grands partis de l'Internationale socialiste d'y faire peser directement leur influence et d'y construire des courants d'idées dans la mesure où, théoriquement du moins, chacun y dispose d'un pouvoir équivalent. Le poids politique ne peut plus s'y acquérir de façon organisationnelle sur la base d'effectifs imposants comme avaient pu le faire Allemands et Anglais avant puis après la Première Guerre mondiale. A l'initiative des socialistes britanniques, il en va tout autrement à partir de 1951. De façon paradoxale on pourrait presque dire que, dans les premiers temps, leur influence politique s'exerce de façon négative, par une limitation de la vie de l'Internationale et de son internationalisme. Cette limitation correspond parfaitement aux objectifs des dirigeants du Labour dont on a vu comment tous leurs efforts ont consisté, de 1945 à 1951, à freiner, toute manifestation d'internationalisme[29]. Leur pragmatisme, leur méfiance vis-à-vis de toute organisation internationale par trop forte persistent durant les deux premières décennies de l'Internationale socialiste et si leur intervention est indéniable au sein du mouvement, elle consiste surtout à entraver son action. De ce point de vue la règle selon laquelle chaque parti est représenté par une voix favorise leurs desseins: elle oblige l'Internationale soit à adopter une position commune reposant sur le plus large compromis à propos de telle ou telle question, soit à laisser faire les partis qui décident d'autres orientations qu'elle. De la sorte les débats politiques en sont affaiblis et beaucoup plus encore que l'IOS, l'Internationale socialiste permet à chaque parti d'agir à sa guise. Ses capacités de contrainte étant beaucoup plus limitées son homogénéité politique s'en ressent fortement. Dans ces conditions on aboutit à une organisation faible, jouant davantage un rôle de concertation, qu'un organisme de décision politique. Ici, la différence est totale avec le Kominform dont l'existence sera il est vrai des plus brèves.

Ces dispositions statutaires et les conséquences politiques qu'elles entraînent conviennent au Labour qui n'a accepté la reconstitution de l'Internationale qu'à la condition expresse que sa fonction politique et ses moyens organisationnels soient restreints. Durant une longue période d'environ deux décennies son objectif principal reste le même: confiner l'organisation à un rôle secondaire. Bien après les années Cinquante, un chiffre, celui des fonds versés par le Labour à l'Internationale, montre ce refus déterminé d'une organisation trop puissante et susceptible de peser politiquement sur les partis qui lui sont affiliés: en 1977, alors que les Autrichiens versent annuellement à l'Internationale 23 500 livres, les Allemands 35 500 et les Suédois 35 000, le Labour paie seulement 11 600 livres, somme inférieure à celle fournie alors par les Vénézuéliens [30]. Durant toutes ces années le Labour refuse également avec la dernière des énergies toute tentative de déplacement du siège de l'IS ailleurs qu'à Londres où il se trouve depuis 1951. Il serait bien entendu exagéré de parler de mainmise du Labour sur l'Internationale mais son influence, réelle, sur cette organisation, semblable en cela à ce qu'a connu l'IOS, s'exerce avec des objectifs tout différents dans le but d'une limitation consciente de son rôle. En cela les statuts de l'IS facilitent les desseins du Labour.

Après avoir rappelé que la reconstruction de l'Internationale n'a été possible qu'avec l'accord du Labour, on ne doit donc pas sous-estimer l'importance de l'influence britannique sur la vie de cette dernière durant ces deux premières décennies. Durant cette période initiale de l'IS, le Labour maintient dans ses grandes lignes son analyse des rapports de force mondiaux dont découle un internationalisme socialiste des plus mitigés. Vu sous cet angle, la présidence «autolimitée» que constitue celle de son premier dirigeant s'explique de façon tout à fait cohérente. De 1951 jusqu'en 1957, l'Internationale est présidée par l'ancien secrétaire général du Labour en 1944, Morgan Walter Phillips. Il a pu accéder à cette fonction en dépit du fait qu'il est certainement un meilleur organisateur qu'un spécialiste des questions internationales. Il a auparavant joué un rôle clé au sein du COMISCO dont il a présidé le «sous-comité administratif». Elu président de l'IS, il défend avant tout les intérêts politiques de son parti à tel point que l'on a pu évoquer aussi son règne comme celui d'une «présidence partisane». Ardent défenseur de la démocratie américaine et critique violent du communisme, il s'oppose aussi bien aux «Européens» qu'aux «internationalistes» existant dans l'Internationale; s'il a accepté cette fonction ce n'est pas pour donner un plus grand prestige à l'organisation mais bien plutôt pour en limiter autant que possible l'action, la portée et le rayonnement: en ce sens sa présidence symbolise le poids réel et le rôle de frein, représentés par le Labour dans les affaires du socialisme européen et international, de la Guerre froide aux premières lézardes du mouvement communiste. Cette influence négative du Labour mettra bien du temps à se dissiper.

L'examen rapide des ressources financières de l'Internationale confirme sa faiblesse organisationnelle originelle tout autant que ce lent déclin d'influence du Labour dans ses rangs: en 1956 l'IS fonctionne avec un budget annuel d'environ 10 000 livres britanniques alors que durant la même année la Confédération internationale des syndicats libres dispose d'une somme de 800 000 livres. Soit quelque 80 fois plus! Certes, les ressources de l'Internationale vont augmenter dans les années suivantes pour atteindre 100 000 livres en 1976 mais cette somme ne représente guère plus que le budget annuel de la Fédération des jeunesses social-démocrates suédoises pour le seul district de Stockholm. Jusqu'au début des années 1960, la croissance du budget est particulièrement lente: en 1964 il ne s'élève encore qu'à 22 000 livres. La modicité de ces moyens laisse entrevoir une petite organisation aux moyens réduits, fonctionnant de façon précaire et bien incapable de prendre des initiatives spectaculaires pour sortir de la routine qui est la sienne. A partir de 1953 les versements des partis sont calculés sur la base d'un prélèvement en pourcentage de la totalité des cotisations perçues réellement par chacun d'entre eux; ce pourcentage est fixé alors à 1,5% puis relevé jusqu'à 2% en 1966 [31]. Représentant la quasi-totalité des recettes de l'Internationale, ces cotisations sont essentiellement payées par des partis européens: britannique, allemand, autrichien, suédois et français en fournissent plus de la moitié. Jusqu'à la fin des années Soixante les parts respectives des Britanniques et des Français ne cessent de diminuer alors que la tendance est exactement inverse pour les Allemands, les Autrichiens et les Suédois. Cette montée en puissance du socialisme scandinave et des pays de langue germanique au sein de l'Internationale se traduit tant sur le plan politique qu'au niveau des présidences.

Le successeur de Phillips, le Danois Alsing Andersen, lui est bien différent dans la mesure où il dispose d'une réelle expérience internationale et d'un profil de diplomate beaucoup plus affirmé que celui de son prédécesseur. Son arrivée aux commandes est l'expression d'un subtil compromis entre de nombreuses composantes au sein de l'IS. Tout d'abord il est impossible d'élire un Britannique comme successeur de Phillips en raison de la nécessité de renouvellement du pays d'origine du président. Ce dernier ne peut pas non plus provenir du SPD dont l'intégration au mouvement socialiste européen demeure encore en 1957 par trop fragile et inachevée. Le nouveau président de l'IS ne doit pas s'être manifesté par des positions trop tranchées sur l'Europe à un moment où, trois ans seulement après le rejet de la CED, sa construction semble renvoyée à un avenir des plus hasardeux. L'incertitude et le doute règnent alors sur cette question. Vis-à-vis du monde communiste, une approche plus diplomatique et moins idéologique de l'Internationale et de certains de ses partis est alors en train de s'esquisser mais à travers une démarche contradictoire et non dénuée de confusion. Discréditée par sa politique algérienne qui est alors l'objet d'une polémique acerbe au sein de l'IS, la SFIO ne peut non plus faire acte de candidature à la présidence de l'organisation. La candidature d'Andersen et son succès final s'expliquent plus par ces facteurs négatifs qui lui suppriment de nombreux rivaux que par des raisons positives. Tout comme Phillips, Andersen n'est pas le leader de son organisation: pour la seconde fois, accède à la présidence de l'IS un socialiste qui ne joue qu'un rôle secondaire au sein de son parti. Ce fait montre les limites de l'attrait exercé par la présidence de l'Internationale socialiste et le peu de prestige qui s'attache encore à la représentation de la plus haute instance du socialisme international.

Ouvertement réformiste, Andersen a proposé dès le

congrès de fondation de Francfort d'intituler l'organisation «Internationale social-démocrate» plutôt que «socialiste». Durant sa présidence il s'efforce sans relâche de tout faire pour orienter le socialisme international en ce sens. De ce point de vue, l'initiative prise par le SPD à son congrès de Bad-Godesberg en 1959 de répudier officiellement le marxisme et la lutte des classes symbolise de façon éclatante ce réformisme accru de l'Internationale. Il s'explique par les échecs répétés qu'a connus le SPD face à la CDU en 1953 et en 1957 qui décident ce parti à abandonner son ancien programme élaboré en 1925 et à en rédiger un nouveau rompant de façon définitive avec le marxisme comme le propose son président Ollenhauer selon qui:

> «faire des idées de Marx et d'Engels la base de nos déclarations de principes en 1959 serait aussi antimarxiste que possible... Si nous voulons nous en tenir à de telles conceptions, nous ne serons bientôt plus qu'une secte condamnée à disparaître.»

Se définissant comme le parti de «la liberté de l'esprit», le SPD entend dès lors se fonder sur «l'éthique chrétienne, l'humanisme et la philosophie classique» et s'adresser à une «communauté d'hommes issus de différentes tendances de pensée» dont l'accord repose «sur des valeurs morales communes et sur des buts politiques semblables» [32].

Abandonnant sur le plan économique ses croyances anciennes dans le bien-fondé des nationalisations, le SPD admet dès lors que la libre-concurrence et l'initiative libre des entrepreneurs puissent être «des éléments importants de la politique économique social-démocrate»; «concurrence autant que possible, planification autant que nécessaire» dit encore ce programme qui, après avoir violemment dénoncé le communisme, envisage que le SPD puisse orienter son action pour devenir non seulement le parti des ouvriers mais encore celui du «peuple» tout entier. Ce programme est adopté par une écrasante majorité. Doit-on voir dans son adoption une revanche posthume de Bernstein? Que de chemin parcouru depuis le programme de Gotha puis l'époque de la Seconde Internationale où des ténors du parti comme Kautsky, mort fort âgé en 1938, jouaient le rôle de gardien du dogme! Cet abandon explicite du marxisme dans le pays qui l'a vu naître est un événement marquant de l'histoire du socialisme européen depuis la Seconde Guerre. Il est emblématique de l'orientation plus générale prise par l'IS en cette fin des années 1950. En ce sens la présidence d'Andersen qui s'achève en 1963 est parfaitement «en phase» avec son organisation, même si le SPD a peut-être une certaine avance dans la formulation de sa stratégie. On notera que cette révision historique ne provoque aucun débat de fond et moins encore de critiques dans l'Internationale alors qu'en d'autres temps cette démarche iconoclaste aurait été fustigée. Contrairement aux crises révisionnistes du tournant du siècle puis des années 1927-1933, le révisionnisme explicite du SPD et sa répudiation du marxisme en 1959 n'entraînent aucune polémique, pas le moindre débat d'envergure dans les rangs du socialisme international: signe manifeste d'un changement profond des mentalités et des idéologies. Le socialisme européen du début des années 1960 n'a plus grand-chose à voir avec ce qu'il prétendait encore être à l'orée des années Vingt.

En la circonstance, le poids politique de la présidence de l'Internationale socialiste s'en trouve encore plutôt diminué. Deux ans auparavant, à Bad-Godesberg, le nouveau président s'est refusé à intervenir dans la polémique opposant l'Internationale à la SFIO à propos de la guerre d'Algérie. Sur toutes les grandes questions politiques qui se posent à elle, l'Internationale se caractérise alors plus par la discrétion et l'effacement que par la présence politique. A partir de 1963-1964, elle entre dans une phase de décantation et de diversification plus poussée encore; il s'agit pour elle d'une période de reclassement, de maturation et de redéfinition des enjeux politiques selon des processus complexes, qui en dépit du succès de certains de ses partis affiliés — le retour du Labour au pouvoir en 1964 notamment — se traduisent par un effacement accru de sa part: il faut attendre la fin des années 1960 pour voir s'inverser la tendance et assister au renouveau politique et organisationnel du socialisme, non seulement sur le plan européen mais encore à l'échelle internationale.

Faiblesses du socialisme européen dans les années Soixante

Deux données principales contribuent à modeler le visage du socialisme européen tout au long de cette décennie. En dépit de nombreuses initiatives diversement couronnées de succès, la construction européenne rencontre des difficultés et ne progresse plus que lentement. A la suite du traité de Rome en 1957 a été instituée la Communauté économique européenne (CEE, ou Marché commun) dont la finalité est de réaliser «une extension de la compétence matérielle de la CECA». C'est également à la suite du traité de Rome qu'est née l'EURATOM, la Communauté européenne de l'énergie atomique. En dépit de ces avancées et d'un assouplissement de la position britannique en matière de construction européenne, cette dernière se heurte à de nouveaux obstacles. A partir de 1958 et du retour du général de Gaulle au pouvoir, la France joue en ce domaine un rôle de frein, en se situant aux antipodes des positions avancées qu'elle avait prises quelques années auparavant. Caractérisée par la défense intransigeante de l'Europe des Etats, le refus de toute mise en place d'un organisme supranational, l'opposition résolue à l'élection des membres du Parlement européen au suffrage universel, la conception gaullienne de l'Europe va peser d'un grand poids dans la balance et progressivement paralyser les mécanismes institutionnels des Communautés européennes. En cette période, la question européenne vis-à-vis de laquelle le SPD a abandonné son opposition irréductible à la suite de la mort de son président K. Schumacher en 1953, ne peut plus opposer les socialistes européens avec la même âpreté qu'auparavant. Un nouvel élément survient en 1961: la décision prise par le Premier ministre conservateur H. Mac Millan d'engager des négociations avec les Six en vue d'une adhésion future de la Grande-Bretagne à la CEE représente un tournant. Cependant dans un premier temps elle provoque un raidissement négatif du Labour qui, par la voix de son principal représentant, Gaitskell, continue de s'opposer au Marché commun en 1962. Au même moment les tensions demeurent encore vives entre les socialistes communautaires et ceux des pays de l'AELE [33].

Le veto émis par le général de Gaulle en 1963 contre l'entrée de la Grande-Bretagne dans le Marché commun contribue encore à compliquer la situation. Cette initiative semble à nouveau bloquer toute possibilité d'évolution. Cependant par le nationalisme qu'elle exhale, l'argumentation gaulliste est inacceptable pour l'ensemble des socialistes européens et fait l'objet d'une prise de position de l'Internationale qui condamne:

«le retour aux concepts traditionnels, fatals et dépassés, de prestige national et d'hégémonie qui menacent toutes les réalisations des années d'après-guerre» [34].

Pour une fois, l'Internationale a pu prendre une position unanime sur l'Europe. Mais il est vrai que c'est de façon négative...

La crise du Marché commun en 1965, le retrait de la France de l'OTAN voulu par le général de Gaulle l'année suivante, viennent encore brouiller les cartes d'une situation déjà passablement confuse. Lors du 10e anniversaire de la signature des traités qui ont donné naissance à la CEE et l'EURATOM, les Six décident de fusionner les exécutifs des Communautés européennes, ce qui est chose faite dès juillet 1967. Ces progrès ne sont peut-être pas à la hauteur de la nouvelle conjoncture provoquée par le départ de la France de l'OTAN, la détente puis la coopération qui s'esquissent entre les deux Europe occidentale et orientale ainsi qu'entre l'URSS et les Etats-Unis. Initialement conçue dans le climat de la Guerre froide, l'Europe éprouve bien des difficultés à se construire dans un environnement politique en pleine mutation.

De retour dans l'opposition à partir de 1961, la SFIO abandonne progressivement le nationalisme qui a été le sien lorsqu'elle était au pouvoir pour en revenir à une vision des choses plus internationaliste [35]. Dès lors elle cherche «à utiliser» l'Internationale tant pour faire progresser ses analyses européennes au sein du mouvement socialiste que regagner une influence qu'elle a perdue en politique intérieure. Aussi se prononce-t-elle pour une Europe supranationale, impliquant pour chaque pays l'abandon d'une part de sa souveraineté nationale. Totalement opposée aux conceptions du général de Gaulle, cette position rencontre aussi de nombreuses objections au sein de l'Internationale et en tout premier lieu dans les rangs du Labour dont la SFIO recherche néanmoins l'appui pour mener à bien son projet. En matière de défense européenne, la SFIO prend dans un premier temps une position délibérément des plus «atlantistes» au sein de l'IS. Elle la nuance ensuite tant pour des raisons de politique intérieure — rapprochement obligé avec les communistes à partir de 1962 — qu'internationales: elle veut rompre son isolement avec les autres partis sur cette question. Ce qui ne l'empêche pas de critiquer le manque de fonctionnement et d'efficacité de l'Internationale qu'elle va jusqu'à comparer à un simple «club» de discussion, incapable de prendre une décision. Et de fait il n'est pas exagéré de parler à cette époque d'une véritable crise de l'Internationale comme n'hésitent pas à le faire certains responsables de la SFIO.

Sur un autre plan, les choses sont plus complexes parce qu'en pleine évolution pour les socialistes comme pour les autres dirigeants politiques. En dépit des changements survenus en Union soviétique (chute de Khrouchtchev en 1964) et au sein du mouvement communiste international (rupture avec la Chine en 1961), la poursuite de la coexistence pacifique devient une réalité plus tangible et oblige l'Internationale socialiste à repenser en termes nouveaux sa position initiale vis-à-vis du communisme. Des raisons de politique intérieure peuvent également jouer en ce sens pour plusieurs de ses partis, que ce soit en France avec l'alliance électorale passée entre la SFIO et le PC en 1962 ou en Finlande lorsqu'un gouvernement de coalition entre communistes et socialistes arrive au pouvoir en 1966. Contrairement à ce qui a été le cas dans l'ancienne IOS, cette révision de fond d'un des dogmes de la Charte de Francfort — le refus de toute alliance avec des communistes — ne provoque aucun débat d'envergure au sein du mouvement, et moins encore une quelconque rupture. Les temps ont bien changé par rapport aux années 1933-1935 où la question communiste avait entraîné une paralysie générale de l'Internationale, tiraillée entre des tendances irréductiblement opposées à ce sujet. Trente ans plus tard, chaque parti redéfinit sa stratégie de façon empirique et isolée; chacun agit pour soi et sans la moindre concertation d'ensemble. L'absence de toute contrainte de l'Internationale sur ses membres produit en la circonstance ses effets négatifs et explique un certain délitement du mouvement où les positions les plus diverses ne font l'objet d'aucune sanction et n'entraînent même que fort peu de discussions. Sur ces deux questions qui se posent à elle au même moment — appréciation nouvelle du communisme et abandon formel du marxisme par le SPD en 1959 — l'Internationale se comporte de la même façon: dans les deux cas elle se manifeste par sa discrétion, sinon par son absence. Plus encore que pour l'IOS, la stratégie du «chacun pour soi», l'empirisme le plus achevé sont érigés en principe et font obstacle à l'élaboration de toute politique commune.

Lors du VIIIe congrès tenu à Amsterdam (1963), l'IS se dote d'un nouveau président, l'Allemand Erich Ollenhauer. Mais il décède prématurément trois mois plus tard en décembre 1963. Comme ses prédécesseurs, il ne s'agit pas d'un militant de premier plan. Son élection a néanmoins une portée politique dans la mesure où elle est l'expression de la réintégration complète du SPD dans l'Internationale. Il est probable que le tournant pris quatre ans plus tôt à Bad-Godesberg y a contribué. Le glissement du socialisme allemand vers la droite est aussi sensible dans le domaine international qu'en politique intérieure: pour le SPD, désormais la réunification de l'Allemagne ne peut se faire que dans le cadre de l'alliance atlantique. Le successeur d'Ollenhauer, l'Autrichien Pittermann bénéficie du désistement de leaders plus connus tels que H. Wilson ou W. Brandt, accaparés par leurs responsabilités nationales. Son élection symbolise le début d'une nouvelle vision de l'Internationale se caractérisant par une approche plus nuancée du monde communiste, moins marquée par l'anticommunisme. Les progrès de la détente autorisent de tels espoirs et l'Autriche située à mi-chemin entre l'Est et l'Ouest est fort bien placée pour illustrer une telle évolution.

C'est également sous la présidence de Pittermann que

l'on assiste dans les années 1965-1966 à une atténuation sensible des divisions entre les socialistes sur la question européenne et ceci pour trois raisons. L'engagement du SPD en faveur de la construction européenne est tout à fait acquis et ce parti dispose maintenant d'une grande influence dans l'Internationale. Par ailleurs, octobre 1964 voit le retour des travaillistes britanniques au pouvoir. Au sein du Labour, en raison notamment de l'influence de responsables parmi lesquels H. Wilson figure au premier rang, les thèses européennes font de nombreux adeptes, ce qui tempère les positions jusqu'alors négatives de ce parti sur ce problème. Enfin les Communautés européennes surmontent à partir de janvier 1966 une crise institutionnelle survenue l'année précédente: autant de raisons qui jouent dans le même sens, limitent les principales objections des socialistes anticommunautaires et permettent un début de rapprochement des socialistes européens. L'assouplissement du gouvernement travailliste vis-à-vis du Marché commun s'explique tant par la vitalité économique croissante de la CEE vis-à-vis de l'AELE, que par l'affaiblissement des liens avec le Commonwealth ainsi que l'indépendance accrue vis-à-vis des Etats-Unis. Mais cette évolution encore fragile sera ultérieurement remise en question en raison des hésitations du Labour. Si elle atténue les divisions et les tensions au sein du mouvement socialiste, elle n'est cependant pas suffisante pour permettre de déboucher sur une politique européenne commune.

Décrivons les principales étapes de ce nouveau cours: en avril 1965, H. Wilson organise une réunion des socialistes européens aux Chequers dont le but explicite est de favoriser un rapprochement des socialistes de la CEE et de l'AELE. Les résultats de cette initiative sont apparemment limités mais la réunion a pu se tenir et c'est peut-être là le plus important. Lors du Xe congrès de l'IS tenu en mai 1966 à Stockholm, Brown, le représentant du Labour confirme cette ouverture en affirmant que la Grande-Bretagne est prête à entrer dans le Marché commun si ses «intérêts essentiels sont préservés». Les premières démarches faites par le gouvernement travailliste en vue de l'adhésion de la Grande-Bretagne à la CEE sont entreprises exactement un an plus tard. Elles ne provoquent cependant aucun élan unitaire: le revirement du Labour ne signifie pas pour autant un ralliement de sa part aux thèses communautaires des Six. Pour les socialistes favorables à ces dernières, tout élargissement de l'Europe en construction ne peut qu'être bénéfique après la crise des années 1965-1966. De nouveaux partenaires permettront une relance de la dynamique communautaire et un renforcement des pouvoirs du Parlement européen dans la perspective d'une Europe fédérale. Cependant des désaccords de fond subsistent sur des problèmes politiques ce qui fait que la question des institutions communautaires n'est jamais évoquée au sein de l'IS. Les différents refus du général de Gaulle à la requête britannique vont bloquer toute évolution jusqu'à son abandon des responsabilités gouvernementales. Un an plus tard, à la suite de sa défaite électorale de juin 1970, le Labour retourne dans l'opposition et va bientôt adopter des positions beaucoup plus en retrait sur l'Europe.

Signe des temps, au sein de l'Internationale, le président est bientôt contesté dans son propre parti dont il doit abandonner la direction à Bruno Kreisky en février 1967. Ce changement de personne à la tête du SPÖ traduit de façon plus profonde une mutation politique, qui sous des formes spécifiques, va également survenir en Allemagne deux ans plus tard puis en France avec l'abandon de la vieille SFIO et la constitution du nouveau Parti socialiste au congrès d'Epinay en 1971. Sous la présidence de Kreisky, les socialistes autrichiens s'engagent dans un programme dynamique de démocratisation économique et sociale et manifestent un intérêt accru pour les problèmes du Tiers Monde. Un nouvel internationalisme commence à se développer dans le cadre du mouvement socialiste. De façon diffuse se multiplient les signes avant-coureurs de potentialités rénovatrices au sein du socialisme européen. Mais elles sont trop faibles encore pour lui permettre d'être véritablement en phase avec les nombreux mouvements sociaux qui en 1968 secouent l'Europe et le monde.

Entre temps, l'Internationale et ses partis affiliés restent en effet à peu près complètement à l'écart du mouvement de 1968 qui, dans toute l'Europe porte au devant de la scène politique de multiples organisations d'extrême gauche issues pour un grand nombre d'entre elles des organisations communistes. 1968 en Europe ne s'est pas limité à la révolte de la jeunesse et particulièrement des étudiants: en France, le «mouvement» a été à l'origine de la plus grande grève de toute son histoire. Pourtant, tant sur le Vieux Continent que dans le reste du monde, l'agitation des étudiants et de la jeunesse y a eu une part essentielle, qu'elle ait été ou non le révélateur et le détonateur d'autres mouvements sociaux. En France, l'extrême gauche trotskiste et maoïste provient principalement de la crise affrontée par l'Union des étudiants communistes depuis les lendemains de la guerre d'Algérie. L'extrême gauche italienne trouve également ses racines dans les organisations communistes étudiantes et de jeunesse. Dans ces deux pays existent encore des partis communistes très puissants au moment même où la SFIO est à l'agonie. Dans d'autres États européens — Grande-Bretagne, Belgique, Pays-Bas, Suède, Allemagne, Autriche — où le communisme est beaucoup plus faible, l'extrême gauche dispose d'une influence, non négligeable parfois, tant dans les organisations étudiantes que les mouvements de jeunesse appartenant au courant social-démocrate: ces derniers représentent le «terreau» où se développent l'extrême gauche et la contestation. Dans un premier temps ce mouvement s'effectue selon un processus de séparation avec ces organisations et de structuration d'une extrême gauche autonome, en marge de la social-démocratie comme du communisme. En Allemagne la rupture est consommée entre le SPD et sa branche étudiante, le SDS, au lendemain du Congrès de Bad-Godesberg en 1961; constitué en 1946, le SDS qui jusqu'alors a été une véritable pépinière de cadres pour le SPD refuse tout autant la transformation du SPD en un «parti populaire» que son acceptation du réarmement et son rapprochement d'avec les positions chrétiennes-démocrates. Après avoir mené un certain nombre de luttes sur des problèmes strictement universitaires, le SDS, sous l'influence des analyses de l'Ecole de Francfort, s'engage dans une critique beaucoup plus profonde de la société ouest-allemande puis de l'ensemble du monde capitaliste et radicalise ses méthodes de lutte. L'opposition à la guerre du Viêt-nam joue un rôle de catalyseur pour l'ensemble des mouvements d'extrême gauche européens. A l'initiative de la Jeune Garde socialiste de Belgique ils constituent en 1966 la Conférence des organisations d'avant-garde d'Europe. Diverses fédérations étudiantes de partis socialistes (Belgique, Pays-Bas, Grande-Bretagne, Irlande, Allemagne) ainsi que d'autres organisations dissidentes de la social-démocratie et du communisme (Etudiants socialistes unifiés, Jeunesse communiste révolutionnaire, — ces deux organisations pour la France — Jeunesses du Parti socialiste italien d'unité prolétarienne, Falce Martello pour l'Italie, etc.) se joignent à cette initiative et participent les 17 et 18 février 1968 à Berlin à une manifestation internationale contre la guerre du Viêt-nam dont les méthodes et le retentissement donneront une nouvelle impulsion aux luttes anti-impérialistes en France, quelques semaines seulement avant mai 68... Mais si dans plusieurs pays européens, les organisations de jeunesse et étudiantes qui participent à ces mouvements sont issues du mouvement socialiste, il n'en est pas de même des partis adultes qui se tiennent à peu près complètement à l'écart d'une telle agitation qu'ils dédaignent quand ils ne la condamnent pas.

Certains de ces mouvements étudiants sont d'ailleurs apparus dès 1964 en Grande-Bretagne ainsi qu'en France au lendemain des luttes menées contre la guerre d'Algérie par l'UNEF: ils vont se développer dans toute l'Europe de l'Ouest, Espagne et Portugal compris, même si la dictature de Franco survit sept ans et s'il faut encore attendre six ans pour voir la Révolution des œillets. Mais ils ne s'y limitent pas et gagnent aussi la Tchécoslovaquie — ici le mouvement coïncide avec le «Printemps de Prague» —, les Etats-Unis où dès 1965 ils luttent contre la guerre du Viêt-nam, d'abord à Berkeley puis dans d'autres universités, le Japon (Zengakuren), l'Australie, le Mexique, la Corée du Sud, les Philippines etc.

Ce n'est point le lieu de retracer ici l'histoire du 68 européen qui reste d'ailleurs dans une large mesure à écrire. Au delà des organisations étudiantes et de jeunesse qui y sont présentes et dont certaines sont issues du mouvement socialiste [36], ce qui frappe surtout c'est la faiblesse de l'engagement du socialisme européen adulte en tant que tel dans cette vaste secousse qui remue le Vieux Continent. L'Internationale socialiste et ses partis membres restent à peu près complètement étrangers à ce qui se passe dans de nombreux pays. Aucune réflexion commune, aucune décision collective, aucune action concertée n'émergent de sa part durant cette période. On peut le comprendre si on se souvient de l'effacement qui est le sien depuis quelques années. Il n'est pas exagéré de parler de dilution de l'Internationale depuis les années 1963-1964. Dans ces conditions elle ne peut être préparée à affronter un tel événement et elle ne dispose que de faibles outils politiques et organisationnels pour y intervenir. En France où sans aucun doute c'est là où le «mouvement» a eu le plus d'importance, la SFIO, supplantée par la FDGS de F. Mitterrand, est ignorée par l'extrême gauche qui concentre ses attaques sur le Parti communiste et la CGT. Ni la SFIO ni la FDGS ne semblent représenter pour elle la moindre cible stratégique ou susciter de sa part un quelconque intérêt. Ses dirigeants restent complètement à l'écart du mouvement pour n'apparaître brièvement au devant de la scène que le 28 mai sous la forme d'un acte de candidature de F. Mitterand à la présidence de la République dans le cas où les «non» au referendum proposé alors par de Gaulle l'emporteraient. Le leader de la FGDS propose également que P. Mendes-France prenne la tête d'un gouvernement provisoire. Deux jours plus tard la riposte foudroyante du général de Gaulle dissolvant l'Assemblée nationale et annonçant des élections législatives fait voler en éclat cette perspective. Aux élections législatives des 23 et 30 juin, la FDGS perd 61 sièges et le PC 39, alors que la majorité gaulliste en gagne 97 et les républicains indépendants 21.

Tant en 1968 que dans les années qui suivent, l'idéologie «gauchiste» va, en certains domaines au moins, contribuer à modifier de façon assez substantielle la société française; elle diffère largement des conceptions socialistes ou social-démocrates. Il faut attendre le milieu des années Soixante-dix pour en voir amorcer lentement le déclin. Ce mouvement va de pair avec la progression du nouveau Parti socialiste constitué en 1971 et qui a signé un Programme commun de gouvernement avec le Parti communiste l'année suivante. Le recul du gauchisme est contemporain de la progression du Parti socialiste: les deux mouvements évoluent en sens inverse. Mais force est bien de reconnaître qu'en France comme dans le reste des pays européens (il s'agit évidemment ici de l'Europe de l'Ouest) la social-démocratie est à peu près complètement absente de la scène politique à ce moment important. Qui aurait cru à l'époque qu'en dépit de ce rôle modeste, ce ne seraient ni l'extrême gauche ni le communisme qui allaient sensiblement progresser dans les deux décennies à venir mais justement cette social-démocratie alors si décriée et si déconsidérée? Ce renouveau du socialisme européen va s'effectuer à la faveur d'une recomposition des forces politiques dans le monde selon des modalités qu'il nous faut maintenant examiner.

LE RENOUVEAU
DU SOCIALISME EUROPÉEN

Un contexte international en pleine mutation

C'est au moment où le socialisme européen semble dans certains pays, parmi lesquels la France figure en première place, engagé sur la voie d'un déclin irréversible qu'il va pourtant connaître un nouveau départ en Europe et dans le monde [1]. Le recul lent mais apparemment irrémédiable effectué par l'Internationale socialiste tout au long des années Soixante s'arrête; la tendance s'inverse et le mouvement commence à regagner du terrain à l'orée de la décennie suivante. Ce renversement de tendance résulte tant d'une évolution du contexte politique international que de la prise de conscience de plusieurs dirigeants socialistes européens — allemands, autrichiens, scandinaves principalement — de la nécessité de repenser de façon nouvelle et à une plus large échelle les problèmes fondamentaux du socialisme ainsi que le mode de fonctionnement de son organisation internationale. Ce processus dont tous les effets apparaîtront pleinement lors du congrès de l'IS à Genève en 1976 s'est esquissé quatre ans plus tôt; ses racines, plus anciennes encore, doivent être recherchées dans la «crise» vécue par l'Internationale depuis le milieu des années soixante. Le renouvellement du socialisme est une réaction, un refus de ce déclin mais provient aussi des succès en Europe et dans le monde de plusieurs partis affiliés à l'Internationale. Les progrès accomplis durant cette période charnière par le socialisme français s'inscrivent dans ce renouveau: dans toute l'histoire du socialisme européen, le socialisme français, sans avoir joué peut-être un rôle de premier plan comme ses homologues allemand et britannique, a été néanmoins constamment présent jusqu'à la Seconde Guerre mondiale. Tout du long des années Soixante, la perte d'audience de la SFIO a été fort préjudiciable à l'Internationale. A l'inverse cette organisation bénéficie de la progression rapide que connaît à partir de 1971 le nouveau Parti socialiste même s'il serait profondément erroné de voir en ce facteur particulier la cause unique de cette véritable «renaissance» de l'organisation socialiste. Cela étant dit, c'est principalement dans la modification des rapports internationaux qu'il faut rechercher les causes profondes de cette transformation. Les changements de plusieurs lignes de force de la politique internationale offrent au mouvement socialiste des possibilités d'intervention accrues dont il sait s'emparer pour se transformer de façon notable. Les principaux facteurs qui doivent ici être retenus se ramènent au nombre de trois. Chronologiquement ils se situent tous au début ou au milieu des années 1970. Leur convergence dans le temps s'additionne et en renforce les effets.

— La relance de l'Europe est effective à partir de 1969: après quinze ans de difficultés, la construction européenne entre dans une phase plus active. Le départ du général de Gaulle à la suite de son échec sur le référendum de la régionalisation, son remplacement par

G. Pompidou vont permettre la mise en œuvre de nouvelles initiatives diplomatiques du gouvernement français: l'assouplissement de la position française vis-à-vis de l'entrée de la Grande-Bretagne dans le Marché commun débloque une situation remontant à 1963 date à laquelle la diplomatie gaulliste s'était brutalement opposée à tout rapprochement du Royaume-Uni vis-à-vis de la CEE. Lors du sommet de La Haye (décembre 1969) les Six se mettent d'accord sur le renforcement de diverses instances européennes, la perspective de création d'une Union économique et monétaire, et commencent à envisager les possibilités d'une unification politique et d'un élargissement du Marché commun à d'autres Etats qui en accepteraient les bases.

Cette progression va cependant se trouver entravée en raison des atermoiements du Labour. Revenu dans l'opposition à partir de 1970, ce parti réitère son refus à l'entrée de la Grande-Bretagne dans le Marché commun ce qui provoque un profond malaise chez les socialistes européens au moment où socialistes danois et norvégiens militent pour l'adhésion à la CEE et où, de façon plus générale, les convergences se multiplient entre l'AELE et la CEE. Seuls les socialistes finlandais et irlandais soutiennent en la circonstance les nouvelles positions du Labour violemment critiqué alors par les partis socialistes des six pays communautaires. Le retour de H. Wilson au pouvoir en février 1974 coïncide avec un raidissement supplémentaire de son parti sur l'Europe: il refuse sa place à l'Assemblée européenne des communautés (forme initiale du futur Parlement européen); il ne veut pas non plus participer à la moindre structure de coopération avec les socialistes des pays communautaires qui s'organisent alors le 5 avril 1974 à un échelon supérieur en formant l'Union des partis socialistes communautaires européens (UPSCE) [2]. Au sein du mouvement socialiste le Labour se trouve à nouveau bien isolé. La méfiance est à son comble, lorsque toujours en 1974, le Labour refuse de se rendre à la conférence des partis socialistes de la CEE, ne serait-ce que comme observateur. Cependant une certaine dissociation s'opère bientôt entre le gouvernement travailliste pour qui il est impossible d'ignorer les réalités européennes, et le Labour qui radicalise encore son opposition anticommunautaire en bloquant ainsi tout débat et à plus forte raison toute possibilité d'évolution au sein de l'Internationale. Aussi, lors du XIIIᵉ congrès de l'Internationale (Genève, novembre 1976) toute référence à la construction européenne est délibérément passée sous silence: la résolution finale est muette sur ce problème. Afin d'éviter une rupture comme un accord de façade, les dirigeants socialistes préfèrent ne souffler mot sur cette question. Comme à Francfort un quart de siècle plus tôt...

De façon paradoxale ce silence n'a pas que des aspects négatifs: dans un premier temps l'Internationale est avant tout désireuse de se «déseuropéaniser», de sortir de l'européocentrisme qui trop longtemps a été le sien. L'ouverture voulue vers le Tiers-Monde s'accommode assez bien d'une rélégation à l'arrière-plan de la question européenne. De plus l'UPSCE qui existe depuis deux ans est maintenant jugée apte à répondre aux exigences de cette dernière: elle est d'ailleurs reconnue comme «organisation régionale associée» lors du congrès. Cette notion d'Union qui reste à mi-chemin entre la formulation de l'association (insuffisante pour certains) et de la fédération (excessive pour d'autres) est, une fois encore, une solution de compromis destinée à rallier le plus grand nombre de partis. L'UPSCE procédera à la révision de ses statuts en 1980 dans le but d'aboutir à un accord plus large entre ses membres et de supprimer toute disposition contraignante vis-à-vis de ses derniers qui auraient pu encore les caractériser.

Cependant la position des socialistes sur l'Europe ne

se résume pas aux difficultés provoquées par le Labour même si celles-ci pèsent d'un grand poids. 1973 marque une inflexion dans l'analyse des socialistes sur cette question: à partir de cette date, priorité est donnée pour la majorité d'entre eux à l'intégration sociale plutôt que politique. Jusqu'alors c'est l'inverse qui avait été de règle et depuis une décennie environ, la plupart des socialistes européens s'étaient prononcés en faveur d'une Europe politique fédérale au sein de laquelle toute législation sociale serait élaborée ultérieurement. A partir de 1973 primauté est donnée à l'Europe sociale sur l'Europe politique comme il est dit à l'occasion du IXe congrès des partis socialistes de la CEE [3].

> «Sans justice sociale pour tous, l'intégration européenne restera un château en Espagne».

Cette position offre un double avantage: tout en satisfaisant les revendications progressistes de l'ensemble des partis, elle laisse de côté la question des structures politiques communautaires sur laquelle subsistent bien des désaccords. Ainsi conçue, l'Europe sera «élargie», «pacifique» — proche en cela des analyses de l'IS — et enfin «solidaire», c'est-à-dire aussi bien opposée aux dictatures qu'à l'oppression économique du Tiers-Monde. Tout le monde ne peut qu'être d'accord sur une telle définition. Mais la persistance des divisions politiques demeure et se manifeste publiquement lors des premières élections au Parlement européen en juin 1979: incapables d'élaborer un «programme commun» en raison de leurs divisions internes, les socialistes européens sont juste en mesure d'adresser un «Appel aux électeurs».

Ces élections du Parlement européen au suffrage universel concrétisent une évolution longue d'une décennie. En dépit des difficultés qui n'ont pas toutes disparu, loin de là, 1969 a représenté un nouveau départ, a permis une relance de la construction européenne à un rythme plus rapide si on le compare à celui des quinze ans d'atermoiements qui ont suivi l'échec de la CED. Ce mouvement s'est d'ailleurs accompagné de tensions croissantes entre les pays européens et les Etats-Unis, tant au sujet du futur de l'Europe que de l'approche des problèmes du Tiers-Monde: tout du long des années 1970 et surtout 1980, les socialistes vont être de plus en plus tentés de trouver dans une réponse européenne la clé à ces questions. Durant ces deux décennies ils vont se mobiliser de façon plus unie que par le passé pour faire progresser la construction européenne qui apparaît maintenant comme une échéance d'actualité. Plus qu'auparavant, durant cette période, l'Internationale socialiste devient un lieu de concertation des différents partis sur les questions communautaires qui permet de mieux concilier les positions en présence et d'harmoniser leurs intérêts respectifs en politique étrangère. Toutes ces raisons contribuent puissamment à donner à l'Internationale un rôle plus actif que par le passé.

— La progression de la construction européenne s'accompagne d'un rééquilibrage des rapports de force internationaux en Europe comme dans le reste du monde. Ce mouvement d'ensemble va de pair avec les débuts d'une modification profonde des forces respectives entre les deux principales composantes politiques se réclamant du mouvement ouvrier. On n'en voit pas immédiatement les effets et les résultats ne pourront être comptabilisés de façon claire qu'au terme de près de deux décennies. Cette évolution générale se fait de façon complexe voire contradictoire: dans un premier temps durant les années Soixante-dix, le communisme connaît une progression sensible dans plusieurs pays d'Europe occidentale. Pourtant cette tendance s'inverse avant même la fin de cette décennie pour laisser place à un recul très net des partis communistes en Europe de l'Ouest tout au long des années 1980. Faut-il y voir le prélude à l'effondrement des régimes communistes survenu en Europe de l'Est durant la seconde moitié de l'année 1989? Dans quelle mesure cet affaiblissement du communisme peut-il être mis en rapport avec la crise économique et sociale qui touche l'ensemble des pays industrialisés à partir de 1974? En France, les restructurations économiques, l'augmentation spectaculaire du chômage dans plusieurs régions d'industrie lourde et ancienne comme la Lorraine n'attaquent-elles pas de plein fouet les secteurs traditionnels de la classe ouvrière sur lesquels s'est construit le Parti communiste en France sous le Front populaire puis à la Libération? S'il est encore peut-être prématuré de vouloir apporter dès maintenant des réponses à toutes ces questions, on peut tout au moins relever les principales caractéristiques de cette tendance.

Dès le début des années Soixante-dix, l'anticommunisme qui a été un des ciments idéologiques de l'Internationale socialiste dans les années 1950 et 1960 tend de plus en plus a être relégué aux oubliettes, tant en raison des progrès de la détente que de la nouvelle approche des socialistes vis-à-vis de l'Union soviétique et des partis communistes. Nous avons déjà signalé comment en France comme en Finlande, en 1962 et 1966, on est passé de l'anathème au dialogue ou plutôt de l'alliance électorale à la coalition gouvernementale. Cette orientation produit également ses effets en politique extérieure: l'Ostpolitik entreprise à partir de 1969 par Willy Brandt en est la manifestation la plus éclatante. Depuis 1956 le monde communiste est entré dans une phase de morcellement: la suppression du Kominform[4] est suivie cinq ans plus tard de la rupture entre les communistes soviétiques et chinois. L'invasion par les troupes soviétiques de la Tchécoslovaquie en août 1968 provoque des remous au sein des partis communistes, qu'ils soient dans l'opposition (France, Italie) ou même au pouvoir: la Roumanie tient en la circonstance à marquer sa relative autonomie vis-à-vis de Moscou comme elle le fait déjà depuis plusieurs années. Ce processus se poursuit et s'approfondit à partir des années 1970. En France, un Programme commun de gouvernement est signé en juin 1972 entre les partis communiste et socialiste. Dans un premier temps cette pratique unitaire est favorable aux deux formations et la gauche unie frôle la victoire aux élections présidentielles de 1974.

Durant ces mêmes années le Parti communiste français prend les plus grandes distances qui soient de son histoire vis-à-vis de l'Union soviétique et, avec ses homologues espagnol et italien, se fait le défenseur d'un «eurocommunisme» dans un monde «polycentrique et multipolaire» au sein duquel la logique des «deux blocs» tend à passer à l'arrière-plan. L'eurocommunisme ne signifie pas pour autant un accord entre ses adeptes sur la construction de l'Europe. Selon les communistes italiens, l'Europe est appelée à jouer un rôle essentiel pour garantir et faire avancer la détente; dès cette date le PCI prend des positions de pointe en envisageant «de nouveaux et positifs rapports entre socialistes, social-démocrates et communistes en Europe». La grande période de l'eurocommunisme se situe essentiellement dans les années 1974-1977[5] mais elle est brève et, dès avant son terme, il devient clair que l'unité du monde communiste est en train de se disloquer toujours davantage. Les partis communistes continuent de se rencontrer au cours de conférences solennelles mais l'impact interne et externe de ces dernières ne cesse de diminuer. Les années 1978-1979 marquent le déclin puis la disparition de l'eurocommunisme et dès lors les désaccords ne cessent de se multiplier entre communistes français et italiens; ils vont de pair avec une aggravation des tensions entre le PCI et les communistes soviétiques. Bientôt les partis communistes français et italien — les deux plus importants d'Europe — en sont réduits à prendre acte de l'incompatibilité totale de leurs positions lors de l'élection du Parlement européen au suffrage universel direct. Ces désaccords initiaux portent en germe des divergences beaucoup plus graves qui amèneront communistes français et italiens à défendre des positions diamétralement opposées au Parlement européen de Strasbourg. Dès lors la crise du communisme européen se généralise: à partir du début des années 1980 elle devient une réalité visible pour tous. Elle est spectaculaire pour le parti français qui, après son décrochage «historique» aux élections présidentielles de 1981 (où il ne recueille «que» 15,3% des voix), va voler d'échecs en échecs lors des consultations suivantes pour tomber à 6,7% aux présidentielles de 1988, le plus bas score national de toute son histoire. L'érosion du Parti communiste italien a commencé de se manifester deux ans plus tôt aux élections législatives de 1979 qui marquent un arrêt de la progression enregistrée de sa part depuis plusieurs années et le début d'un renversement de tendance. Cependant, tout au long des années Quatre-vingt, son recul est bien plus limité que celui du communisme français. Mais, à la différence de ce dernier, le PCI s'engage dans une remise en cause beaucoup plus radicale de son identité communiste qui l'amènera jusqu'à changer de dénomination et abandonner le terme de Parti communiste en février 1991 pour devenir le Parti démocratique de la gauche! Il n'est d'ailleurs pas certain que cette démarche soit suffisante pour enrayer son déclin comme le montrent les élections municipales de mai 1990, où, avec un score de 24% des voix, il recule de près de 5% en comparaison des mêmes élections précédentes.

Chacun à leur façon et quelques années avant 1989, les deux partis français et italien symbolisent cette crise profonde du communisme, tant par le recul spectaculaire de l'un que par le changement d'identité de l'autre. On ne peut entrer ici dans le détail de l'évolution des autres partis communistes ouest-européens: qu'il suffise de mentionner qu'à peu près tous sont sur le déclin et ne jouent dans la plupart des cas qu'un rôle des plus marginal (RFA, Grande-Bretagne, Belgique, Pays-Bas) quand ils n'ont pas complètement disparu comme en Finlande où le Parti communiste cesse officiellement d'exister début mai 1990. Tout au long des années 1980 ces mutations fondamentales s'effectuent à travers un foisonnement de scissions comme en France, en Espagne ou en Grèce, génératrices d'un éparpillement, d'une dispersion des forces communistes [6]. Faut-il y voir les prodromes du tremblement de terre de l'automne 1989 en Europe de l'Est? Cette crise généralisée du modèle communiste rend de plus en plus caduque l'anticommunisme viscéral qui a été celui de l'Internationale socialiste dans ses premières années. En s'affaiblissant, le communisme ôte toute raison d'exister à l'anticommunisme.

— Le renforcement en Europe du modèle démocratique défendu dès sa création par l'Internationale socialiste est des plus bénéfiques à cette dernière. Avec l'anticommunisme, l'exaltation des valeurs démocratiques a été un des piliers de la Charte de Francfort. Dans la première moitié des années Soixante-dix, l'évolution interne de plusieurs pays européens tend à conforter ce modèle, que ce soit en Grèce — avec la chute du régime des colonels en 1974 —, au Portugal la même année ou en Espagne avec la mort de Franco l'année suivante. Contrairement à ce qu'ont pensé de nombreux responsables communistes et socialistes de la gauche européenne, en mettant fin à un quart de siècle de dictature, la disparition du Caudillo ne précipite en rien l'Espagne dans une situation de guerre civile. De façon imprévue c'est dans la voie démocratique que s'engage alors la péninsule ibérique. Au Portugal, ce processus de sortie d'une dictature est dans les premiers temps plus agité et complexe: on a pu croire qu'avec la Révolution des œillets, le Portugal choisissait un chemin autre et entreprenait une révolution socialiste mais quelques mois plus tard, il apparaît que son évolution politique ne se différencie pas fondamentalement de ce qui se passe au même moment en Espagne et en Grèce. Dans ces trois pays, les partis socialistes jouent un rôle de premier plan dans le processus plus ou moins réussi de démocratisation et savent tirer profit de la situation. On ne peut en dire autant des partis communistes, pour ne rien dire de l'extrême gauche: autant de facteurs qui viennent encore renforcer la position du socialisme sur l'échiquier des forces politiques en Europe.

Toutes ces expériences œuvrent également de façon puissante en faveur de son renouvellement: elles facilitent l'arrivée aux commandes du mouvement d'une nouvelle génération de militants, parfois formés à la dure école de la clandestinité. La chute des dictatures — dont certaines étaient antérieures à la Seconde Guerre mondiale, contemporaines du fascisme avec tout le symbolisme qui pouvait s'attacher à cette situation — s'accompagne au même moment d'un recul des initiatives soviétiques dans le Tiers-Monde. Aussi l'idée d'une voie originale du socialisme — faut-il ici parler d'une troisième voie? — se démarquant tout autant du capitalisme sauvage que du communisme soviétique, fait son chemin et semble justifiée par le cours des événements. Le modèle social-démocrate apparaît efficient et crédible comme le montrent certains de ses succès en Europe du Nord ainsi qu'en Autriche. Il est efficient dans la mesure où dans ces pays, il a pu mener à bien certaines réformes du capitalisme pour construire une société socialement plus juste et moins inégale. Il est devenu crédible puisqu'il est capable d'offrir de réelles perspectives politiques; aussi dispose-t-il maintenant d'un véritable pouvoir d'attraction que lui confèrent ses nombreux succès, tant en Europe septentrionale que méridionale (Grèce, Espagne, Portugal)[7]. Si on ajoute à cela le fait que le SPD au pouvoir en Allemagne a entrepris une politique d'ouverture vers le monde communiste, si on se souvient que depuis 1971 le Parti socialiste français connaît une remarquable progression que l'échec de la gauche en 1974 n'interrompt pas — ses succès aux élections municipales de 1977 le montrent — on conçoit que tout du long des années Soixante-dix la physionomie du socialisme européen se soit puissamment transformée. Cette évolution est également grosse de conséquences vis-à-vis du Tiers-Monde: à mesure que des partis socialistes accèdent au pouvoir ou participent à des gouvernements de coalition, l'IS devient davantage un lieu politique influent où se rencontrent et discutent un nombre croissant d'hommes d'Etats, investis de responsabilités gouvernementales. Certains d'entre eux manifestent une approche un peu différente vis-à-vis des pays du Tiers-Monde. Peu considérée et sans grande influence encore à la fin de la décennie précédente, l'Internationale dispose d'un rayonnement inattendu et d'un poids accru dans les rapports de forces internationaux dix ans plus tard.

Changements dans l'Internationale

Au delà des modifications introduites par ce contexte politique nouveau, l'action consciente des membres de l'IS contribue également au changement. On peut en dater les origines à 1972, quatre ans avant le congrès «historique» de Genève. Les acteurs de cette rénovation doivent être recherchés en premier lieu chez certains membres de l'IS issus de ses partis d'Europe du Nord, fermement installés au pouvoir comme les Scandinaves, ou disposant d'une solide expérience en la matière comme les Autrichiens. Dès cette date ils en viennent à s'interroger sur les possibilités de mener à bien une réorganisation de l'Internationale. Dans ce groupe émergent tout particulièrement trois personnalités de premier plan: l'Allemand W. Brandt, l'Autrichien B. Kreisky et le Suédois O. Palme. Mais ils ne sont pas les seuls et assez vite leur action est relayée par les efforts des socialistes de l'Europe méridionale: en liaison avec les socialistes français ils se posent les problèmes de la coopération socialiste et internationale dans des termes nouveaux [8]. Il faut néanmoins plusieurs années pour qu'un véritable consensus puisse être trouvé dans l'Internationale sur les modalités précises d'une «refonte» radicale de l'organisation. Après bien des débats, l'accord peut s'établir autour des quatre points suivants:

— démocratisation accrue de l'Internationale.

— internationalisation de l'organisation à travers la définition d'un projet politique plus ambitieux ainsi que l'accueil de nouveaux membres.

— politisation renforcée de l'organisation grâce à une réforme de ses structures ainsi qu'un renforcement du pouvoir de ses organes dirigeants.

— efficience accrue de l'organisation grâce à l'élection d'un secrétaire général «plus présent» allant de pair avec un engagement plus poussé de ses membres dans le combat politique.

Jusqu'alors, comme on l'a vu, la présidence de l'Internationale a été occupée par des militants somme toute secondaires du mouvement. A partir de 1976, l'élection de W. Brandt à la présidence et de Berndt Carlsson, responsable du secteur international du Parti suédois, au poste de secrétaire marque une rupture avec ces pratiques anciennes et la volonté de donner un plus grand prestige à l'organisation. En agissant de la sorte, l'IS s'assure également l'appui de deux partis aux finances florissantes qui s'engagent à soutenir étroitement son action. L'accession de W. Brandt à la tête de l'Internationale — il a quitté la chancellerie de Bonn en 1974 — symbolise également la volonté de poursuite de la politique de détente vis-à-vis du monde communiste initiée par le responsable du SPD sept ans auparavant.

Enfin à partir des années 1970, l'Internationale cesse d'être une organisation principalement européenne pour devenir un mouvement véritablement international. Elle renforce dans d'importantes proportions ses liens avec différents partis socialistes d'Asie, d'Amérique latine et dans une moindre mesure d'Afrique. Son équilibre interne, sa structuration et ses modalités de fonctionnement s'en trouvent nécessairement modifiés. Les congrès qui continuent d'avoir une vocation «externe» et d'être destinés au grand public, ne se résument cependant plus à cette fonction: ils deviennent un des principaux lieux où peuvent se faire entendre des mouvements proches de la sensibilité de l'Internationale, qu'ils agissent sur le terrain des luttes de libération nationale ou de la réforme de la société. Cela est possible en raison de l'augmentation notable du nombre d'organisation membres de l'IS représentées lors de ces manifestations: alors que jusqu'à la fin des années Soixante, ce nombre ne dépassait guère la trentaine de partis, l'effectif des membres à part entière présents au congrès d'Albufera en 1983 s'élève à 48 auxquels il faut ajouter 8 membres consultatifs dont un seul — celui de Chypre — provient d'Europe. Neuf partis des pays de l'Europe de l'Est sont également «membres consultatifs en exil». Soit un total de 65 «organisations alliées» (Union internationale des jeunesses socialistes, Femmes socialistes internationales, etc.) ainsi que huit «organisations associées» parmi lesquelles l'USECO [9].

Tant en raison de ses nouvelles conceptions que de l'augmentation qualitative et quantitative de ses membres, le Bureau de l'IS renforce son poids politique à tel point qu'à partir de 1976 il devient un véritable centre d'élaboration et de décision des orientations et de l'action de l'IS. L'abondance des sujets à traiter, l'augmentation du nombre de participants explicable par l'élargissement de l'audience de l'IS l'ont amenée à modifier ses méthodes de travail antérieures et à renforcer fortement le rôle de l'Exécutif. Pour les mêmes raisons, le nombre des vice-présidences et des délégations confiées par le président ou le vice-président s'accroît également. Toutes ces modifications, envisagées depuis déjà un certain temps, sont synthétisées et mises en pratique à partir du congrès de Genève en 1976.

Au delà de la refonte organisationnelle interne de l'Internationale, Genève est une date importante dans la mesure où ce congrès marque une volonté très nette de dépasser «l'européocentrisme» qui depuis sa constitution a été une des caractéristiques de l'Internationale. Nous sortons ici du cadre européen mais il est difficile de ne pas y faire allusion dans la mesure où cette transformation concerne au premier chef l'organisation qui fut longtemps celle du socialisme européen. Ici deux dates doivent être rappelées. En 1907 il a été discuté pour la première fois de la question coloniale au congrès de Stuttgart de la Seconde Internationale [10]. Ce débat représentait pour le mouvement socialiste une tentative de dépasser les limites du Vieux Continent qui jusqu'alors avaient été presque exclusivement les siennes. En la circonstance ce cadre géopolitique a surdéterminé l'ensemble des débats entre partisans et adversaires du fait colonial: le monde était encore dominé par l'Europe et on ne saurait faire grief aux socialistes de n'avoir pu échapper dans leurs analyses à une telle réalité. Très rares ont été alors les socialistes à penser en termes réellement mondiaux les conséquences du développement de l'impérialisme. Il faut attendre ensuite deux décennies pour voir rebondir le débat sur la question coloniale dans l'IOS au congrès de Bruxelles (1928) [11] mais là encore, si la question est théoriquement abordée, ses effets politiques restent quasiment nuls: la discussion n'est suivie d'aucune incidence pratique. Près d'un demi-siècle, trois décennies après la Seconde Guerre mondiale s'écoulent encore avant que le mouvement socialiste ne soit en mesure de prendre une dimension véritablement internationale dépassant le strict cadre européen. La prise de conscience des problèmes des pays du Tiers-Monde a commencé en Europe dès le milieu des années Cinquante mais l'anticommunisme omniprésent de l'Internationale socialiste en cette période a paralysé son action et l'a contraint dans une large mesure à laisser le champ libre au monde communiste sur ce terrain. C'est beaucoup plus ce dernier qui mène des luttes anticolonialistes ou qui intervient vis-à-vis du Tiers-Monde: l'Internationale socialiste s'avère alors incapable de rivaliser avec le communisme. Par ailleurs si la décolonisation relativement réussie de l'Empire britannique est dans une certaine mesure à mettre au compte du Labour durant sa période de pouvoir des années 1945-1950, il en va tout autrement pour la SFIO qui discrédite les idéaux socialistes et internationalistes durant la guerre d'Algérie. En 1956 la France et la Grande-Bretagne agissent comme des puissances coloniales en se lançant dans l'expédition de Suez.

Pourtant la politique algérienne de la SFIO critiquée par certains partis de l'Internationale n'est pas explicitement condamnée par elle. Cette dernière raison ne peut que rendre moins attractif encore le courant socialiste aux luttes de libération nationale qui se développent alors. Durant la décennie suivante, les mouvements tiers-mondistes lorgnent beaucoup plus du côté du mouvement communiste — l'Union soviétique mais également la Chine — que du côté de l'Internationale socialiste. Outre le peu de prestige de cette dernière, il faut attendre la lente émergence d'une conception différente vis-à-vis des problèmes des pays en voie de développement; il faut également que le modèle communiste ait commencé à perdre de son éclat pour que le socialisme soit en mesure de gagner une audience réellement extra-européenne. Cela n'est possible que beaucoup plus tardi-vement, vers la fin des années Soixante-dix et surtout durant la décennie suivante: auparavant de nombreux intellectuels de la gauche européenne ont mis toutes leurs espérances dans les révolutions chinoise (avec la Révolution culturelle en Chine en 1966), cubaine puis vietnamienne jusqu'en 1972. D'une façon ou d'une autre, toutes relevaient d'un modèle communiste. Les espoirs et les illusions qu'elles ont suscités en Europe — principalement chez les intellectuels — ne s'estompent véritablement qu'à partir des années 1975. C'est à peu près à partir de cette date que le mouvement socialiste commence à se préoccuper davantage des problèmes du Tiers-Monde et qu'il est véritablement en mesure de le faire par les liens qu'il a pu y nouer. C'est alors que, hors d'Europe et vis-à-vis des pays en voie de développement, commencent à s'inverser les influences respectives existant entre communisme et socialisme. Fort discrète à ses débuts, cette inflexion passe tout d'abord inaperçue et jusqu'en 1980, l'Union soviétique poursuit sa politique dans les circonstances les plus variées [12]. Son intervention en Afghanistan se rattache à cette orientation et fait l'objet d'une condamnation unanime du mouvement socialiste ainsi que du Parti communiste italien, tout comme l'appui qu'elle porte deux ans plus tard à la normalisation menée par le général Jaruzelski en Pologne.

Dans cette évolution contradictoire entre les deux grandes composantes se réclamant du mouvement ou-vrier, le congrès de Genève représente une étape impor-tante de la «mondialisation» de l'Internationale socialis-te et de sa sortie du cadre européen. Cette mutation s'explique aussi par l'évolution de la situation en Améri-que latine où se concrétise l'intérêt pour les solutions social-démocrates.

Deux ans avant le congrès de Genève a été créée

l'Union des partis socialistes de la Communauté européenne (UPSCE), officiellement admise à Genève par l'Internationale comme organisation régionale associée. Accroissant ensuite sa représentativité au point d'incarner l'ensemble des forces socialistes en Europe, l'UPSCE cherche à fonctionner de façon purement consensuelle. Mais en reproduisant en son sein les divisions persistantes au sein de l'Internationale sur la construction européenne, elle s'avère incapable de les surmonter. Aussi, en dépit des efforts de certains d'entre eux, est-il impossible pour les socialistes communautaires d'élaborer un programme commun lors des élections au Parlement européen en 1979. En 1974, date de création de l'USPCE — la coïncidence chronologique n'est pas fortuite — les socialistes européens pouvaient peut-être espérer aboutir à un consensus. A partir de 1974 et en raison de l'exacerbation de la crise économique, les réticences du Labour ne suffisent plus à expliquer les divisions: les difficultés économiques et sociales donnent aux préoccupations nationales une importance accrue. Les débats portent en premier lieu sur la nature de l'intégration politique: l'Europe doit-elle être fédérale ou non? De 1956 à 1973 les conceptions fédéralistes n'ont cessé de progresser dans les rangs socialistes. Elles ont été clairement définies lors des VIIe et VIIIe congrès en 1966 et 1971: la construction européenne doit aboutir à la «création des Etats-Unis d'Europe sous la forme d'un Etat fédéral». Mais à partir de 1973, jugeant la Communauté européenne dominée par des forces conservatrices, les socialistes communautaires amorcent un recul sur cette question et inversent leurs priorités. Ils mettent alors l'accent sur l'intégration économique et sociale et veulent construire l'Europe sociale avant l'Europe politique. Cette orientation est énoncée lors du XIe congrès des partis socialistes de la CEE. A partir de cette date, la dimension sociale prend le pas sur l'intégration politique. Comme on l'a vu, cette Europe qui se veut ouverte sur le monde doit être «élargie, pacifique et solidaire».

A partir de 1974 la crise économique puis sociale place le mouvement socialiste dans une situation nouvelle. Ses conséquences ne sont pas immédiatement perceptibles et nombreux sont les dirigeants politiques — socialistes comme les autres — à prétendre, de façon tout à fait prématurée, qu'il ne s'agit que d'une récession passagère, que la «sortie du tunnel» est proche, etc. Les effets de la crise sont longs à apparaître. Mettant fin à la période de reconstruction économique et de relative prospérité initiée depuis la fin de la Seconde Guerre mondiale, cette crise diffère très largement de celle de 1929 pour ne rien dire de celles plus réduites qui ont secoué les pays européens de la fin du XIXe siècle à la Première Guerre mondiale. Elle limite fortement la croissance sans toutefois aller jusqu'à la faire régresser. Dans plusieurs pays européens elle entraîne une réduction du Produit industriel brut mais cette tendance, limitée et temporaire, n'empêche pas la reprise rapide ou la poursuite de la croissance: de 1974 à 1983 le Produit industriel brut s'élève de 10 à 20% en Belgique, en Italie, en Espagne, en RFA, en Suède, au Danemark et aux Pays-Bas. Durant la même décennie il progresse de 30% en Autriche, en France, au Canada et aux Etats-Unis. Ces chiffres relativement satisfaisants ne doivent point faire oublier deux phénomènes aux conséquences sociales beaucoup plus graves: l'aggravation du chômage et la réduction des créations d'emplois. Dans la plupart des pays européens, de 1974 à 1984, le taux de chômage augmente dans d'inquiétantes proportions pour se stabiliser vers le milieu des années 1980; il n'a guère varié depuis:

	1974	1984
Belgique	3,2	24,5
Danemark	3,5	10,5
Espagne	3 (environ)	20,5
France	2,8	9,3
Pays-Bas	2,5	17,5
RFA	2,6	9,1
Royaume-Uni	2,6	13,1 [13]

Et ceci malgré la poursuite de la croissance. En dépit de l'amélioration de la situation économique en France et dans d'autres pays européens la diminution du nombre de chômeurs reste encore très faible en ce courant de l'année 1990; pour l'instant la relance économique n'a que très peu «mordu» sur le chômage qui, s'il a baissé quelque peu ces derniers mois, se situe encore largement au-dessus du chiffre de 9% et frappe environ 2,5 millions de personnes en France. Dans un tel contexte, l'équilibre du système de Sécurité sociale ou, dans d'autres pays, de protection sociale, devient toujours plus difficile à établir. La plupart des pays de l'Europe de l'Ouest ont été confrontés à ces problèmes durant la dernière décennie.

En France comme dans d'autres pays européens, la crise économique puis sociale ébranle bien des certitudes sur lesquelles s'était reposée la social-démocratie depuis la Seconde Guerre mondiale. A tel point que certains en viennent à se demander si les solutions politiques avancées par elle n'ont pas fait leur temps. Relance de l'économie selon le modèle keynesien, redistribution des revenus grâce à l'intervention active de l'Etat-Providence, maintien d'un système de protection sociale élevée: toutes ces réalités durement remises en cause par la crise posent bien des questions auxquelles le socialisme européen s'avère incapable de répondre dans l'immédiat. Arrivés au pouvoir en mai 1981, les socialistes français font durant une brève période l'expérience d'une politique de relance économique par la consommation; non sans déchirements, ils l'abandonnent une année plus tard au profit d'une politique de rigueur tout opposée. Ils ne sont pas les seuls à être confrontés à ces choix qui se posent dans d'autres pays européens où les socialistes ont également accédé aux responsabilités gouvernementales comme en Espagne, en Autriche et en Suède. Peut-on pour autant affirmer que les sociaux-démocrates au pouvoir ont mené une politique strictement analogue à celle qu'auraient suivi des gouvernements conservateurs? Cela a été dit, bien entendu d'abord en raison des exigences du combat politique et en particulier par les partis communistes; pourtant avec le début de recul dont on dispose maintenant pour juger, il semble bien que les politiques des différents gouvernements aient été loin d'avoir été toujours identiques: pour se limiter à une seule comparaison, l'action des gouvernements britannique et suédois depuis une décennie a profondément divergé tant par les moyens qu'elle a mis en œuvre que par les résultats auxquels elle a abouti. A partir d'une telle constatation doit-on conclure que les gouvernements sociaux-démocrates aient mis en œuvre une «politique spécifique» depuis le milieu des années Soixante-dix? La question est posée mais il est peut-être trop tôt pour y répondre de façon globale même s'il est probable que, par les réponses qu'il a dû apporter à la crise, le mouvement socialiste en Europe de l'Ouest s'en est trouvé quelque peu modifié [14].

L'implosion des systèmes communistes (1989)

Même s'il est encore loin d'avoir épuisé tous ses effets, un dernier facteur, essentiel, de transformation du mouvement socialiste doit être mentionné en ce début de la dernière décennie du XXe siècle: c'est évidemment de l'implosion des systèmes communistes de l'Europe de l'Est ainsi que des bouleversements considérables qui se déroulent en ce moment même en Union soviétique dont il s'agit. Leur importance historique mais aussi leur proximité chronologique ne peuvent qu'inciter à la plus grande prudence dans le commentaire qui peut être fait à leur égard. Bornons-nous donc à un bref rappel ainsi qu'à quelques remarques, nécessairement provisoires: l'événement est trop important et trop proche de nous pour pouvoir être examiné avec tout le recul qu'il mérite. Il n'est pas encore possible aujourd'hui d'en mesurer toute la portée.

Dans un premier temps, l'arrivée au pouvoir de Gorbatchev en mars 1985 à la suite des dernières années d'immobilisme brejnevien et des brèves directions d'Andropov et de Tchernienko, semble tout au plus marquer une étape dans le rajeunissement des dirigeants de l'Union soviétique. Mais bien vite les signes de changements profonds se multiplient; ils ne sont d'ailleurs pas toujours correctement perçus en Occident. Deux ans plus tard, la mise en œuvre de la Glasnost et de la Perestroïka est véritablement entreprise et dès lors les événements vont se précipiter: libération de Sakharov, engagement de pourparlers dans la perspective d'un retrait des troupes soviétiques d'Afghanistan — elles quittent ce pays en 1988 — démocratisation de la vie en Union soviétique à travers un élargissement croissant des libertés d'expression inexistantes depuis soixante-dix ans et si peu développées auparavant, révisions complètes dans l'approche de l'histoire de l'Union soviétique depuis 1917, réhabilitation d'un grand nombre de bolcheviks, notamment ceux exécutés lors des «grands procès» des années 1936-1938. Le nom de Trotski n'est plus tabou et bientôt condamnation officielle va être faite du pacte germano-soviétique d'août 1939... Comme on a déjà pu le voir en Tchécoslovaquie dans les années 1966-1968, l'historiographie d'un pays communiste, l'examen qui peut être fait ou non de ce qui touche à son histoire récente est un indicateur des plus sûrs du contexte politique général qui est le sien. Enfin changement suprême, Lénine et son œuvre sont discutés et publiquement critiqués. Le rôle dirigeant du Parti communiste est remis en question; il sera aboli en février 1990.

Inimaginable encore quelques années auparavant, cette évolution est suivie avec la plus grande attention dans les pays de l'Europe de l'Est où, depuis plusieurs années, les choses ont également commencé à bouger, principalement dans deux d'entre eux, la Pologne et la Hongrie. A la suite des grandes grèves de l'été 1980, le développement du syndicat Solidarnosc a été brisé net un an et demi plus tard en Pologne par l'instauration du régime militaire sous la férule du général Jaruzelski en décembre 1981. Toute évolution démocratique de la Pologne semble alors définitivement bloquée et cette initiative, soutenue mais non directement réalisée par l'Union soviétique — à la différence de ce qui s'est passé en Tchécoslovaquie douze ans plus tôt — provoque une émotion certaine en Europe. En Hongrie l'évolution est tout aussi profonde mais beaucoup plus discrète dans ses manifestations: elle aboutit au développement de certaines formes de vie démocratique ainsi qu'aux débuts balbutiants du pluripartisme.

Tout va basculer en moins de cinq mois à partir du 24 août 1989, date à laquelle un des conseillers de L. Walesa, Tadeucz Mazowiecki est officiellement investi comme Premier ministre: il devient ainsi le premier non-communiste à diriger l'Exécutif d'un pays de l'Europe de l'Est depuis quatre décennies; les pourparlers entre le pouvoir, l'opposition — en premier lieu Solidarnosc — et l'Eglise se sont ouverts depuis le 6 février 1989. A la suite de deux mois de négociations, cette «table ronde» se conclut sur un accord historique prévoyant la restauration du pluralisme syndical et l'entrée de l'opposition au Parlement. Les élections qui se déroulent en juin voient la victoire écrasante de Solidarité qui enlève 99 sièges sur 100 au Sénat. Elles permettent cette modification politique à la tête de l'Etat polonais, créant une situation totalement indédite qui va servir de «détonateur» dans d'autres pays. Dès lors les conditions sont réunies même si, comme on l'a dit parfois, il a fallu pour aboutir «10 ans en Pologne [15], 10 mois en Hongrie, 10 semaines en Allemagne et 10 jours en Tchécoslovaquie».

On ne peut maintenant que rappeler quelques dates. Le 7 octobre, le Parti communiste hongrois décide de se saborder pour créer un nouveau Parti socialiste qui très vite abandonne les notions de centralisme démocratique et de dictature du prolétariat. Le jour même, la visite de Gorbatchev en RDA est un encouragement puissant aux partisans des réformes. Onze jours plus tard, Erich Honecker est relevé de toutes ses fonctions et remplacé par Egon Krenz qui, en dépit de ses tentatives de réformes, n'arrive pas à limiter la mobilisation dans la rue ainsi que l'exode de plus en plus massif des Allemands de la RDA vers la RFA. Le 9 novembre la RDA ouvre sans conditions sa frontière avec la RFA et le lendemain, les premières brèches sont faites dans le Mur de Berlin. Le 11 novembre Teodor Jikov, à la tête du Parti communiste bulgare depuis 35 ans, est remplacé par le réformateur Petar Mladenov. Deux semaines plus tard Alexandre Dubcek, le dirigeant du Printemps de Prague est ovationné place Wenceslas à Prague par des manifestants dont le nombre ne cesse de grossir dans les jours qui suivent. Le 29 novembre les députés votent l'abolition du rôle dirigeant du Parti communiste tchèque. Trois jours auparavant s'est déroulé en Hongrie le premier référendum libre en Europe de l'Est portant sur les modalités des élections législatives et présidentielles. Il est remporté par l'opposition. Le 1er décembre le parlement est-allemand décide l'abolition du monopole du Parti communiste dont est exclu le lendemain Erich Honecker. Des élections libres en Allemagne de l'Est et en Bulgarie sont prévues pour mai 1990, les 6 et 11 décembre et le 13, le Parti communiste bulgare abandonne son rôle dirigeant. Enfin à partir du 18 décembre, des soulèvements mettent fin — mais contrairement à ce qui a été le cas pour tous les autres pays d'Europe de l'Est, dans le sang et au terme de plusieurs jours de combats — à la dictature de Nicolae Ceaucescu et de sa femme Elena en Roumanie. Directement transmises par la télévision roumaine tombée aux mains des insurgés, relayées par toutes les télévisions occidentales, les images de l'insurrection roumaine et des combats provoquent une émotion et une mobilisation considérables en Occident en raison des chiffres avancés mais très exagérés, des victimes des combats durant ces journées. (On est allé jusqu'à parler de 60 000 morts alors que vérifications et estimations faites, il semblerait que le chiffre réel ait avoisiné les 600). Le 28 décembre, le Conseil du Front de salut national tient solidement la situation en main après quelques jours d'incertitude durant lesquels certains hommes politiques — en France notamment — sont allés jusqu'à demander à l'Union soviétique d'intervenir en Roumanie pour aider les insurgés. Enfin les 28 et 29 décembre Alexandre Dubcek et Vaclav Havel sont élus respectivement président du Parlement et chef d'Etat tchécoslovaque.

Arrêtons ici une telle énumération pour tenter de dégager des conclusions, ne seraient-elles que provisoires, de cette avalanche de faits. Ce qui frappe dans les événements d'Europe de l'Est c'est leur caractère inattendu, rapide et irréversible. Inattendu dans la mesure où si des évolutions, très différentes, avaient pu être observées en Pologne et en Hongrie depuis plusieurs mois, bien rares sont ceux qui ont pronostiqué l'ampleur des changements en RDA, en Bulgarie, en Tchécoslovaquie et en Roumanie. Ceux-ci ont éclaté dans la surprise la plus totale. De l'avis le plus communément répandu, la RDA représentait une réussite économique indéniable: nombreux sont ceux qui l'ont cru et pas seulement dans les rangs communistes. Il semble aujourd'hui que cette vision des choses ait été bien optimiste et moins de huit mois après la chute symbolique du Mur de Berlin, la RDA a été absorbée économiquement par l'Allemagne de l'Ouest; l'unification politique a rapidement suivi cette première étape. La précipitation, l'accélération des événements mérite également d'être signalée mais ce phénomène n'est-il pas inhérent à toute révolution? Les bouleversements de l'Europe de l'Est ont été possibles à partir du moment où de très larges secteurs de la population de ces pays ont compris qu'en raison du cours nouveau de la politique de l'Union soviétique, cette dernière n'interviendrait pas militairement. Mais ces changements n'auraient pu se produire sans la mobilisation populaire qui, sous des formes spécifiques, a mis à bas les anciens régimes se réclamant du communisme. De ce point de vue l'échec des tentatives «réformistes» d'Egon Krenz, éphémère dirigeant de la RDA incapable de satisfaire les revendications démocratiques, est significatif: le mouvement «d'en bas» est trop fort pour être endigué et ne peut se satisfaire de ce qui ressemblerait à un replâtrage. On peut enfin se demander dans quelle mesure il ne s'agit pas d'un processus irréversible: si dans certains pays (RDA, Roumanie) des partis communistes rénovés ou s'essayant à l'être subsistent, il semble bien que tout retour en arrière vers l'instauration d'un régime communiste monolithique soit impossible; l'abandon de toute référence officielle au socialisme par les six Etats témoigne de cette volonté de rupture avec toute forme de «socialisme réel». Même le succès spectaculaire du Front de salut national en Roumanie aux élections de mai 1990 ne saurait remettre en cause cette tendance: il s'explique d'abord par la faiblesse et les erreurs des partis d'opposition et de façon plus générale par l'absence à peu près totale de toute tradition démocratique dans ce pays depuis sa formation.

Les événements de 1989 en l'Europe de l'Est semblent donner raison à la vision socialiste ou social-démocrate sur deux points fondamentaux. En supprimant le rôle dirigeant du Parti communiste et en réclamant des élections libres, ces mouvements réintroduisent les notions de multipartisme et de démocratie politique qu'ont toujours défendues les partis socialistes. Par ailleurs, en abandonnant les notions de planification autoritaire, en commençant à réintroduire l'économie dite de marché, l'économie capitaliste, ces mouvements se rapprochent également de la pratique social-démocrate. Avec cependant beaucoup d'illusions et sans doute des lendemains qui vont déchanter dans la mesure où la réforme économique des systèmes communistes ne pourra qu'être longue et douloureuse: la réintroduction de l'économie de marché entraînera des conditions de travail toutes différentes et souvent plus rudes ainsi que, dans un premier temps au moins, une limitation probable de la protection sociale; il y a toutes chances enfin qu'elle provoque un accroissement spectaculaire du chômage qui en ce milieu de l'année 1990 s'élèverait déjà à plusieurs centaines de milliers de personnes en Pologne et en RDA [16]. L'instauration de l'économie de marché en Union soviétique sera sans aucun doute plus douloureuse encore, ce dont est bien conscient le gouvernement soviétique et ce qui explique ses hésitations et ses atermoiements à s'engager franchement dans cette voie.

Tant sur le plan politique qu'économique le changement est total. Sur le plan politique il semble donner raison aux socialistes. Il est également significatif de voir la plupart des partis communistes de l'Europe de l'Est entreprendre une tentative désespérée de rénovation de leurs méthodes et de leur idéologie quand ils ne passent pas purement et simplement avec armes et bagages dans les rangs du mouvement socialiste bien peu préparé d'ailleurs à les accueillir. Abandon du rôle dirigeant, mise au rencart du «centralisme démocratique», reconnaissance dans certains cas de tendances: à leur façon et dans des conditions beaucoup plus difficiles, les partis communistes de l'Europe de l'Est cherchent à se transformer pour sauver ce qui peut encore l'être, tout comme l'ont fait certains de leurs homologues ouest-européens, au prix d'un abandon plus ou moins spectaculaire des grands principes qui avaient longtemps été les leurs, et dans le contexte d'une dilution et d'une réduction de leurs forces [17]. A l'évidence ils se trouvent dans une position défensive face à un mouvement socialiste lui-même désemparé par l'ampleur de ces bouleversements que, pas plus que d'autres, il n'a vu venir. Pourtant sur le plan politique, la victoire du socialisme sur le communisme est actuellement indiscutable. 1989 semble refermer la parenthèse ouverte en 1920 et politiquement les conceptions socialistes l'emportent sur celles de leur vieux rival au sein du mouvement ouvrier.

Cependant, en dépit de ce succès inattendu, le socialisme européen aurait bien tort de pavoiser. L'abandon du «socialisme réel» par les peuples de l'Europe de l'Est ne risque-t-il pas de s'accompagner d'un rejet du socialisme tout court? Ce dernier ne court-il pas le danger d'être assimilé aux régimes instaurés aux lendemains de la Seconde Guerre mondiale dont l'échec est aujourd'hui patent? A l'exception peut-être de la Roumanie, la plupart des pays de l'Europe de l'Est ont connu avant 1939 des mouvements sociaux-démocrates ou socialistes. Qu'en reste-t-il de nos jours après quarante ans de «socialisme réel»? Ont-ils survécu à ces quatre décennies, seront-ils en mesure d'œuvrer à la renaissance d'une culture politique originale [18]? Il est impossible de répondre aujourd'hui à toutes ces questions. On ne peut non plus mesurer actuellement toutes les conséquences entraînées par l'introduction de l'économie de marché et ceci d'autant moins que ce cas de figure n'avait jamais été envisagé auparavant. Comme l'a remarqué non sans une ironie amère un journaliste, si des tonnes de papier ont été noircies pour définir les modalités de passage d'une économie capitaliste à une économie socialiste, aucun économiste, aucun dirigeant politique n'ont réfléchi sur la situation inverse [19]. C'est pourtant celle-ci qui s'est produite.

Les bouleversements de l'automne 1989 posent également en termes nouveaux la question de la construction européenne qu'ils sont venus bousculer de façon imprévisible. La réunification de l'Allemagne, le devenir du Pacte de Varsovie qui semble bien moribond aujourd'hui, la redéfinition d'un nouvel équilibre européen et mondial désormais différent de celui de Yalta sont autant de questions à l'ordre du jour. Elles se posent au premier chef à l'Internationale socialiste, comme à l'ensemble des autres forces politiques, et ne seront certainement pas résolues de si tôt. 1989, date du centenaire de la Seconde Internationale, a été une année décisive de la politique dans le monde. Elle est sans doute appelée à demeurer une date clé de l'histoire du socialisme. La victoire apparente des continuateurs de la Seconde Internationale sur le communisme ne signifie pas pour autant que s'ouvrent devant eux des «lendemains qui chantent»: elle leur confère des responsabilités nouvelles et écrasantes. Ils doivent s'y préparer dès maintenant.

CONCLUSION

Au terme de cette présentation d'un siècle de socialisme européen, il faut s'efforcer de conclure, tout en sachant qu'en raison des bouleversements actuellement en cours en Europe de l'Est, tout bilan ne peut qu'être provisoire et incomplet. Ce contexte en pleine évolution modifie bien des analyses établies et des idées reçues. De nombreuses interrogations se posent aujourd'hui dans des termes différents de ceux qui auraient pu être énoncés il y a moins d'un an encore. Cependant, si toute tentative de synthèse, périlleuse par nature et souvent infirmée par l'événement, a ses limites, il n'en est pas moins nécessaire de réfléchir aux principales questions qui se sont posées au mouvement socialiste européen jusqu'en cette année 1990. A partir des grandes lignes de force de son histoire, il est également possible de mieux saisir les problèmes qu'il doit affronter aujourd'hui ainsi que ceux qu'il sera sans doute amené à rencontrer prochainement. La connaissance du passé peut dans une certaine mesure faciliter une meilleure compréhension du présent: qui ignore son histoire s'apprête à la revivre. L'histoire du mouvement socialiste devrait l'aider à mieux comprendre qui il est et lui permettre une meilleure approche de son identité. Les combats qu'il a menés depuis un siècle le préparent-ils à ses tâches futures?

Pendant un siècle, la vie du socialisme européen s'est organisée autour de quelques axes fondamentaux qui ont rythmé toute son existence. Si on met de côté son action en faveur de la décolonisation et son soutien aux mouvements de libération nationale — problème qui n'est que tardivement considéré dans toute son ampleur et qui dépasse le cadre européen — on peut synthétiser cette histoire autour de quatre questions principales: la lutte pour la démocratie politique est un premier invariant constamment défendu dans les circonstances les plus variées. Elle va de pair avec le combat pour une protection sociale accrue qui ne cesse d'être au cœur des préoccupations des militants socialistes. L'opposition aux multiples formes de nationalisme qui divisent l'Europe représente un défi auquel le socialisme n'a pas toujours su répondre jusqu'à la Seconde Guerre mondiale et même après: cette question a ultérieurement été source de réelles divergences au sujet de la construction européenne et a paralysé le mouvement socialiste durant plus d'une décennie à partir du début des années Cinquante. Enfin la rivalité avec le communisme, système politique entièrement différent émanant pourtant d'une idéologie commune, constitue un élément essentiel de cette histoire.

En se structurant à la fin du XIXe siècle, la plupart des partis socialistes européens s'engagent massivement dans la lutte pour la conquête du suffrage universel. Ils combattent alors pour l'instauration de la démocratie politique. Dans une large mesure cet objectif initial est acquis à la veille de la Première Guerre mondiale; sur ce plan, le socialisme, s'il n'est pas entièrement victorieux, peut néanmoins revendiquer des succès très significatifs. Que ce soit dans un cadre républicain ou de façon plus largement répandue, dans un système de gouvernement monarchique ou impérial, le modèle démocratique progresse en Europe jusqu'en 1914. Sur le Vieux Continent, les quatre décennies qui précèdent la Première Guerre mondiale se caractérisent par une extension de la vie démocratique, grâce en particulier à l'apparition et la formation de partis de masse. On doit naturellement souligner les limites de ce mouvement et ne pas oublier que ce progrès bénéficie pour l'essentiel à une seule moitié du genre humain: sauf exception, et en dépit de luttes féministes énergiques, les femmes n'obtiennent pas le droit de vote dont elles ne commenceront à bénéficier dans certains pays européens que durant l'entre-deux-guerres.

Jusqu'alors, tout au long du XIXe siècle, la vie politique avait été réservée aux seules élites, structurées dans des partis aux effectifs encore bien limités. Avec la fin du XIXe et le début du XXe siècle, les masses font leur apparition sur la scène politique et se donnent les moyens en s'organisant dans le cadre de partis aux rangs beaucoup plus larges. De ce point de vue, la constitution de la Seconde Internationale et de ses sections se rattache à cette évolution d'ensemble qu'elle conforte de façon très sensible.

Mais, contrairement à ce que pense le mouvement socialiste dans sa majorité, les progrès de la démocratie sont tout sauf linéaires et nullement acquis *ad vitam aeternam*: les progrès — réels — vers une extension de la démocratie politique à partir des années 1880 sont brutalement remis en cause à partir d'août 1914. Tout d'abord pendant les quatre ans de guerre. Les exigences de la mobilisation, bientôt la guerre à outrance amènent la plupart des gouvernements européens à fouler aux pieds dans les plus brefs délais ces libertés démocratiques qui progressaient encore quelques années auparavant. Limitation du droit de réunion, du droit d'organisation syndicale, censure sévère de la presse et de toute publication opposée à l'Union sacrée, internement des opposants quand ils ne sont pas envoyés dans des secteurs particulièrement exposés du front: durant ces quatre ans de guerre s'opère un très brutal recul de toute forme de vie démocratique, auquel le mouvement socialiste s'avère incapable de résister quand il ne le cautionne pas directement. Les socialistes, très minoritaires d'abord, qui s'opposent à cette orientation connaissent les rigueurs de la répression, qu'ils soient emprisonnés (R. Luxemburg) ou expulsés (Trotski aux Etats-Unis via l'Espagne en 1916). Mais dans son immense majorité, le mouvement socialiste accepte cette politique et la défend ouvertement au prix d'un renoncement à peu près total de l'internationalisme qu'il prônait avec une telle force si peu de temps auparavant.

Avec la fin de la Première Guerre, apparemment marquée par le triomphe des idéaux wilsoniens dans la réorganisation de l'Europe, on pourrait croire que démocratie et pluripartisme vont reprendre leur marche en avant et que la parenthèse non démocratique des quatre ans de guerre va se refermer. Pourtant il n'en est rien, et dans une large mesure au contraire, les deux décennies de l'entre-deux-guerres sont marquées par une nouvelle remise en cause des formes de vie démocratique en Europe. Particulièrement criante à partir du début des années Trente, cette évolution a cependant commencé dans la décennie précédente. Elle est une des conséquences de la Première Guerre mondiale et s'explique essentiellement par l'apparition d'un phénomène politique nouveau, le fascisme dont on peut situer les origines intellectuelles avant 1914 mais qui ne donne ses véritables effets politiques qu'à partir de 1919/1920. On ne peut en limiter la portée à l'Italie: des régimes plus ou moins inspirés du fascisme se développent dans d'autres pays européens comme la Hongrie, le Portugal, la Pologne, la Yougoslavie, les Pays Baltes. Par les craintes qu'elle suscite, la constitution de la IIIe Internationale et de ses sections, raidit, durcit et radicalise encore les mouvements d'extrême droite. Avec ses graves conséquences politiques et économiques, la crise de 1929 donne un formidable coup d'accélérateur à cette tendance générale, d'abord en Allemagne où le mouvement ouvrier, irrémédiablement divisé est incapable de réaliser l'unité d'action pour combattre le nazisme. Les répercussions internationales de l'arrivée de Hitler au pouvoir sont immenses, à tel point, qu'à l'exception des épisodes du Front populaire en Espagne et en France, la tendance politique principale de l'Europe des années Trente se caractérise par la progression du fascisme et des régimes forts, au détriment des sociétés où existaient des formes politiques — imparfaites pour la plupart — de vie démocratique. Le mouvement socialiste se révèle incapable d'endiguer cette progression des régimes dictatoriaux: il faudra attendre la chute des forces de l'Axe au terme de la guerre la plus meutrière de toute l'histoire de l'humanité pour voir à nouveau s'inverser la tendance au profit des gouvernements démocratiques qui se multiplient en Europe à partir de 1945.

Pourtant ce mouvement est bref. Avec la naissance de la Guerre froide, la division du monde en deux blocs, toute la partie orientale de l'Europe voit l'instauration de systèmes politiques fortement inspirés du modèle soviétique. La réalité du pouvoir est concentrée dans les mains des partis communistes même si subsistent formellement d'autres formations politiques. Dans cette nouvelle zone géopolitique résultant du conflit, le pluripartisme est exclu dans les faits et cette situation durera quatre décennies avant d'être à son tour remise en cause en 1989. Mais le retour à des formes de vie apparemment plus démocratiques dans les pays de l'Europe de l'Est est encore trop récent pour qu'on puisse en tirer aujourd'hui des conclusions valables: il est néanmoins légitime de penser que les gouvernements qui se mettent aujourd'hui en place dans ces pays puissent défendre un modèle de pluripartisme au sein duquel des partis sociaux-démocrates rénovés seront appelés à intervenir : dans la plupart de ces pays les partis communistes sont très largement discrédités et en perte de vitesse (sauf en Roumanie, mais cette situation devrait évoluer). En face des formations libérales et de droite qui pour l'instant ont le vent en poupe comme en Allemagne ou en Hongrie, des formations socialistes ou social-démocrates peuvent espérer jouer un rôle important dans un proche avenir. Les traditions, la culture politique devraient peser ici d'un grand poids ; elles expliquent les différences notables de situation que l'on peut relever aujourd'hui entre ces pays. La Tchécoslovaquie qui a connu une réelle vie démocratique durant l'entre-deux-guerres offre un visage autre que celui de la Hongrie ou de la Roumanie où l'exercice des libertés démocratiques y fut toujours beaucoup plus limité. On peut néanmoins envisager que se renforce la tendance générale au profit du multipartisme et que, profitant du déclin ou du discrédit du communisme, socialistes et sociaux-démocrates, progressent dans ce cadre et y occupent le devant de la scène.

Dans d'autres pays européens, les dictatures héritées de l'entre-deux-guerres — Espagne et Portugal — ont fini par disparaître, au profit également d'un système démocratique, dans le cadre d'un pluripartisme largement mis en œuvre par les socialistes. De façon générale ce modèle dont ils se sont constamment faits les défenseurs, prédomine actuellement dans l'ensemble de l'Europe et sur ce point, l'histoire semble leur donner raison. Qu'ils ne se réjouissent pourtant pas trop vite, qu'ils ne triomphent pas trop bruyamment dans la mesure où cette victoire de la démocratie reste fragile et pourrait bien vite être remise en question : la désaffection que connaît aujourd'hui la vie publique en France, la méfiance que suscitent les partis politiques traditionnels en Italie (comme l'ont montré les élections municipales de mai 1990) sont autant de signes révélateurs de la fragilité de ce modèle et peut-être de ses difficultés à répondre aux besoins de la société.

Si le mouvement socialiste européen peut se targuer d'un relatif succès d'ensemble dans sa lutte pour l'extension de la démocratie, le bilan de son action en faveur de la lutte contre le nationalisme est beaucoup plus maigre. On doit même se demander ici si ce n'est pas d'un échec caractérisé de sa part dont il faut rendre compte. Dès sa naissance, tout particulièrement dans certaines sections de la Seconde Internationale comme en Autriche-Hongrie, il doit répondre aux problèmes que lui pose avec brutalité le nationalisme: il est obligé de prendre en compte cette réalité dans l'ensemble de son intervention. Les années qui précèdent la Première Guerre mondiale voient la montée du nationalisme et des dangers de guerre toujours plus menaçants en Europe. La Seconde Internationale est consciente de la gravité de cette question pour les peuples européens; elle saisit clairement les enjeux en présence puisque, à partir de 1907, elle met au centre de ses préoccupations la lutte contre la guerre dont elle débat désormais lors de tous ses congrès. Malgré tout, elle sous-estime complètement la force, l'impact du nationalisme, jusque et y compris dans ses propres rangs: on en voit les manifestations spectaculaires dès les premiers jours de la guerre. L'idéologie internationaliste est alors battue en brèche, emportée par un flot nationaliste devant lequel la Seconde Internationale s'avère bien incapable de résister. Dans son immense majorité le mouvement est contaminé par le nationalisme dont les effets sont considérables durant les quatre ans de guerre.

Le triomphe du nationalisme se poursuit sous diverses formes après la Première Guerre mondiale: avec le fascisme, tout d'abord, qui en recherchant la synthèse entre le fait national et le socialisme dénature complètement ce dernier. Cette démarche sera à l'origine de la seconde «crise révisionniste» qui explose à partir de la fin des années Vingt grâce aux recherches d'Henri de Man: bientôt le mouvement socialiste sera idéologiquement vaincu une nouvelle fois en raison de son incapacité à répondre aux problèmes posés par le nationalisme qui, avec l'arrivée de Hitler au pouvoir, prend un tour particulièrement agressif; le dogmatisme socialiste, son impuissance à riposter idéologiquement et politiquement aux nouvelles manifestations que se donne le nationalisme (nazisme, fascisme) précipitent sa défaite sur tous les plans. La marche vers la Seconde Guerre mondiale est largement facilitée par l'inaptitude de l'Internationale ouvrière socialiste à faire pièce à la montée du nationalisme en Europe; cette dernière a trouvé un puissant catalyseur dans la politique extérieure conquérante de Hitler que l'ensemble des gouvernements démocratiques ainsi que la SDN lui laissent mener en toute impunité. Durant cette décennie, l'IOS n'arrive plus à éliminer les manifestations de nationalisme qui se développent dans ses propres rangs au détriment de l'internationalisme dont elle se revendique toujours et qui devrait être le sien. Chacune de ses sections se détermine davantage en raison de ses intérêts nationaux et de moins en moins au nom d'une vision internationaliste commune. Cette incapacité à rassembler le mouvement ouvrier européen sur une base internationaliste a contribué à précipiter le déclenchement d'un nouveau conflit mondial: en 1939 l'échec historique de l'IOS est tout aussi flagrant que celui de la Seconde Internationale un quart de siècle plus tôt. Il ne s'en différencie que sur un point sans grande portée réelle: à la veille de la Seconde Guerre, l'absence de toute illusion du mouvement socialiste contraste largement avec celles, aveuglantes, qui étaient alors les siennes en 1914: 25 ans plus tard, cette première expérience lui permet de mieux prendre la mesure de ce nouvel échec politique et organisationnel. Contrairement à ce qui avait été le cas en 1914, les responsables socialistes n'attendent plus rien de l'Internationale et sont parfaitement conscients de sa faillite. Pour la seconde fois de son histoire, le socialisme est vaincu par le nationalisme, idéologiquement, politiquement et stratégiquement.

Dans le contexte tout autre de l'Europe du début des années Cinquante, l'opposition entre socialisme et nationalisme va être à l'origine de bien des confusions, de bien des réminiscences historiques compréhensibles mais fort peu pertinentes quant à leur validité dans les débats sur la construction européenne. Ici, le poids du passé est tel que dans un premier temps il confine les socialistes à un rôle passif voire négatif: ce sont beaucoup plus les démocrates chrétiens qui ont alors l'initiative. Nous avons rappelé l'opposition véhémente de K. Schumacher, leader du SPD, à toute avancée dans cette direction, selon des arguments utilisés trois décennies plus tôt contre l'occupation de la Ruhr par les troupes françaises et britanniques. Que l'Europe des Six ait d'abord été voulue par ces banquiers et ces capitalistes qu'a toujours dénoncés le mouvement socialiste est incontestable; il est pourtant frappant de voir le mouvement socialiste s'engager de façon commune avec un tel retard dans ce projet qu'il ne considère d'abord qu'à travers le prisme du nationalisme. En cette occasion il ne sait pas mesurer les enjeux véritables et se trompe lourdement de cible. On pourrait également relever les manifestations multiples de nationalisme qui s'expriment ensuite dans l'Internationale socialiste lors des débats sur la construction européenne et le manque d'internationalisme qui caractérise encore le mouvement socialiste. Une fois de plus, le nationalisme semble l'emporter sur le socialisme. Et ceci pour ne rien dire de la politique de la SFIO en Algérie à partir de 1956 ou, la même année, de l'expédition de Suez...

Ce conflit entre socialisme et nationalisme — qui tourne le plus souvent à l'avantage du second — trouve un nouveau terrain d'affrontement dans le cadre d'un contexte politique dont le mouvement socialiste ne porte pas, il est vrai, la responsabilité. En s'écroulant brutalement, les régimes communistes de l'Europe de l'Est ont révélé l'incapacité qui a été la leur à résoudre le problème des nationalités: ce dernier se pose aujourd'hui dans certains pays de l'Est en des termes assez proches de ceux de l'Europe d'avant 1914, que ce soit en Yougoslavie, en Hongrie ou en Roumanie. Il serait évidemment tentant et sans doute relativement justifié de rattacher à ces cas ceux qui se posent directement aujourd'hui en Union soviétique, que ce soit en Azerbaïdjan, en Arménie, en Mongolie, dans les Républiques baltes, etc. Répétons-le le mouvement socialiste en tant que tel n'a pas de responsabilités directes dans cette situation puisqu'il a été exclu du pouvoir des régimes communistes depuis respectivement 40 et 70 ans. Il est cependant significatif de relever l'échec patent sur cette question d'un système se réclamant des idéaux du socialisme. Le problème est aujourd'hui posé en Europe de l'Est et devra être résolu — peut-être par des partis socialistes.

On le voit, tout au long de son histoire, le mouvement socialiste s'est trouvé confronté au nationalisme auquel il n'a pas su faire face et qui a été au contraire à l'origine de débâcles historiques pour lui. Le nationalisme a gangrené jusqu'aux propres rangs du mouvement socialiste. Comment expliquer cette grave défaite tout autant idéologique que politique? Quelles sont les insuffisances du socialisme en ce domaine? Sous ses diverses formes, le nationalisme est-il tellement ancré dans la réalité et la conscience collective des peuples qu'il ne puisse en être un jour extirpé? Ce débat est loin d'être clos comme le montrent la progression récente de l'extrême droite en France et les difficultés éprouvées par le Parti socialiste à l'enrayer. Si l'exaltation des valeurs démocratiques par les socialistes semble plutôt confirmée par les faits à l'échelle historique, ce siècle de socialisme européen montre *a contrario* la force des sentiments nationalistes et la relative impuissance du mouvement socialiste à les combattre.

Sur un tout autre plan le socialisme peut se targuer de réels succès: en luttant pour la défense de la classe ouvrière, en prônant l'amélioration de ses conditions de travail et de vie, il a su, en premier lieu dans les pays scandinaves, mettre en œuvre, souvent avec le concours de l'Etat, une politique de redistribution des revenus et de protection sociale dont la classe ouvrière a été bénéficiaire. Historiquement ces mesures ont été réalisées selon des modalités très différentes, conditionnées par la réalité sociale de chaque pays. Elles ont pris des formes fort diverses et dans certains cas, trouvent leurs origines dans les initiatives d'acteurs politiques et sociaux parfois très éloignés du socialisme quand ils ne cherchent pas à le combattre. Le cas le plus connu est celui de l'Allemagne où, en voulant endiguer les progrès du SPD, dès les années 1883-1889, le chancelier Bismarck se fait le précurseur d'un véritable système d'Assurances sociales. Ce projet n'est pas dénué d'arrière-pensées politiques: la volonté d'intégration de la classe ouvrière à l'Etat y est manifeste. Pourtant bien vite le SPD sait tirer parti de cette législation nouvelle: il s'y investit massivement et apprend à gérer le système à son profit. Dès avant 1914, les conditions de vie de la classe ouvrière allemande s'en trouvent améliorées, mais ceci il est vrai au prix d'une forte bureaucratisation du SPD et de ses organisations satellites. Ici l'initiative est venu du principal responsable de l'Etat, adversaire résolu du socialisme. Toute différente est la situation en Belgique où, au sein du POB, se développe dès la fin du XIXe siècle, un ample réseau de coopératives et de mutuelles directement construit par la classe ouvrière et indépendant de l'Etat. En Suède, les socialistes après avoir accédé au pouvoir, mettent en place à partir de 1933 une politique de redistribution des revenus, de réduction du chômage qui porte ses fruits — il reste extrêmement bas jusqu'à nos jours — et de protection sociale élargie. En Grande-Bretagne il faut attendre les lendemains de la Seconde Guerre mondiale pour que le Labour puisse entreprendre une vaste politique de réforme de la Santé, tout comme en France où l'instauration de la Sécurité sociale, inspirée du plan Beveridge britannique, est autant le fait des communistes que des socialistes; elle se réalise sur la base d'un compromis entre la prise en charge obligatoire de l'assuré par l'Etat et sa protection volontaire dans le cadre du mouvement mutualiste qui éprouve dans un premier temps bien des difficultés à s'adapter à la nouvelle législation. Il saura en tirer tout son profit par la suite.

Ainsi les solutions mises en œuvre sont d'une extrême variété et s'expliquent par l'histoire spécifique du mouvement social de chaque pays. Au delà de leurs différences, elles ont néanmoins deux points communs: dans tous les cas, les socialistes sont parmi les initiateurs du système, y participent, ou savent l'infléchir à leur profit, que cette action se fasse en liaison ou non avec d'autres forces politiques et syndicales se réclamant de la défense de la classe ouvrière. Sur un autre plan, l'ensemble de ces solutions souligne le caractère collectif de la protection sociale, la nécessité de la solidarité entre ses bénéficiaires, à l'inverse des systèmes de protection individuelle (assurances privées) qui se développent aujourd'hui et s'organisent activement dans la perspective de l'Europe de 1992. On doit néanmoins se demander si, en raison de la crise, en raison aussi de la diminution actuelle du caractère collectif des solutions apportées aux problèmes de société dans les pays de l'Europe de l'Ouest (privatisations, remplacements des «services» par des «produits» et des «citoyens» par des «clients»), il ne sera pas donné d'assister à des révisions dans les conceptions en matière de protection sociale au sein du mouvement socialiste. Il est impossible de répondre aujourd'hui à cette interrogation. Quoi qu'il en soit, depuis un siècle en Europe, le socialisme a su œuvrer dans le sens d'une extension de la protection sociale puis de sa généralisation. Dans quelle mesure l'échéance européenne de 1992, toute proche maintenant, confirmera-t-elle ou infirmera-t-elle cette tendance?

La rivalité entre socialisme et communisme est une des autres clés de cette histoire; elle se déroule sur près de trois quarts de siècle. Bien que toute prédiction soit toujours quelque peu hasardeuse, il semble bien qu'on puisse conclure en cette année 1990 que la compétition s'est achevée à l'avantage du socialisme et au détriment du communisme: que ce soit en Europe de l'Ouest où l'ensemble des partis communistes connaissent un déclin indéniable, ou en Europe de l'Est, pour ne rien dire de l'Union soviétique elle-même engagée dans de profondes transformations, si la victoire des idéaux socialistes et sociaux-démocrates est tout sauf assurée, la défaite du communisme semble par contre aujourd'hui sans appel. Nous disons bien «semble» dans la mesure où des retournements de situation sont toujours possibles: au début des années 1970, la tendance générale était exactement inverse. On ne peut refuser *a priori* l'éventualité d'un nouvel essor du communisme en Europe mais cette hypothèse semble actuellement peu plausible: les systèmes s'inspirant du communisme se caractérisent par une crise politique et économique sans précédent. Ce qui n'est aujourd'hui que constatation banale aurait été jugé bien iconoclaste il y a encore fort peu de temps. Au lendemain de la Première Guerre mondiale et plus encore de la Seconde, le communisme a eu le vent en poupe et a influencé de larges secteurs de la classe ouvrière européenne, face à un mouvement socialiste divisé et affaibli. Il est aisé de disserter sur le déclin actuel du communisme mais on ne doit pas oublier cependant que durant des décennies, les choses se sont présentées de façon tout autre et que «les jeux n'étaient pas faits». Au début de l'année 1989 encore, la plupart des régimes se réclamant du communisme en Europe de l'Est semblaient solidement installés. La nouveauté de la situation que connaît l'Europe appelle deux remarques sur lesquelles nous conclurons ce livre.

L'identité du mouvement socialiste est aujourd'hui à redéfinir. Après avoir accédé au pouvoir, certains partis socialistes se sont largement transformés, tant dans leur idéologie que dans leur mode de fonctionnement, en raison de l'exercice des responsabilités gouvernementales. Pas toujours dans le sens d'un renforcement de l'idéologie socialiste. Que l'on songe aux changements survenus dans le discours pour ne rien dire de la politique du Parti socialiste en France depuis 1981: à la «rupture avec le capitalisme» a été substituée une pratique gestionnaire de la société capitaliste, peu éloignée semble-t-il sur certains points de celle qu'auraient pu réaliser les partis de droite. Cette inflexion vers plus de «réalisme» concerne tout aussi bien des partis socialistes aujourd'hui dans l'opposition: ainsi le Labour vient-il de décider de renoncer à toute référence idéologique socialiste dans son programme gouvernemental en se convertissant pleinement à l'économie de marché. Cette évolution ne risque-t-elle pas de modifier plus encore la physionomie de certains partis socialistes et en conséquence du socialisme européen pour les années à venir? Par ailleurs, en mettant fin à une rivalité vieille de 70 ans, l'effacement du communisme devrait également être lourd de conséquences pour le socialisme européen selon des modalités, difficiles à prévoir actuellement mais qui seront longues et complexes. Depuis des décennies, le mouvement socialiste a construit une part de son identité en s'opposant au communisme sur tous les plans. Cette situation tend à être aujourd'hui dépassée. Ce mouvement s'accompagne dans certains pays comme la France d'une crise du militantisme qui attaque durement les organisations politiques et syndicales et qui ne se limite pas aux partis communistes et aux syndicats qu'ils influencent: elle concerne également au premier chef le mouvement socialiste. Faut-il y voir une des conséquences de la crise survenue depuis 1974 ou bien représente-t-elle une tendance plus profonde des changements affrontés par nos sociétés?

Construction européenne, rapports de force mondiaux nouveaux et inattendus, remise en cause du communisme, remontée des nationalismes en Europe et dans le monde, crise du modèle militant sur lequel s'est longuement adossé le mouvement ouvrier: telles sont parmi d'autres les principales questions qui se posent aujourd'hui aux héritiers de la Seconde Internationale. Un siècle après la fondation de cette dernière, sauront-ils y répondre?

Septembre 1990

NOTES

Introduction

[1] Cf. le n° spécial, *La Deuxième Internationale*, in *Matériaux pour l'histoire de notre temps*, n° 16 juillet-septembre 1989 ainsi que le n° spécial du *Mouvement social*, *La Désunion des prolétaires*, sous la dir. de R. Gallissot, R. Paris, C. Weill, n° 147, avril-juin 1989.

Vers un progrès indéfini du genre humain (1889-1914)

[1] *La Commune de 1871. Colloque tenu à Paris, 21-23 mai 1971*, le *Mouvement social*, n° 79, avril-juin 1972.
[2] La mise au point la plus récente sur l'histoire de l'anarchisme est faite par René Bianco, in *Avec Jean Maitron*, n° spécial du *Mouvement social*, supplément au n° 144, octobre-novembre 1988: «Où en est l'histoire du mouvement anarchiste» (pp. 45-54) ainsi que «Bulletin anarchiste», pp. 67-82.
[3] Sur l'AIT, cf. *Répertoire international des sources pour l'étude des mouvements sociaux aux XIXe et XXe siècles. La Première Internationale*. 3 vol. Paris, A. Colin, 1958-1965. Cf. également la mise au point de J. Rougerie, «Sur l'histoire de la Première Internationale», *Le*

Mouvement social, n° 51 avril-juin 1965. Cf. aussi *La Première Internationale*, recueil publié sous la dir. de J. Freymond, Genève, Droz, 1962 ainsi que M. Nettlau, *La Première Internationale en Espagne (1868-1888)*, présenté par R. Lamberet, Dordrecht, Reidel, 1969, 684 p.

[4] Cf. l'ouvrage essentiel de J. Braunthal qui porte sur l'histoire de l'Internationale, de la naissance de l'AIT (1864) à 1968: *History of the International*. Vol. I: *1864-1914*. Vol. II: *1914-1943*. Vol. III: *1943-1968*, Boulder, Westview Press, 1971. Cf. également A. Kriegel, «La IIe Internationale, 1889-1914», in *Histoire générale du socialisme*, sous la dir. de J. Droz, tome 2, *1875-1918*, Paris, PUF, pp. 555-584. La réflexion la plus récente sur le congrès de fondation de la Seconde Internationale est menée par C. Weill, «L'internationalisme en marge», in *La Deuxième Internationale, Matériaux pour l'histoire de notre temps, op. cit.*

[5] Nul n'avait prévu à l'origine qu'une manifestation internationale pour la journée de huit heures se transformerait en fête annuelle des travailleurs. Cette mutation d'une manifestation en fête s'explique en partie par la volonté des socialistes d'élargir autant qu'il est possible cette revendication. Mais la transformation du 1er mai vient aussi «d'en bas» et correspond à des sentiments plus profonds éprouvés par les masses populaires. Cette journée symbolise le printemps, la renaissance de la vie comme l'ont exprimé d'ailleurs de façon plus ou moins bucolique de nombreux artistes liés au mouvement ouvrier. Le 1er mai fut largement fêté avant la Première Guerre mondiale, moins après. Sur sa signification, cf. E. Hobsbawm, «Un anniversaire oublié: le centenaire du 1er mai», *Liber*, revue européenne des livres, année 2, n° 2, juin 1990, pp. 8-9. Le centenaire du 1er mai qui fut véritablement fêté à partir de 1890 a donné lieu à de nombreuses manifestations, colloques et publications, réalisés principalement en Italie mais aussi en Autriche, en Suède et en Suisse. Cf. la signalisation de 8 ouvrages, in E. Hobsbawm, «Un anniversaire...», *op. cit.* Cf. également *Centenaire du 1er Mai. Portrait de la Confédération européenne des syndicats (CES)*. Bruxelles, Institut syndical européen, 1990, 54 p.

[6] Lettre d'Engels à Lafargue du 28 juin 1889.

[7] Sur toute cette période, cf. l'ouvrage désormais classique de G. Haupt, *La Deuxième Internationale. 1889-1914. Etude critique des sources. Essai bibliographique*, Paris/La Haye, Mouton, 1964, 394 p. La présentation des sources est précédée d'une longue introduction consacrée à l'histoire de la Seconde Internationale à travers ses structures et ses congrès. Prématurément disparu, G. Haupt (1928-1978) a considérablement fait progresser la connaissance du socialisme français et international. Sur son œuvre, cf. le n° spécial du *Mouvement social, Georges Haupt parmi nous*, n° 111, avril-juin 1980. Par ailleurs la

plupart des documents publiés à l'issue des congrès de la IIᵉ Internationale sont maintenant disponibles à partir des reprints effectués en 30 volumes par les éditions Minkoff à Genève.

[8] L'Allemand Carl Legien en est le secrétaire. Ce «Secrétariat syndical international» se réunit annuellement puis tous les deux ans en une Conférence internationale des centres nationaux syndicaux. Dès 1904 il réunit 12 syndicats nationaux et 2 333 000 membres, chiffres qui passent respectivement à 19 syndicats et 5 944 000 membres en 1908 et 19 syndicats et 7 400 000 membres en 1913. Lors de la VIIIᵉ conférence internationale tenue à Zurich en 1913, il est décidé la création d'une organisation internationale, la Fédération syndicale internationale mais en raison de la guerre, il faut attendre le congrès d'Amsterdam (26 juillet-2 août 1919) pour en voir la réalisation. Sur la préhistoire de la FSI, cf. G. Lefranc, *Les expériences syndicales internationales des origines à nos jours*, Paris, Aubier/Montaigne, 1951, 284 p. Sur le syndicalisme français, cf. plus précisément R. Brécy, *Le mouvement syndical en France, 1871-1921. Essai bibliographique*, Gif sur Yvette, Editions du Signe, 1982, 218 p. (La première édition de cet ouvrage est parue en 1963).

[9] Cf. Bureau socialiste international. Vol. I: *1900-1907. Compte rendu des réunions. Manifestes et circulaires.* Documents recueillis et présentés par G. Haupt, Paris/La Haye, Mouton, 1969, 438 p.

[10] G. Haupt, «Camille Huysmans, secrétaire de la IIᵉ Internationale», in *Etudes sur la personnalité de C. Huysmans*, Anvers, 1971, pp. 25-48. Cf. également *Correspondance entre Lénine et Camille Huysmans (1905-1914)*, Préface de C. Huysmans. Présentée par G. Haupt, Paris/La Haye, Mouton, 1963, 164 p.

[11] Cf. *VIIᵉ Congrès socialiste international, Stuttgart, 1907.* Reprint aux éditions Minkoff, *op. cit.*

[12] Nous nous sommes largement inspirés des études consacrées aux «partis socialistes européens», in *Histoire générale du socialisme*, sous la dir. de J. Droz, tome 2, *1875-1914*, *op. cit.*, pp. 21-456. Présentés dans un cadre plus restreint, des éléments existent également in J. Droz, *Le socialisme démocratique, 1864-1960*, Paris, A. Colin, 1966.

[13] Outre l'ouvrage classique mais fort ancien de F. Mehring, *Geschichte der deutschen Sozialdemokratie* (4 volumes), Stuttgart, 1898, réédité en 1960, on trouvera une présentation des documents de base in G. Eckert: *1863-1963. Hundert Jahre deutscher Sozial-Demokratie. Bilder und Dokumente*, Hanovre 1963. Cf. aussi J. Droz «Historiographie d'un siècle de social-démocratie allemande», *Le Mouvement social*, nº spécial, *Aspects du socialisme allemand*, nº 95, avril-juin 1976, pp. 3-24. Cf. aussi K. Tenfelde, G.A. Ritter, *Bibliographie zur Geschichte der deutschen Arbeiterschaft und Arbeiterbewegung, 1863-1914, Archiv fur Sozialgeschichte*, Beiheft 8, Bonn, Verlag Neue Gesell-

schaft, 1981, 688 p. Signalons aussi que la Friedrich Ebert Stiftung de Bonn publie annuellement 4 volumes consacrés à la bibliographie de l'histoire du mouvement ouvrier ainsi qu'un index des auteurs d'ouvrages cités. Cf. enfin le volume *Allemagne*, sous la dir. de J. Droz dans la collection du *Dictionnaire biographique du mouvement ouvrier international*, (Paris, Ed. Ouvrières, 1990, 546 p.) notamment l'historique de J. Droz et la bibliographie.

[14] G. Haupt: «Parti-guide: le rayonnement de la social-démocratie allemande dans le Sud-Est européen», in *L'historien et le mouvement social*, Paris, Maspéro.

[15] H. Steiner, *Bibliographie zur Geschichte der Österreichischen Arbeiterbewegung*. Vol. I: *1867-1918*. Vol. II: *1918-1934*. Vol. III: *1934-1945*. Vienne, Europa Verlag, 1962-1970.

[16] Cf. sur cette question l'ouvrage fondamental d'O. Bauer, *La question des nationalités et la social-démocratie* paru à Vienne en 1907 et réédité en 1924. Ce livre a dû attendre 1988 pour faire l'objet d'une publication en langue française aux éditions EDI/Arcantère/Guérin Littérature. Cf. également G. Haupt, M. Lowy, C. Weill, *Les marxistes et la question nationale*, Paris, Maspéro, 1974 ainsi que C. Weill, *L'internationale et l'autre. Les relations inter-ethniques dans la IIe Internationale*, Paris, Arcantère, 1987.

[17] Pour tous ces pays, cf. les études consacrées aux partis socialistes européens, in *Histoire générale du socialisme*, tome 2, *1875-1918*, *op. cit.*

[18] Cf. la récente mise au point de M. Carrez, «L'historiographie ouvrière en Finlande», *Le Mouvement social*, n° 133, octobre-décembre 1985, pp. 81-92.

[19] Sur cet aspect particulier du mouvement ouvrier belge, cf. M. Vermote, *Santé. 75 ans d'Union nationale des mutualités socialistes, 1913-1988*, Gand, Archives et Musée du mouvement ouvrier socialiste (AMSAB), 1988, 116 p. Richement illustrée, cette étude retrace en fait l'histoire des sociétés de secours mutuels belges depuis 1789. Plus généralement, sur l'histoire du socialisme belge, on peut consulter: R. Abs, *Histoire du Parti socialiste belge de 1885 à 1978*, Bruxelles, Fondation L. De Brouckère, 1979, 192 p. ainsi que M. Liebman, *Les socialistes belges, 1885-1914. La révolte et l'organisation*, Bruxelles, Vie ouvrière, 1979, 300 p.

[20] F. Bédarida: «Le mouvement ouvrier britannique. Esquisse historique» in *Dictionnaire biographique du mouvement ouvrier international. La Grande-Bretagne*, sous la dir. de J. Maitron, par J. Bellamy, D. Martin, J. Saville, Paris, Ed. Ouvrières, 1979. Cette présentation est suivie d'une chronologie et d'une bibliographie fort détaillées, pp. 57-83.

[21] Il n'existe pas de bibliographie française générale des travaux réalisés

en France sur l'histoire du mouvement ouvrier français. Outre les ouvrages généraux — citons tout particulièrement, G. Lefranc, *Le mouvement socialiste sous la IIIᵉ République*, Paris, Payot, 1963 ainsi que M. Rebérioux, «Le socialisme français de 1871 à 1914», in *Histoire générale du socialisme*, tome 2, *1875-1918*, *op. cit.*, pp. 133-236 — on consultera des revues telles que *Le Mouvement social*, le *Bulletin de la Société d'études jauréssiennes*, *Mille neuf cent*, la *Revue d'histoire moderne et contemporaine*, les *Annales*, la *Revue historique*, les *Cahiers de l'Institut de recherches marxistes*, la *Revue de l'OURS*, les *Cahiers Léon Blum*, le *Bulletin du centre de recherche d'histoire des mouvements sociaux et du syndicalisme*, etc. Cette énumération ne vise nullement à l'exhaustivité. Depuis le début de sa parution en 1982, la revue *Communisme* publie régulièrement des «Eléments bibliographiques» — livres et articles — sur les travaux portant sur l'ensemble de l'histoire des multiples composantes du mouvement ouvrier français. On consultera également le travail plus ancien de Léon A. Dale: *A Bibliography of French Labor* (with a preface by G. Lefranc), New York, A.M. Kelley, 1969, 318 p.

[22] Pour toute recherche sur les militants du mouvement ouvrier français de la Révolution française à 1940, on consultera le *Dictionnaire biographique du mouvement ouvrier français* qui, en cours de publication sous la dir. de J. Maitron depuis 1964, présentera, une fois terminé, dans ses quatre séries chronologiques (I: *1789-1864*; II: *1864-1871*; III: *1871-1914*; IV: *1914-1939*) la biographie de plus de 120 000 militants ayant occupé une responsabilité «si minime soit-elle» au sein du mouvement ouvrier.

[23] C. Willard, *Le mouvement socialiste en France. 1893-1905. Les Guesdistes*. Paris, Ed. Sociales, 1965. Selon C. Willard, en 1900, le nombre des guesdistes pour toute la France aurait été de moins de 20 000 militants.

[24] J. Howorth, *Edouard Vaillant. La création de l'unité socialiste en France*. Préf. de M. Rebérioux, Paris, EDI/Syros, 1982.

[25] Outre sa biographie rédigée par M. Rebérioux in *Dictionnaire biographique... op cit.*, tome 13, pp. 92-105, cf. le livre récent de M. Gallo, *Le Grand Jaurès*, Paris, Laffont, 1984, 636 p. Les très nombreux travaux concernant Jaurès sont signalés dans le *Bulletin de la Société d'études jauréssiennes* qui paraît régulièrement depuis 1960. Il est indispensable de s'y reporter. Cf. également *Jaurès et la classe ouvrière* (Actes d'un colloque tenu en novembre 1976), Paris, Ed. Ouvrières, 1981. Cet ouvrage se conclut par une bibliographie des travaux — français et internationaux — sur cette question, pp. 229-237.

[26] Outre le travail déjà ancien d'A. Leonetti, *Mouvements ouvriers et socialistes. Chronologie et bibliographie. L'Italie des origines à 1922*. Paris, Ed. Ouvrières, 1952, 258 p. on pourra utiliser la *Bibliografia del*

socialismo e del movimento operaio italiano, Roma/Torino, Ed. ES-SMOI, 1965. 3 volumes parus de 1956 à 1968. Ce travail concerne la période 1815-1952. On consultera également un certain nombre de revues spécialisées, les plus riches sur l'histoire du mouvement ouvrier étant peut-être la *Rivista storica di socialismo* (1956-1968, 32 numéros) ainsi que *Movimento operaio e socialista* qui paraît toujours, de façon trimestrielle, depuis 1955. Cette dernière revue se consacre aussi à l'étude du mouvement ouvrier international. Cf. enfin la *Bibliografia della stampa periodica e socialista italiana (1860-1926)* a cura di F. Della Peruta, Milano, Feltrinelli, 1956.

[27] Cf. *Mouvements ouvriers espagnols et questions nationales, 1868-1936* sous la dir. d'A. Elorza, M. Ralle, C. Serrano, n° spécial du *Mouvement social*, n° 128, juillet-septembre 1984. On se reportera plus particulièrement à la mise au point de J.L. Guerena parue dans le même numéro, «La recherche en histoire ouvrière en Espagne. Approche bibliographique», pp. 113-125.

[28] Pour tous ces pays, cf. les études consacrées aux partis socialistes européens in *Histoire générale du socialisme*, tome 2, *1875-1918, op. cit.* Cf. aussi le travail déjà ancien d'E. Zaleski, *Mouvements ouvriers et socialistes. Chronologie et bibliographie. La Russie*. 2 volumes. Tome 1: *1725-1907*. Tome 2: *1908-1917*, Paris, Ed. Ouvrières, 1956-1957. Cf. également la mise au point bibliographique de G. Migliardi, *Il Partito operaio social democratico russo*. I: *1883-1904*, Istituto G. Feltrinelli, Annali 1961, Milano 1962, ainsi qu'en France la collection des *Cahiers du monde russe et soviétique*.

[29] *La Deuxième Internationale et l'Orient*, sous la dir, de G. Haupt et M. Rebérioux, Paris, Ed. Cujas, 1967, 494 p. Cf. également, dans le *Dictionnaire biographique du mouvement ouvrier international*, publié sous la dir. de J. Maitron, les deux tomes parus sur le Japon (1978) ainsi que le volume sur la Chine (1985).

[30] L. Van Rossum, «The Second International and social democratic activity among the agrarian population (1889-1914). An exploration». Amsterdam, International Institut of Social History.

[31] Cf. également, M. Rebérioux, «Les socialistes français et le petit commerce», *Le Mouvement social*, n° 114, janvier-mars 1981, pp. 57-70 ainsi que E. Simmer, «La politique de la social-démocratie allemande vis-à-vis de l'artisanat à la fin du XIXe siècle», même numéro, pp. 105-124.

[32] Nous suivons ici la périodisation proposée par J. Droz dans son introduction à l'*Histoire générale du socialisme*. Tome 2, *1875-1918, op. cit.*, pp. 10-12.

[33] E. Bernstein, *Les Présupposés du socialisme*, 1e édition en 1899. Publié chez Stock en 1900 sous le titre *Socialisme théorique et social-démocratie pratique*, Réédité au Seuil, (Paris) en 1974.

[34] R. Luxemburg, *Réforme ou révolution?*, in *Œuvres*, Tome I, Paris, Maspero, 1969, pp. 16-90. K. Kautsky, *Le marxisme et son critique Bernstein*, Berlin, 1899 et Paris, Stock, 1900.

[35] H. Hatzfeld, *Du paupérisme à la Sécurité sociale*, 1850-1940, Paris, A. Colin, 1971, réédité aux Presses Universitaires de Nancy en 1989.

[36] Depuis le début des années 1980, les études soréliennes connaissent en France comme à l'étranger un essor important. On suivra ce mouvement dans les *Cahiers Georges Sorel* publiés annuellement depuis 1983 et qui se sont transformés depuis 1989 en *Mille neuf cent*, «revue d'histoire intellectuelle» — ce qui ne signifie nullement un abandon des recherches sur l'œuvre de Sorel mais un élargissement des centres d'intérêts de la revue. Une bibliographie des travaux récemment parus concernant G. Sorel figure dans chaque numéro.

[37] Cf. à ce sujet les travaux de Z. Sternhell et notamment *Ni droite ni gauche. L'idéologie fasciste en France*. Nouvelle édition refondue et augmentée, Bruxelles, Ed. Complexe, 1987 (Ier ed. Seuil, 1983), 472 p. ainsi que Z. Sternhell, M. Sznajder, M. Asheri, *Naissance de l'idéologie fasciste*, Paris, Fayard, 1989, 424 p. Sur les débats suscités par ces travaux, outre l'article de S. Berstein, cité note 41, p. 327 cf. le livre de P. Milza, *Fascismes français, passé et présent*, Paris, Flammarion, 1987, 464 p.

[38] Tout autant que Paris, Vienne représente alors une des capitales intellectuelles européennes où se développe ce mouvement comme le montre bien C. Schorske in *Vienne fin de siècle*, Paris, Seuil, 1983, 380 p.

[39] Cf. le n° spécial du *Mouvement social* sur *Le socialisme et la question coloniale avant 1914*, n° 45, octobre-décembre 1963.

[40] M. Rebérioux, G. Haupt, «L'attitude de l'Internationale» (par rapport à la question coloniale), in *Le socialisme et la question coloniale avant 1914*, *op. cit.*, p. 7.

[41] M. Rebérioux, G. Haupt, «L'attitude de l'Internationale», *op. cit.*, p. 8.

[42] G. Haupt, *Le Congrès manqué. L'Internationale à la veille de la Première Guerre mondiale*. Paris, Maspero, 1965. Ed. revue et augmentée mais amputée des documents: *Socialism and great War*, Oxford, UP, 1972.

La fracture de la Première Guerre mondiale
(1914-1923)

[1] J. Damianova, «La Fédération contre l'alliance militaire: les socialistes balkaniques et les guerres balkaniques, 1912-1913», *Le Mouvement social*, n° spécial, *La Désunion des prolétaires, op. cit.*, pp. 69-85.

[2] G. Haupt, *Le Congrès manqué, op. cit.*

[3] M. Rebérioux, «Le socialisme et la Première Guerre mondiale», in *Histoire du socialisme*. Tome 2, *1875-1918, op. cit.*, pp. 585-641. Cf. également *La Désunion des prolétaires, op. cit.*, notamment, R. Gallissot, R. Paris, C. Weill, «L'Internationale et la guerre: le partage d'août 1914», pp. 3-10 ainsi que R. Gallissot, «La patrie des prolétaires», pp. 11-24.

[4] C. Gras, *Alfred Rosmer (1877-1964) et le mouvement révolutionnaire international*. Paris, Maspéro, 1971. Alfred Rosmer est l'auteur d'un ouvrage fondamental sur la période: *Le Mouvement ouvrier pendant la guerre*. Tome I: *De l'Union sacrée à Zimmerwald*, Paris, Librairie du Travail, 1936, 588 p., Tome 2: *De Zimmerwald à la Révolution russe*, Paris/La Haye, Mouton, 1959, 246 p.

[5] Cf. par exemple les deux brochures d'E. Vandervelde, «Ministre d'Etat du Royaume de Belgique»: *La Guerre* et *Le Devoir*, cette dernière étant préfacée par M. Cachin. Toutes deux sont publiées en 1916 par le Comité de propagande socialiste pour la défense nationale et vendues en dépôt à la Librairie de *L'Humanité*.

[6] N. Racine-Furlaud, «L'amitié de Romain Rolland et de Marcel Martinet», in *Le pacifisme dans les lettres françaises de la Belle Epoque aux années 30*. Colloque. Textes et iconographie présentés par J. Sabiani, Orléans, Centre Charles Péguy, 1985, 112 p.

[7] V.I. Lenine, *Le Krach (ou la «faillite») de la IIe Internationale*, Paris/Moscou, Ed. Sociales/Ed. du Progrès, 1971, 120 p.

[8] Elle a été étudiée en Allemagne par D. Groh, «Intégration négative et attentisme révolutionnaire», *Le Mouvement social*, n° 95, avril-juin 1976, pp. 71-116.

[9] A. Panaccione, «La mue de l'internationalisme avant et pendant la Première Guerre mondiale», in *La Désunion des prolétaires..., op. cit.*, pp. 105-116. Cf. également G. Haupt, «Groupes dirigeants internationaux du mouvement ouvrier», in *Mélanges d'histoire sociale offerts à Jean Maitron*, Paris, Ed. Ouvrières, 1976, pp. 127-144.

[10] G. Haupt, «Guerre ou Révolution? L'Internationale et 'l'Union Sacrée' en août 1914», *Les Temps modernes*, n° 281, 1969, p. 839.

[11] J. Horne, «Le Comité d'action CGT-PS et l'origine du réformisme syndical du temps de guerre (1914-1916)», *Le Mouvement social*,

n° 122, janvier-mars 1983, pp. 33-60. Sur les problèmes plus généraux posés par la mobilisation industrielle durant la Première Guerre, cf. certaines études publiées in *1914-1918. L'autre front*, sous la dir. de P. Fridenson, *Cahiers du Mouvement social*, n° 2, 1977, 238 p., Ed. Ouvrières. Toutefois il ne faut pas oublier que subsiste malgré tout un syndicalisme opposé à la guerre. Cf. par exemple, J. Bond-Howard, «Le syndicalisme minoritaire dans les usines d'armement de Bourges de 1914 à 1918», *Le Mouvement social*, n° 148, juillet-septembre 1989, pp. 33-62. Cf. également la lettre de démission du Comité confédéral de la CGT de Pierre Monatte (fin 1914), in P. Monatte, *La lutte syndicale*. Présentation de C. Chambelland, Paris, Maspero, 1976, 318 p. (Bibliothèque socialiste).

[12] Agnes Blansdorf, *Die Zweite Internationale und der Krieg. Die Diskussion über die internationale Zusammenarbeit der sozialistischen Parteien, 1914-1917*, Stuttgart, Klett-Cotta, 1979, 402 p.

[13] Les travaux concernant Mussolini sont légion. Sur cet épisode précis, cf. plus particulièrement, G. Bozzetti, *Mussolini direttore dell'Avanti*, Milano, Feltrinelli, 1979, 260 p. ainsi que R. De Felice, *Mussolini, il rivoluzionario, 1883-1920*, Torino, Einaudi, 1965, 774 p.

[14] Le «Protocole de la conférence italo-suisse de Lugano» a été publié par A. Romano, in *Rivista storica del socialismo*, janvier-avril 1963.

[15] Les documents concernant ces deux conférences ont été publiés ainsi que d'autres, de façon semi-clandestine par le Comité pour la reprise des relations internationales (CRRI). Cf. *Conférence socialiste internationale de Zimmerwald (Suisse), 5-8 septembre 1915*, Paris, Imprimerie de la Fédération des métaux, 32 p. ainsi que *Seconde conférence socialiste internationale de Zimmerwald, tenue à Kienthal (Suisse)...*, 1916, 64 p.

[16] Cf. la communication de R. Gallissot, «La contradiction du nationalisme et du socialisme: les leçons de la conférence manquée de Stockholm», XXIIIe Conférence de Linz, septembre 1987.

[17] P. Broué, *Révolution en Allemagne, 1917-1923*, Paris, Ed. de Minuit, 1971, 992 p.

[18] F. Kreissler, *De la révolution à l'annexion. L'Autriche de 1918 à 1938*, Paris, PUF, 1971, 460 p.

[19] Cf. *Les résolutions de la Conférence internationale ouvrière et socialiste de Berne, 3-10 février 1919*. Paris, Imp. Nouvelle, 1919, 12 p., ainsi que P. Renaudel, *L'Internationale à Berne. Faits et documents*, Paris, Grasset, 1919, 156 p.

[20] J. De Kay, *L'esprit de l'Internationale à Berne. Résumé des discours et textes des résolutions*, Lucerne, l'auteur, 1919, 104 p.

[21] *Compte rendu du Congrès de l'Internationale ouvrière et socialiste, Genève, 31 juillet-6 août 1920*, Bruxelles, Imp. Lucifer, 1921.

[22] *Le premier congrès de l'Internationale communiste, 2-6 mars 1919*.

Textes présentés par P. Broué, Paris, EDI, 1974. *Du premier au deuxième congrès de l'Internationale communiste, mars 1919-juillet 1920*. Textes publiés sous la dir. de P. Broué, Paris, EDI, 1979, 510 p.

[23] P. Van Der Esch, *La Deuxième Internationale, 1889-1923*, Paris, Marcel Rivière, 1957, 186 p.

[24] A. Donneur, *Histoire de l'Union des partis socialistes pour l'action internationale (1920-1923)*, Genève, Institut universitaire des hautes études internationales, 1967, 436 p.

[25] Il semble que ce soit le communiste Karl Radek qui, le premier, ait utilisé ce sobriquet. Dès 1921, il attaque l'UPSAI in *Theorie und Praxis der 2 1/2 Internationale*, Vienne, Arbeiterbuchhandlung, 1921.

[26] *Le Congrès de Tours*. Ed. critique réalisée par J. Charles, J. Girault, J.L. Robert, D. Tartakowsky, C. Willard, Paris, Ed. Sociales, 1980, 920 p. Sur le mouvement ouvrier français pendant la guerre et la naissance du communisme en France, cf. la thèse de A. Kriegel, *Aux origines du communisme français, 1914-1920*, très riche sur les problèmes affrontés par le mouvement socialiste français et international durant cette période.

[27] *Conférence des trois Internationales tenue à Berlin les 2, 4 et 5 avril 1922. Compte rendu sténographique*, Bruxelles, Ed. du Comité des neuf, 1922.

[28] *Protokoll des Internationalen Sozialistischen Arbeiterkongresses in Hambourg, 21 bis 25 mai 1923...*, Berlin, 1923, 111 p.

[29] Cf. note 8, p. 316. Selon G. Lefranc, *Les expériences syndicales internationales*, *op. cit.*, p. 25, la FSI aurait usé «de toute son autorité pour décider les socialistes divisés entre partisans de l'ancienne Internationale et partisans d'une nouvelle Internationale à reconstituer une internationale unique qui sera l'IOS après le congrès de Hambourg». Cf. également les souvenirs de W. Schevenels qui fut de longues années secrétaire de la FSI: *Quarante-cinq années. Fédération syndicale internationale, 1901-1945*. Institut E. Vandervelde, 1964, 232 p. Jusqu'en 1921, la FSI eut plus de 20 millions d'adhérents puis de 1924 à 1932, ce chiffre se serait stabilisé autour de 13 millions. En raison de la défaite du syndicalisme en Allemagne à partir de 1933, il chute à 8 millions à partir de cette date.

Un colosse aux pieds d'argile (1923-1940)

[1] Ce mouvement aurait même commencé avant selon K. Kautsky qui constate dès 1909: «La social-démocratie autrichienne a dépassé l'alle-

mande qui a perdu la direction de l'Internationale» et qui ajoute: «Certes, il m'est indifférent de savoir quelle nation nous dirige pourvu que nous progressions mais il ne m'est pas indifférent de savoir qu'une nation perd la direction parce qu'elle rétrograde». Lettre à V. Adler, 26 septembre 1909, citée in G. Haupt, «Groupes dirigeants internationaux...», *op. cit.*, p. 137.

[2] Cf. les études regroupées in «Le socialisme européen de 1918 à 1945», *Histoire générale du socialisme*, sous la dir. de J. Droz, Tome 3, *1918-1945*, Paris, PUF, 1977, pp. 119-522.

[3] Cf. E. Collotti, «Appunti su Friedrich Adler segretario della Internazionale operaia e socialista», in *L'Internazionale operaia e socialista tra le due guerre* a cura di E. Collotti, Milano, Fondazione Giangiacomo Feltrinelli, 1985, 1240 p. Ce volume qui regroupe 36 études organisées en trois thèmes (1. Aspects de l'histoire de l'IOS et des partis affiliés. 2. Débats généraux et expériences particulières. 3. Débats théorico-culturels) est un instrument de travail indispensable pour aborder l'histoire de l'IOS. On remarquera qu'il est de publication récente: l'histoire de l'IOS n'a mobilisé l'attention des chercheurs que depuis peu et aujourd'hui encore subsistent bien des zones d'ombre. Sur cette période, cf. aussi, A. Bergounioux, «L'Internationale ouvrière socialiste entre les deux guerres», in *L'Internationale socialiste*, publié sous la dir, de H. Portelli, Paris, Ed. Ouvrières, 1983. (A l'exception de cette étude, cet ouvrage est essentiellement consacré à la période qui suit la Seconde Guerre mondiale). Cf. aussi A. Sturmthal, *The tragedy of European Labor, 1918-1939*, New York, Praeger, 1943 ainsi que J. Braunthal, *History of the International*, *op. cit.*, tome 2, *1914-1943*. Enfin on se reportera au travail de M. Van Der Linden, «Internationalism in the Labour movement, 1830-1940. Fragments of a bibliography», publié in *Internationalism in the Labour movement, 1830-1940*, ed. by F. Van Holthoon and M. Van Der Linden, Leiden, Brill, 1988, pp. 624-654. La liste des présidents et secrétaires de l'IOS figure in J. Braunthal, *op. cit.*, p. 560.

[4] Les protocoles de ces trois congrès ont été publiés.

[5] *IIIᵉ Congrès de l'IOS (Bruxelles, 1928)*. 1-2: *Aperçus politiques, Questions d'organisation. IVᵉ Congrès de l'IOS (Vienne, 1931)*.

[6] *IIᵉ Congrès de l'IOS. Marseille, 22-27 août 1925. Compte rendu du Congrès*. Bruxelles, Lucifer, 1925, 414 p.

[7] Cf. *IIᵉ, IIIᵉ, IVᵉ Congrès de l'IOS, op. cit.*

[8] Selon les chiffres figurant dans les Annuaires de l'Internationale communiste.

[9] M. Dreyfus, *PCF. Crises et dissidences de 1920 à nos jours*. (Référence est également faite dans cet ouvrage aux autres partis du Komintern) Bruxelles, Ed. Complexe, 1990, 286 p.

[10] Sur cet épisode, cf. les documents de la Ligue contre l'impérialisme

et l'oppression coloniale, présentés par M. Dreyfus in *Communisme*, n° 2, 1982, pp. 49-72.

[11] F. Adler, «Le problème organisateur de l'unité prolétarienne». Rapport du Secrétariat de l'IOS présenté à la séance de l'Exécutif de l'IOS le 11 avril 1926, *Informations internationales*, (bulletin publié par l'IOS), 1926. «Come le Internazionali ufficiali sabotono l'unita», *Avanti*, bolletino del Partito socialista italiano (maximaliste et adhérent au Bureau de Paris), XXXIIe, 25 mars 1928.

[12] *IVe Congrès de l'IOS. Vienne 1931. Rapports et compte rendu. Aperçus politiques.* Publié par le Secrétariat de l'IOS, Zürich, 1931.

[13] On peut trouver quelques précisions sur l'attitude de la SFIO vis-à-vis des Assurances sociales (instaurées en 1930 après de longues discussions) in D. Simon, «Les Assurances sociales et les mutualistes», *Revue d'histoire moderne et contemporaine*, tome XXXIV, octobre-décembre 1987, pp. 587-615.

[14] *IIe Congrès de l'IOS. Marseille, 22-27 août 1925...*, op. cit.

[15] *Statuts de l'Internationale ouvrière socialiste, 1923.* Ils ont été révisés aux second et troisième Congrès.

[16] F. Adler, «La SDN et l'IOS», *Informations internationales*, 1926. Cf. également K.G. Robbins, «Labour Foreign policy and International socialism: MacDonald and the League of Nations», in *L'Internazionale operaia e socialista tra le due guerre...*, op. cit., pp. 105-133.

[17] Cf. l'article de F. Naphtali, in *Le Peuple*, l'organe du POB, le 7 août 1928.

[18] «Le prolétariat et le désarmement: les discours de Vandervelde et Jouhaux au nom de l'IOS et de la FSI à la Conférence du désarmement, (6 février 1932)», *La Vie socialiste*, n° 272, 13 février 1932.

[19] Traduit par A. Bracke-Desrousseaux et publié à la Librairie populaire (les éditions de la SFIO) en 1931, 46 p.

[20] *IIIe Congrès de l'IOS. Rapports et comptes rendus. Le problème colonial. Matériaux présentés au IIIe Congrès de l'IOS à Bruxelles, août 1928*, 184 p.

[21] *IIIe Congrès de l'IOS... Le problème colonial... op. cit.*

[22] Voir même avant: la répression féroce contre le mouvement ouvrier finlandais a commencé dès la fin de l'année 1917.

[23] Cf. le dossier établi par A. Marchand et figurant dans les archives de Gabrielle Duchene, l'active secrétaire de la section française de la Ligue internationale des femmes pour la paix et la liberté (LIFPL), déposées à la Bibliothèque de documentation internationale contemporaine (BDIC) située sur le campus universitaire de Nanterre.

[24] Elle publie un supplément au bulletin de l'IOS, *Informations internationales. Communications sur la situation des prisonniers politiques*, qui commence à paraître à partir de février 1928.

[25] M. Hajek, «Il fascismo nell'analisi dell'Internazionale operaia e

socialista», in *L'Internazionale operaia e socialista tra le due guerre...*, *op. cit.*, pp. 388-430.

[26] Vandervelde s'exprime ainsi dans *Le Peuple* le 5 août 1928.

[27] *IVe Congrès de l'IOS, Vienne, 1931..., op. cit.*

[28] D. Tartakowsky, «La SFIO et le fascisme dans les années Trente», in *L'Internazionale operaia e socialista tra le due guerre..., op. cit.*, pp. 725-746.

[29] Telle est l'analyse retenue à l'issue de la Conférence de Paris de l'IOS d'août 1933 et énoncée in *Le Populaire*, 26 août 1933. Sur cette conférence, cf. p. 123-126.

[30] *IVe Congrès de l'IOS, Vienne, 1931..., op. cit.*

[31] M. Dreyfus, «Bureau de Paris et Bureau de Londres: le socialisme de gauche en Europe entre les deux guerres», *Le Mouvement social*, n° 112, juillet-septembre 1980, pp. 25-55.

[32] Cet appel parut dans *Informations internationales*, n° 8, février 1933.

[33] *Protokoll die Internationale Konferenz der S.A.I.*, Maison de la Mutualité, 21-25 août 1933.

[34] B. Tobia, «Pietro Nenni e la politica dell'Internazionale operaia e socialista», in *L'Internazionale operaia e socialista tra le due guerre...*, *op. cit.*, pp. 135-176.

[35] M. Mancini, «L'IOS e la questione del fronte unico negli anni Trenta», in *L'Internazionale operaia e socialista tra le due guerre...*, *op. cit.*, pp. 177-198.

[36] M. Dreyfus, «Bureau de Paris et Bureau de Londres...», *op. cit.*

[37] Il fut d'abord publié à Iena sous le titre — plus évocateur — de *Zur Psychologie des Sozialismus* qui parut l'année suivante à Bruxelles aux éditions L'Eglantine sous le titre *Au delà du marxisme*. Réédition, Paris, Seuil, 1975. Sur le révisionnisme de De Man, cf. les travaux de Z. Sternhell ainsi que la bibliographie sur le sujet qu'il présente dans le chapitre «L'idéologie fasciste en Europe», in *Ni droite ni gauche, op. cit.* Cf. également J. Gotovitch, «Du collectivisme au Plan du Travail», in *1885-1985. Du Parti ouvrier belge au Parti socialiste. Mélanges publiés à l'occasion du centenaire du POB*, par l'Institut Emile Vandervelde, Bruxelles, Ed. Labor, 1985, pp. 123-143.

[38] E. Vandervelde, *Le marxisme a-t-il fait faillite?*, Bruxelles, 1928.

[39] Selon Z. Sternhell, in *Naissance de l'idéologie fasciste..., op. cit.*, Mussolini salue chaleureusement *Au delà du marxisme* en soulignant combien ce livre «a démoli ce qui restait de scientifique dans le marxisme». La réponse de De Man n'est pas moins intéressante. Il dit notamment: «Je vous prie de croire qu'aucun préjugé ne m'empêche de suivre jour par jour — autant qu'on peut le faire par la lecture — avec un souci ardent d'information objective l'œuvre doctrinale et politique dont vous êtes l'ouvrier. C'est précisément parce qu'apparte-

nant comme vous à la 'génération du front' et influencé comme vous par les idées de G. Sorel, je ne ferme mon esprit à aucune autre manifestation de force créatrice, c'est précisément parce que je ne crains pas de rendre justice à certains aspects organisateurs de l'œuvre fasciste que j'en suis le cours avec un intérêt passionné». La lettre de Mussolini est datée du 21 juillet 1930, la réponse de De Man du 23 août 1930. Cette correspondance a été publiée in *Ecrits de Paris*, n° 184, juillet-août 1960, pp. 79-81.

[40] H. de Man, *L'Idée socialiste*, Paris Grasset, 1935. Cet ouvrage était paru en Allemagne (à Hambourg) dès janvier 1933 sous le titre *Wende des Sozialismus*.

[41] S. Berstein, «La France des années 30 allergique au fascisme. A propos d'un livre de Z. Sternhell», in *XXᵉ siècle*, n° 2, avril 1984, p. 85. Dans cet article, S. Berstein réfute le déterminisme de Z. Sternhell pour qui le Manifeste de juin 1940 rédigé par de Man et saluant l'Ordre nouveau, c'est-à-dire nazi, se situe dans le droit fil de sa pensée dès 1933.

[42] Sur M. Déat, cf. la biographie et la bibliographie le concernant rédigées par A. Bergounioux in *Dictionnaire biographique du mouvement ouvrier français*, *op. cit.*, tome 24, pp. 134-140. Cf. également Z. Sternhell, *Ni droite ni gauche*, *op. cit.*

[43] M. Déat, *Perspectives socialistes*, Paris, Valois, 1930. La Librairie Valois fut dans une certaine mesure l'expression de cette crise du socialisme puisqu'elle publia des auteurs qui suivirent des chemins très différents voire opposés. P. Mendès France, Georges Boris, le dirigeant du Bund polonais Victor Alter, Silvio Trentin, Carlo Rosselli — qui devait être assassiné avec son frère Nello par la Cagoule en 1937 —, Pietro Nenni, Paul Louis côtoient au catalogue Marcel Déat, Hubert Lagardelle, Jean Luchaire. Cf. P. Oliveira, *La Librairie Valois, 1928-1932*, Mémoire présenté à l'IEP de Paris sous la dir. de M. Winock, Paris, 1988, 152 p.

[44] M. Déat, *Mémoires politiques*. Tome I: *Le massacre des possibles*. Tome 2, *Le combat pour l'impossible*, introd. par L. Theis, Paris, Denoël, 1989, 990 p.

[45] M. Déat, A. Marquet, B. Montagnon, *Néo-socialisme? Ordre, autorité, nation*. Préface et commentaire de M. Bonnafous, Paris, Grasset, 1933, 144 p. Sur le néo-socialisme et ses avatars notamment en Gironde, cf. M. Berges, P. Brana, J. Cavignac, Y. Cuq, J. Dusseau, *Les néo-socialistes girondins*, *Cahiers de l'Institut aquitain d'études sociales*, n° 7, 1988, 320 p.

[46] *Le Plan du Travail*, Bruxelles, Lucifer, 1933.

[47] J.-L. Robert, «Une idée qui vient de loin. Les nationalisations dans l'histoire du mouvement ouvrier français, 1895-1939», in *Les nationalisations de la Libération. De l'utopie au compromis*, sous la dir. de

C. Andrieu, L. Le Van, A. Prost, Paris, Presses de la Fondation nationale des sciences politiques, 1987, 392 p.

[48] Cf. leurs biographies et les bibliographies les concernant in *Dictionnaire biographique du mouvement ouvrier français*, *op. cit.*

[49] Cf. M. Mancini, «L'IOS e la questione del fronte unico...», in *L'Internazionale operaia e socialista tra le due guerre...*, *op. cit.*

[50] M. Dreyfus, «L'Internationale ouvrière socialiste, le Bureau de Londres et la guerre d'Espagne», in *Internationalism in the Labour movement, 1830-1940*, ed. by F. Van Holthoon and M. Van Der Linden, Leiden, Brill, 1988, pp. 355-368.

[51] *Le Populaire*, 29-30 juillet 1936.

[52] *Le Populaire*, 31 août 1936.

[53] Sur l'aspect international des Procès de Moscou, cf. le n° spécial des *Cahiers Léon Trotsky, Les Procès de Moscou dans le monde*, sous la dir. de P. Broué, n° 3, juillet-septembre 1979, 246 p.

[54] F. Adler, *Le Procès de Moscou: un procès en sorcellerie*. Paris, Ed. Nouveau Prométhée, 1936, 48 p. Dans cette brochure, F. Adler montre comment les accusations ont été montées de toutes pièces, comment les accusés n'ont pu se défendre et proteste contre la tentative du gouvernement soviétique de priver Trotski de son droit d'asile en Norvège. La même question est purement et simplement passée sous silence lors du 34e congrès national de la SFIO tenu du 10 au 13 juillet 1937 à Marseille.

[55] M. Dreyfus, «Bureau de Paris et Bureau de Londres...», *op. cit.*

[56] *Vers le socialisme mondial. La révolution espagnole contre la guerre, le fascisme et l'impérialisme. Compte rendu du Congrès socialiste-révolutionnaire de Bruxelles (31 octobre-2 novembre 1936) édité par le POUM pour le Bureau international d'unité socialiste révolutionnaire*, 1937, 32 p.

[57] *Vers le socialisme mondial...*, *op. cit.*

[58] Cf. *Les procès de Moscou dans le monde...*, *op. cit.*

[59] Cf. par exemple le livre de M. Bilis, *Socialistes et pacifistes ou l'impossible dilemme des socialistes français, 1933-1939*, Paris, Syros, 1977.

[60] M. Mancini, «L'IOS dalla guerra di Spagna al patto tedesco-sovietico», in *L'Internazionale operaia e socialista tra le due guerre...*, *op. cit.*, pp. 199-224.

[61] Lettre de F. Adler à F. Brockway (de l'ILP britannique), 14 novembre 1927, publiée in *Avanti*, 25 mars 1928.

[62] M. Dreyfus, «Bureau de Paris et Bureau de Londres...», *op. cit.*

[63] Ces documents ont été publiés par H. Steiner: «L'Internationale ouvrière socialiste à la veille de la Seconde Guerre mondiale, juillet-août 1939», *Le Mouvement social*, n° 58, janvier-mars, 1967, pp. 97-104.

[64] *Ibid.*

La reconstruction de l'Internationale (1840-1951)

[1] Les travaux portant sur cette période de l'histoire du socialisme européen sont encore bien rares. Cependant on dispose depuis peu de la thèse extrêmement fournie de G. Devin, *L'Internationale socialiste (1945-1976). Politique et éthique du socialisme international*, (Université Paris X Nanterre, 1988, 1164 p.) qui dépasse le cadre géographique de notre travail, ainsi que du recueil d'études publié sous la dir. de H. Portelli, in *L'Internationale socialiste, op. cit.* On trouve des éléments dans le chapitre consacré au «socialisme démocratique» par J. Droz in *Histoire générale du socialisme*, tome 4. *De 1945 à nos jours*, Paris, PUF, 1978, 708 p. ainsi que dans le 3e tome de *History of the International, (1943-1968)* de J. Braunthal, *op. cit.* On trouvera pour le première fois des éléments sur la dimension internationale du syndicalisme, distincte de l'histoire du socialisme mais cependant liée à cette dernière, in *Syndicalisme. Dimensions internationales* sous la dir. de G. Devin. La Garenne-Colombes, Ed. Européennes Erasme, 1990, 420 p.

[2] Outre le fait que l'histoire de cette période reste encore malaisée à écrire en raison évidemment de son caractère très particulier et du fait des destructions de documents et d'archives qu'elle a entraînées, elle n'a pas encore été étudiée avec toute l'attention qu'elle aurait méritée. De plus, elle se trouve largement tributaire de l'historiographie et de ses variations. En raison des bouleversements que connaissent actuellement l'Europe de l'Est et l'Union soviétique, il est fort probable que de nouvelles approches méthodologiques concernant l'histoire de la Seconde Guerre mondiale puis l'instauration de régimes se réclamant du socialisme en Europe orientale, soient bientôt mises en œuvre.

[3] Cf. Claude Levy, «Le socialisme dans l'Europe de Hitler à l'époque de la Seconde Guerre mondiale», in *Histoire générale du socialisme*, sous la direction de J. Droz, tome 3, *De 1918 à 1945*, pp. 465-522.

[4] Cf. Marc Sadoun, *Les socialistes sous l'Occupation. Résistance et collaboration*, Paris, Presses de la Fondation nationale des sciences politiques, 1982, 324 p. ainsi que les biographies de la plupart de ces militants in *Dictionnaire biographique du mouvement ouvrier français... op. cit.*, passim.

[5] Outre G. Devin, *L'Internationale socialiste, op. cit.*, cf. R. Steininger, «L'Internationale socialiste et le SPD après la Seconde Guerre mondiale», in *L'Internationale socialiste, op. cit.*, pp. 65-88. Cf. également A. Glees, *Exile politics during the Second World War. The German social-democrats in Britain*, Oxford, UP, 1982. Cf. enfin F. Foret, «La reconstruction du SPD après la Seconde Guerre mondiale», *Le Mouvement social*, n° 95, avril-juin 1976, pp. 117-145.

[6] G. Devin, *L'Internationale socialiste, op. cit.*

[7] L. Levy, «La Conférence internationale de Clayton-on-Sea», *Revue socialiste*, n° 2, juin 1946.

[8] J.M. Winter, «Le mouvement travailliste en Grande-Bretagne et les problèmes de la santé publique (1900-1948)», in *Mouvement ouvrier et santé. Une comparaison internationale.* Vol. I et II. *Prévenir.* 1er et 2e semestre 1989, n° 18-19. A l'exception de cet article, les travaux publiés dans ce recueil concernant la santé en Allemagne, Autriche-Hongrie, Belgique, France et Grande-Bretagne sont pour l'essentiel consacrés à la période antérieure à la Première Guerre mondiale.

[9] Outre G. Devin, *L'Internationale socialiste, op. cit.*, cf. également son article sur «La renaissance de l'Internationale socialiste 1945-1951», in *L'Internationale socialiste*, sous la dir. de H. Portelli, *op. cit.*

[10] A. Fontaine, *Histoire de la Guerre froide.* Tome 1: *De la Révolution d'Octobre à la guerre de Corée*, Paris, Fayard.

[11] Sténogramme de la Conférence de Zurich, 6-9 juin 1947, Institut international d'histoire sociale d'Amsterdam, cité in G. Devin, *L'Internationale socialiste..., op. cit.*, p. 35.

[12] L. Marcou, *Le Kominform. Le communisme de guerre froide*, Paris, Presses de la Fondation nationale des sciences politiques, 1977, 344 p.

[13] F. Fejtö, *Histoire des démocraties populaires*, Paris, Seuil, 1952.

[14] G. Devin, *L'Internationale socialiste..., op. cit.*

[15] Résolution sur «La paix mondiale et la reconstruction économique» votée lors de la Conférence socialiste internationale d'Anvers. Archives de l'Internationale socialiste, Institut international d'histoire sociale d'Amsterdam.

[16] *Le Populaire*, 15 mars 1948.

[17] G. Devin, *L'Internationale socialiste..., op. cit.*

[18] «Un socialisme aux couleurs de l'Angleterre: le Parti travailliste et l'Internationale socialiste depuis 1945», in *L'Internationale socialiste*, sous la dir. de H. Portelli, *op. cit.*, pp. 57-66.

[19] Labour Party: *Cards on the Table*, Londres, Labour Party, 1947.

[20] *Cards on the Table, op. cit.*

[21] D. Healey, «The International socialist Conference, 1946-1950», *International Affairs*, juillet 1950, pp. 363-375.

[22] Interventions de L. Blum au congrès du Labour à Bornemouth, *Le Populaire*, 14 juin 1947 et de L. De Brouckère au congrès de la SFIO de Montrouge, *Le Populaire*, 2 avril 1946.

[23] *Aims and tasks of democratic socialism.* Le texte de la Charte de Francfort est publié in J. Braunthal, *History of the International*, vol. 3, *1943-1968, op. cit.*, pp. 531-537.

[24] Cf. p. 111-115.

[25] Outre G. Devin, *L'Internationale socialiste, op. cit.*, cf. également

J. Braunthal, *History of the International*, vol. 3, *1945-1968, op. cit.*, pp. 182-212 notamment.

[26] Sur la chronologie de la construction européenne, cf. F. Visine, *Trente ans d'Europe, 1945-1975*, Paris, Ed. Techniques et économiques, 1975, 150 p.

[27] Cf. R. Steininger, «L'Internationale socialiste et le SPD...», *op. cit.*

[28] G. Devin, *L'Internationale socialiste, op. cit.*

La traversée du désert (1951-1972)

[1] B. Gibaud, *De La Mutualité à la Sécurité sociale. Conflits et convergences*, Paris, Ed. Ouvrières, 1986, 246 p.

[2] Cf. in G. Devin, *L'Internationale socialiste..., op. cit.*, les sous-sections consacrées à la «Conférence socialiste asienne» (CSA) ainsi qu'aux relations entre l'Internationale et la CSA, pp. 121-161.

[3] Cf. p. 97.

[4] G. Devin, «La Renaissance de l'Internationale...», *op. cit.*, p. 56.

[5] J. Braunthal, *History of the International*, vol. 3, *op. cit.*, p. 197.

[6] Cf. p. 97.

[7] Cf. p. 98.

[8] J. Braunthal, *History of the International*, vol. 3, *op. cit.*, p. 197.

[9] P. Buffotot, «Le Parti socialiste SFIO et l'Internationale socialiste, 1944-1969», in *L'Internationale socialiste*, sous la dir. de H. Portelli, *op. cit.*, pp. 89-100.

[10] Cf. sa biographie par F. Lafon, in *Dictionnaire biographique du mouvement ouvrier français, op. cit.*, tome 36, pp. 452-462.

[11] R. Steininger, «L'Internationale socialiste et le SPD...», *op. cit.*

[12] G. Devin, *L'Internationale socialiste, op. cit.*

[13] F. Visine, *Trente ans d'Europe, op. cit.*

[14] Outre F. Lafon, «Guy Mollet», *op. cit.* ainsi que P. Buffotot, «Le Parti socialiste SFIO...», *op. cit.*, cf. sur l'œuvre de Guy Mollet le livre, réalisé à partir d'un colloque, *Guy Mollet: un camarade en République*, Presses Universitaires de Lille, 1987. Trente ans après la victoire du Front républicain ses auteurs s'efforcent de tirer un bilan de l'action du secrétaire de la SFIO sans se cacher la difficulté et la complexité d'une telle entreprise. Cf. aussi dans ce livre, G. Devin, «Guy Mollet et l'Internationale socialiste», pp. 143-167.

[15] Conseil général de l'Internationale socialiste, 30 octobre-1er novembre 1956, in *Rapports du 49e Congrès national de la SFIO*, p. 46.

[16] Discours de Guy Mollet, in *51ᵉ Congrès national de la SFIO*, p. 30.

[17] G. Devin, *L'Internationale socialiste...*, *op. cit.*, notamment la section consacrée à «L'Internationale et l'unité européenne», pp. 913-952.

[18] Cf. notamment pp. 140-164.

[19] Cf. sur cette question G. Devin, *L'Internationale socialiste...*, *op. cit.* notamment les pages consacrées à «L'Internationale face au communisme soviétique», pp. 163-176 ainsi que J. Braunthal, *History of the International*, vol. 3, *op. cit.*, chapitre 4, «The moral crisis of communism», pp. 375-475, *passim*.

[20] *Le Rapport Khrouchtchev et son histoire*. Texte présenté et annoté par B. Lazitch, Paris, Seuil, 1976, 192 p. Cf. également, *La sinistra e il '56 in Italia e Francia* a cura di B. Groppo, G. Ricamboni, Padova, Liviana, 1987, 428 p. Cf. notamment dans cet ouvrage, A. Bergounioux, «La SFIO e la destalinizzazione»; R. De Mucci, «Il nuovo corso del PSI: prima e dopo il 1956»; D. Ardia, «La politica internazionale del PSI negli anni cinquanta».

[21] «Socialisme et communisme», Déclaration du Bureau de l'Internationale socialiste, Londres, 7 avril 1956.

[22] Résolution sur la Hongrie et les persécutions politiques adoptée par le Vᵉ Congrès de l'Internationale socialiste, Vienne, 2-6 juillet 1957.

[23] Sur cet épisode, cf. G. Devin, *L'Internationale socialiste...*, *op. cit.*, pp. 176-192.

[24] Tel fut le cas des mencheviks, des socialistes italiens, polonais, portugais, des pays baltes, puis à partir de 1933 des socialistes allemands, autrichiens, grecs.

[25] L. Thanassecos, *Chronologie des relations internationales*, *1914-1971*, Paris/La Haye, Mouton, 1972, 690 p.

[26] Minutes de la Conférence du COMISCO, Londres, juillet 1949.

[27] G. Devin, *L'Internationale socialiste...*, *op. cit.* notamment les pp. 555-632 consacrées à l'étude d'une «structure de concertation».

[28] Cf. p. 89-164.

[29] Cf. p. 183-210.

[30] Précisions fournies par D. Hanley, in «Un socialisme aux couleurs de l'Angleterre...», *op. cit.*, p. 66.

[31] G. Devin, *L'Internationale socialiste...*, *op. cit.*

[32] Cité in J. Droz, *Le socialisme démocratique*, *1864-1960...*, *op. cit.*, p. 318.

[33] Cf. F. Visine, *Trente ans d'Europe... op. cit.*

[34] Déclaration du Bureau de l'Internationale socialiste, 24-25 janvier 1963.

[35] P. Buffotot, «Le Parti socialiste SFIO...», *op. cit.*

[36] Cf. *Mai 68. Les mouvements étudiants en France et dans le monde*. Ouvrage publié sous la dir. de G. Dreyfus-Armand et L. Gervereau,

Paris, Bibliothèque de documentation internationale contemporaine, 1988, 304 p.

Le renouveau du socialisme européen

[1] Outre G. Devin, *L'Internationale socialiste, op. cit.*, notamment les pages consacrées au Congrès de Genève (pp. 510-540), cf. R. Seidelmann, «Le renouveau de l'Internationale socialiste, 1972-1981»; H. Portelli, «Le Parti socialiste et l'Internationale socialiste, 1971-1981»; J.C. Romer, «L'Internationale socialiste. Perceptions soviétiques»; H. Portelli, «De Madrid à Albufeira». Ces quatre études figurent in *L'Internationale socialiste*, sous la dir. de H. Portelli, *op. cit.*, pp. 101-171. Cf. aussi W. Brandt, B. Kreisky, O. Palme, *La social-démocratie et l'avenir*, Paris, Gallimard, 1976, 254 p. Cf. aussi dans une perspective d'extrême gauche, *Profils de la social-démocratie européenne*, ouvrage collectif introduit par J. Ross, Paris, PEC, Collection La Brèche, 1982, 432 p.

[2] G. Devin, *L'Internationale socialiste, op. cit.*, p. 979.

[3] Le thème de ce congrès est ainsi formulé: «Vers la justice sociale en Europe».

[4] A la fin de l'année 1956.

[5] Les réflexions sur l'eurocommunisme ont été nombreuses dans la seconde moitié des années Soixante-dix. On peut citer entres autres, S. Carrillo, *«Eurocommunisme» et Etat. Essai politique*, Paris, Flammarion, 1976, 256 p. F. Claudin, *L'Eurocommunisme*, Paris, Maspéro, 1977, 160 p. F. Fonvieille-Alquier, *L'Eurocommunisme*, Paris, Fayard, 1977, 290 p. L. Marcou, *L'Internationale après Staline*, Paris, Grasset, 1979, 316 p. Cette énumération n'est nullement exhaustive.

[6] Cf. à ce sujet le n° 11-12 de la revue *Communisme, Le communisme en Europe occidentale. Déclin ou mutation?*, (3e-4e trimestre 1986) ainsi que les «Chroniques électorales du communisme» parues dans les n°s 20-21 et 22-23 de la même revue (1988-1989 et 1990) qui font le point sur la situation de la plupart des partis communistes européens. Selon *Le Monde* du 12 mai 1990, les commandes d'exemplaires de *L'Humanité* en URSS seraient passées de 9450 à 4734 unités. Il en serait de même pour le quotidien du Parti communiste britannique, *The Morning Star* dont les commandes se seraient vues réduites de 1 200 à 600 exemplaires.

[7] La chute du «régime des colonels» en Grèce date de 1974 et en 1981, le PASOK, après avoir remporté les élections législatives, arrive au pouvoir. Au Portugal la «Révolution des œillets» date également de

1974; un an plus tard l'affermissement du Parti socialiste est chose faite. Enfin il faut attendre 1982 pour voir en Espagne les socialistes arriver au pouvoir à la suite des élections législatives mais la transition démocratique a commencé dès 1975 au lendemain de la mort de Franco.

[8] Cf. R. Seidelmann, «Le renouveau de l'Internationale...», *op. cit.*

[9] Cf. l'annexe n° 1, pp. 173-174 in *L'Internationale socialiste*, sous la dir, de H. Portelli, *op. cit.*

[10] Cf. p. 51-52.

[11] Cf. p. 111-115.

[12] J. Levesque avec la collaboration de L. Duhamel, *L'URSS et sa politique internationale de Lénine à Gorbatchev*, Paris, A. Colin, 1987.

[13] Chiffres fournis par J.P. Dumont, *L'impact de la crise économique sur les systèmes de protection sociale*, Paris, Economica, 1986, 240 p.

[14] A. Bergounioux, B. Manin, *Le régime social-démocrate*, Paris, PUF, 1989, 189 p.

[15] G. Mink, *La force ou la raison. Histoire sociale et politique de la Pologne, 1980-1989*, La Découverte, 1989.

[16] Selon *Le Monde* du 7 juin 1990, «Chômage en Pologne», en janvier 1990 on recensait en Pologne 6 000 chômeurs et 400 000 offres d'emploi. «Au début du mois de juin on compte 450 000 chômeurs soit une progression de 50 000 personnes en quinze jours pour 30 000 offres d'emploi et tous les indicateurs laissent entrevoir une augmentation prochaine». Toujours selon le même journal, «Le chômage passe à l'Est», (11 mai 1990): «En RDA on recensait fin avril près de 65 000 chômeurs. Encore très éloigné des réalités occidentales (la RFA compte 1,9 million de sans-emploi), ce chiffre fait tout de même apparaître une hausse de 70% en un mois selon les chiffres publiés le 9 mai par le ministère du Travail... Le même jour l'agence de presse PAP a affirmé que le chômage en Pologne pourrait tripler d'ici la fin de l'année pour atteindre le cap fatidique du million contre 317 000 à la mi-avril... En Hongrie où l'on évaluait ces derniers mois à 20 000 le nombre de chômeurs, les autorités en attendent 200 000 dans les années qui viennent. L'Union soviétique ne fait pas exception». En février 1991, le chômage aurait touché 1 264 000 personnes en Pologne (*Libération*, 11 mars 1991).

[17] En juin 1990, une seule organisation se réclame ouvertement du communisme, le Parti communiste de Tchécoslovaquie. Dans toutes les autres ex-démocraties populaires, les partis communistes se sont transformés: Parti du socialisme démocratique (RFA); Front du salut national (Roumanie); Parti socialiste bulgare; Parti socialiste hongrois..., etc. La réduction d'influence de ces organisations ne signifie pas pour autant leur disparition: en Hongrie, en Tchécoslovaquie et en RDA, elles ont recueilli entre 12 et 16% des voix aux élections. En Roumanie et dans une moindre mesure en Bulgarie, elles ont obtenu la majorité

absolue lors des élections réalisées en mai et juin. Ces indications qui ne visent qu'à représenter la situation à un moment donné sont bien entendu susceptibles d'évolution. Elles montrent à l'évidence que si les systèmes antérieurs à 1989 ont fait leur temps, ces bouleversements ne signifient pas pour autant la disparition pure et simple du communisme comme force politique. Il est encore plus malaisé d'envisager le moindre pronostic pour l'Union soviétique en raison de l'évolution qu'elle continue de connaître actuellement.

[18] Cf. «Où va l'Est?» Colloque européen, *Libération*, 24-25 février 1990, notamment la première table ronde: «Une culture politique a-t-elle survécu à l'Est» et la seconde: «Après le socialisme autoritaire, quelles transitions démocratiques?»

[19] S. July, in *Libération*.

CHRONOLOGIE

1889: Congrès (2) de fondation de la IIᵉ Internationale à Paris.

1896: IVᵉ Congrès de l'Internationale à Londres. Eviction définitive des anarchistes.

1898-1899: Débuts de la crise révisionniste dans les rangs du socialisme allemand, français et russe.

1900: Vᵉ Congrès à Paris. Création du Bureau socialiste international (BSI). Débuts de structuration de l'Internationale.

1904: VIᵉ Congrès à Amsterdam. Condamnation — formelle? — du révisionnisme de Bernstein et du ministérialisme de Millerand.

1907: VIIᵉ Congrès (Stuttgart). Discussion sur les problèmes co-

1889: Exposition universelle à Paris. Centenaire de la Révolution française.

1900: Exposition universelle à Paris.

loniaux. Création d'une organisation de femmes et de jeunes.

1910: VIIIᵉ Congrès à Copenhague: comment lutter contre la guerre?

1912: Conférence de Bâle.

1912: Débuts des guerres balkaniques, «prologue» de la Première Guerre.

Août 1914: Congrès «manqué» de Vienne.

Août 1914: Débuts de la Première Guerre.

Septembre 1915: Conférence de Zimmerwald des opposants à la guerre.

Avril 1916: Conférence de Kienthal des opposants à la guerre.

1917: Conférence manquée de Stockholm des socialistes majoritaires.

Février 1917: Début de la Révolution russe.

Octobre-novembre 1918: Chute des Empires centraux. Fin de la Première Guerre mondiale.

Février 1919: Conférence de Berne. Tentative de reconstitution de l'unité de la IIᵉ Internationale.

Mars 1919: Fondation formelle à Moscou de la IIIᵉ Internationale.

Juillet-août 1920: Congrès de Genève de la IIᵉ Internationale.

Juillet-août 1920: Second Congrès de la IIIᵉ Internationale. Définition des «21 conditions» d'admission.

5-7 décembre 1920: Conférence de Berne des partis socialistes centristes.

22-27 février 1921: Conférence de Vienne de fondation de l'Union des partis socialistes

337

pour l'action internationale
(UPSAI).

Avril 1922: Conférence des trois
Internationales à Berlin.

Février 1923: Occupation de la
Ruhr par les armées françaises
et britanniques.

Mai 1923: Constitution à
Hambourg de l'Internationale
ouvrière socialiste (IOS) par la
fusion de la IIᵉ Internationale et
de l'UPSAI

Août 1925: IIᵉ Congrès de l'IOS
à Marseille.

Octobre 1925: Pacte de Locarno.

1926: Publication d'*Au delà du
marxisme* par H. de Man. Débuts de la seconde crise révisionniste.

Août 1928: IIIᵉ Congrès de
l'IOS à Bruxelles. Débats sur la
question coloniale.

Octobre 1929: Débuts de la
crise économique mondiale.

Août 1930: Débuts de la
progression du nazisme.

Août 1931: IVᵉ Congrès de
l'IOS à Vienne. Débats sur la
nature du fascisme.

Janvier 1933: Arrivée de Hitler
au pouvoir.

Août 1933: Conférence de l'IOS
à Paris: comment lutter contre
le fascisme?

Février 1934: Journées de
Vienne. Ecrasement du prolétariat autrichien. Débuts de la
dynamique unitaire en France.

Octobre 1934: Entrevue Adler/Vandervelde-Cachin/Thorez.

Novembre 1934: Réunion de l'Exécutif de l'IOS à Paris. Rejet définitif de toute forme d'unité d'action avec les communistes.

Septembre 1935: Constitution du Bureau de Londres, lieu de regroupement du socialisme de gauche européen.

Septembre 1935: Débuts de la guerre d'Ethiopie.

28 juillet 1936: L'Exécutif de l'IOS se prononce pour la non-intervention en Espagne.

1936: Front populaire en France et en Espagne. Procès de Moscou (à partir du 16 juillet). Guerre d'Espagne (à partir du 27 juillet).

Septembre 1938: «Pacte d'Oslo» entre les partis socialistes de l'Europe du Nord qui proclament leur neutralité dans la perspective de la guerre future.

Septembre 1938: Accords de Munich.

Septembre 1939: Débuts de la IIe Guerre mondiale.

3 avril 1940: Dernière réunion du Bureau de l'IOS à Bruxelles.

10 mai 1940: Débuts des opérations militaires en Europe de l'Ouest.

3-5 mars 1945: Conférence à Londres d'un certain nombre de partis socialistes européens à l'exception des allemands et des autrichiens.

8 mai 1945: Fin de la IIe Guerre mondiale en Europe.

Début 1947: Naissance de la Guerre froide.

Novembre 1947: Conférence d'Anvers des partis socialiste. Création du COMISCO. Réadmission du SPD dans la communauté socialiste internationale.

Février 1948: Coup de Prague. Division définitive du monde en deux blocs.

Janvier 1949: Création du Conseil de l'Europe.

Avril 1951: Constitution de la CECA.

30 juin-3 juillet 1951: Constitution à Francfort de l'Internationale socialiste.

Février 1954: Ière Conférence des partis socialistes européens à Bruxelles.

Août 1954: Rejet de la CED.

Mars 1956: Conseil Exécutif de l'IS à Zurich: elle refuse la «coopération idéologique» avec le communisme mais prend une position plus souple vis-à-vis de la coopération diplomatique.

1956: Rapport Khrouchtchev. Insurrections en Pologne et en Hongrie. Expédition de Suez. Dissolution du Kominform.

1957: Phillips remplacé par Andersen.

Mars 1957: Traité de Rome.

1959: Congrès de Bad-Godesberg du SPD.

Janvier 1960: Création de l'AELE.

1963: Andersen remplacé par Ollenhauer à la tête de l'IS. Décédé trois mois plus tard, ce dernier est remplacé par Pittermann. Début de l'atténuation des divisions entre socialistes sur les questions européennes.

1965: Crise du Marché commun.

1967: Kreisky succède à Pittermann.

1968... en Europe et dans le monde.

Décembre 1969: Relance de l'Europe après le départ du général de Gaulle, au sommet de La Haye.

1972: Premières tentatives de rénovation de l'IS par Brandt, Kreisky et Palme.

1973/1974: Débuts de la crise économique mondiale.

Avril 1974: Création de l'Union des partis socialistes de la Communauté européenne (UPSCE).

Novembre 1976: XIIIᵉ Congrès de l'IS (du «renouveau») à Genève.

1978: Congrès de Vancouver, premier Congrès de l'IS hors d'Europe et en terre américaine.

Juin 1979: Premières élections au Parlement européen.

Décembre 1981: Etat de siège en Pologne.

1985: Arrivée de Gorbatchev au pouvoir en Union soviétique.

1989: Implosion des systèmes communistes en Europe de l'Est.

BIBLIOGRAPHIE

Toute bibliographie sur le ou plutôt les mouvements socialistes européens ainsi que leurs diverses composantes nationales
constituerait une somme gigantesque dont la seule recension
dépasserait très largement le cadre de ce travail! De nombreuses
bibliographies portant sur l'histoire du mouvement ouvrier
dans divers pays européens ont été établies et nous avons fait
référence à un certain nombre d'entre elles dans les notes
auxquelles nous renvoyons le lecteur. Il se trouve qu'il n'existe
pas de bibliographie française recensant de façon générale les
travaux portant sur le mouvement ouvrier français.

Les choses sont quelque peu différentes en ce qui concerne
l'histoire des Internationales: si la Seconde Internationale a
suscité un grand nombre de publications, en dépit de recherches
récentes, l'Internationale ouvrière socialiste est déjà beaucoup
moins connue. Les travaux sont plus limités encore en ce qui
concerne l'Internationale socialiste depuis les lendemains de la
Seconde Guerre mondiale.

Nous avons délibérément choisi de signaler, ici comme dans
les notes, autant que possible les ouvrages parus en langue
française, ce qui ne signifie pas malgré tout que nous nous
soyions limités à cette dernière. A partir des bibliographies
existant dans ces ouvrages ainsi qu'à partir des références

signalées dans les notes, il est possible «d'aller plus loin». Enfin nous avons également mentionné un certain nombre de revues françaises spécialisées en histoire sociale (note 21, p. 318), sans avoir aucunement la prétention d'épuiser la question.

Ouvrages portant sur un siècle de socialisme européen

Histoire générale du socialisme en Europe, sous la dir. de J. DROZ, Paris, PUF, 1974-1978.
Tome 1, *Des origines à 1875*.
Tome 2, *De 1875 à 1918*.
Tome 3, *De 1918 à 1945*.
Tome 4, *De 1945 à nos jours* (1977 environ).
J. DROZ, *Le socialisme démocratique, 1864-1960*, Paris, A. Colin, 1966.
J. BRAUNTHAL, *History of the International*, Boulder, Westview Press, 1971.
Tome 1, *1864-1914*.
Tome 2, *1914-1943*.
Tome 3, *1943-1968*.
A. KRIEGEL, *Les Internationales ouvrières*, Paris, PUF, Que sais-je?, n° 1129.
A. DONNEUR, *L'Internationale socialiste*, Paris, PUF, Que sais-je?, n° 2101.

Sur la Seconde Internationale

P. VAN DER ESCH, *La Deuxième Internationale, 1889-1923*, Paris, M. Rivière, 1957 (Bien vieilli et approximatif).
G. HAUPT, *La IIᵉ Internationale, 1889-1914. Etude critique des sources. Essai bibliographique.* Paris/La Haye, Mouton, 1964, 394 p. Plus généralement on se reportera à l'ensemble de l'œuvre de G. Haupt, recensée in *Georges Haupt parmi nous*, n° spécial du *Mouvement social*, n° 111, avril-juin 1980.
A. KRIEGEL, «La IIᵉ Internationale, 1889-1914» ainsi que
M. REBÉRIOUX, «Le socialisme et la Première Guerre mondiale», in *Histoire générale du socialisme, op. cit.*, tome 2, pp. 555-641.

Sur l'Internationale «Deux et demie»
puis le socialisme de gauche,
distinct de l'IOS, jusqu'en 1940:

A. Donneur, *Histoire de l'Union des partis socialistes pour l'action internationale, 1920-1923*, Genève, Institut universitaire de hautes études internationales, 1967, 436 p.

M. Dreyfus, «Bureau de Paris et Bureau de Londres: le socialisme de gauche en Europe entre les deux guerres», *Le Mouvement social*, n° 112, juillet-septembre 1980, pp. 25-55.

Sur l'Internationale ouvrière socialiste (1923-1940)

M. Sokolova, *Les Congrès de l'Internationale socialiste entre les deux guerres mondiales*, Paris, 1953. (Bien vieilli).

A. Sturmthal, *The tragedy of European Labour, 1918-1939*, New York, Praeger, 1943.

L'Internazionale operaia e socialista tra le due guerre, a cura di E. Collotti, Annali della Fondazione G. Feltrinelli, Milano, Feltrinelli, 1985, 1240 p. Fondamental. Cf. la présentation que nous en faisons in note 3, p. 324.

Sur l'Internationale socialiste (1951-1989)

L'Internationale socialiste, par A. Bergounioux, P. Buffotot, G. Devin et alii, sous la dir. de H. Portelli, Paris, Ed. Ouvrières, 1983, 190 p.

G. Devin, *L'Internationale socialiste, 1945-1976. Politique et éthique du socialisme international.* Thèse pour le doctorat d'Etat en sciences politiques, sous la dir. de H. Portelli, Université Paris X Nanterre, 1988, 1164 p.

Cf. également, A. Bergounioux, B. Manin, *La social-démocratie ou le compromis*, Paris, PUF, 1979 ainsi que des mêmes auteurs, *Le régime social-démocrate*, Paris, PUF, 1989.

INDEX

ABRAMOVITCH Rafael P. REIN dit,
86, 104.
ADLER Fritz, 61, 70, 79, 81, 82, 97,
100, 101, 104, 110, 125, 140, 142,
143, 147, 150, 157, 158, 159, 162,
179.
ADLER Victor, 25, 59, 70.
ALBARDA J.W., 97, 144, 157.
ALLEMANE Jean, 33.
ALTER Victor, 123, 176.
ANDERSEN Alsing, 254, 256.
ANDLER Charles, 54.
ANDROPOV Youri, 290.
ANSEELE Edouard, 30, 77.
ASQUITH Herbert, 60.
AURIOL Vincent, 174, 183.

BAKOUNINE Mikhail, 17.
BALABANOVA Angelica, 68, 101.
BAUER Otto, 90, 95, 104, 117, 118,
125, 140.
BEBEL August, 53.
BERNERI Camillo, 154.
BERNSTEIN Edouard, 43, 44, 47, 50,
52, 71, 75, 96, 128, 130, 256.
BETHLEN Comte, 118.
BEVAN Aneurin, 235.
BEVERIDGE (Plan), 187, 211, 310.

BEVIN Ernest, 184.
BISMARCK Otto von, 23, 309.
BLAGOEV Dimiter, 39.
BLUM Léon, 118, 125, 134, 135, 140,
143, 145-147, 149, 152, 169, 173,
205, 224.
BOURDERON Albert, 68.
BRACKE Alexandre DESROUSSEAUX
dit, 51, 61, 147.
BRAILSFORD Henry Noel, 104.
BRANDT Willy, 218, 261, 275, 281.
BRANTING Hjalmar, 71, 78, 79, 92.
BRAUNTHAL Julius, 180, 195, 209,
249.
BRIAND Aristide, 108, 109.
BROCKWAY Archibald Fenner, 61,
99, 153.
BROUCKÈRE Louis de, 51, 97, 145,
147, 157, 169, 179, 194, 205.
BROUSSE Paul, 32.
BROWN, 262.
BRUNING Heinrich, 119.

CABALLERO Largo, 146.
CACHIN Marcel, 61, 72, 142.
CARLSSON Berndt, 281.
CEAUCESCU Nicolae, 293.
CHAMBELLAND Maurice, 61.

349

Achevé d'imprimer
en août 1991
sur les presses
de l'imprimerie Campin
en Belgique (CEE)

Illustration de couverture :
Gino Severini, 1915,
Train qui traverse un village (détail)

© Editions Complexe, 1991
SA Diffusion Promotion Information
24, rue de Bosnie
1060 Bruxelles

 n° 419